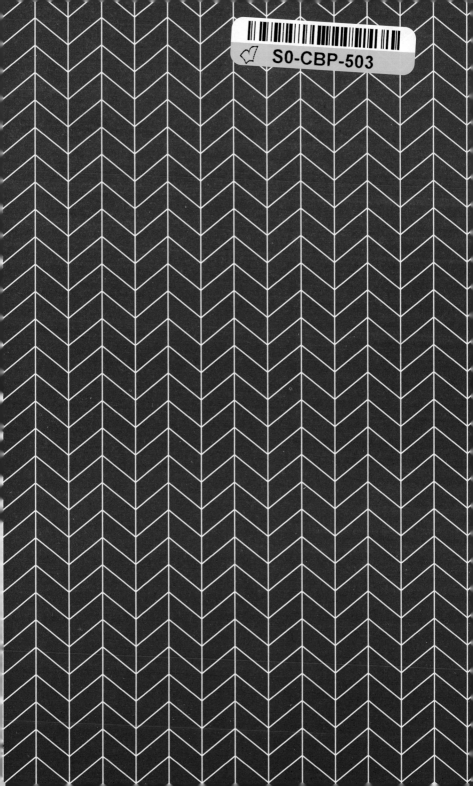

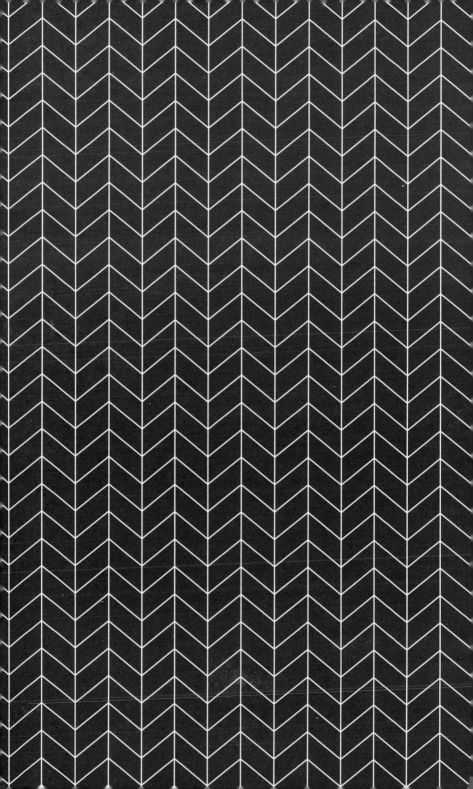

Manuel Bergman

Editorial Dos Bigotes

man

Pablo Herrán de Viu

DOSbigotes

Primera edición: octubre de 2017

MANUEL BERGMAN © Pablo Herrán de Viu

© de esta edición: Dos Bigotes, A.C.
   Publicado por Dos Bigotes, A.C.
   www.dosbigotes.es
   info@dosbigotes.es

ISBN: 978-84-946824-9-0
Depósito legal: M-27967-2017
Impreso por Solana e hijos Artes Gráficas, S.A.U.
www.graficassolana.es

Diseño de colección:
Raúl Lázaro
www.escueladecebras.com

Anhelaba la lejanía para acercarse a sí mismo, para desechar lo viejo y apoderarse de lo nuevo, en una palabra, para reencontrarse y empezar una nueva vida sobre nuevos cimientos.

Fiasco, Imre Kertész

Día 1

No me atreví a plantearme el Bronx. A pesar de que era el barrio más barato de todo Nueva York, todavía era usual escuchar tiroteos por las noches. Ningún alquiler de las habitaciones que seleccioné bajaba de los setecientos dólares mensuales. Me hubiese gustado seguir en el mismo barrio, pero los precios en Greenpoint habían subido desorbitadamente, y ya los de Williamsburg eran de escándalo. Tampoco me quería adentrar mucho en Brooklyn. Aunque Manhattan me provocara ansiedad, necesitaba sentirla cerca para no olvidar que me había trasladado allí persiguiendo un sueño. No obstante anoté una dirección que quedaba en Rockaways Beach. Es decir, en el culo del mundo.

Me llevé la libreta y el bolígrafo conmigo y emprendí la ruta. Sentado en el metro, observaba con especial atención los rostros que me rodeaban. Frente a mí había una mujer que se mordía el labio superior y rebotaba sobre su asiento cada vez que el vagón se detenía en una estación. Consultaba frecuentemente su reloj con pulso nervioso y resoplaba, apretando más y más el bolso contra el pecho. A su derecha había una cría de ojos rasgados, piel blanca y una ensortijada melena afro cuyo mestizaje me llamó la atención. A mi lado un joven escuálido con un estuche de violín entre las piernas trataba de reproducir las notas de una partitura emitiendo sonidos armónicos. Cada rostro se me antojaba como el de un personaje con sus propias peculiaridades que podía entrever por la forma de mirar, de torcer la boca, de entrecruzar las piernas, por las arrugas, el peinado y los zapatos. Me sentía hoy más atento al mundo que me rodeaba de lo que lo había estado en los últimos meses. Parecía que estaba empezando a deshacer el nudo interior que, durante mucho tiempo, me había impedido prestar atención a nada más que a mí mismo.

Salí en Dumbo. Me enseñaron una habitación con una pared de ladrillo rojo y vistas al East River. La que ocupaba la habitación contigua era una estudiante de la NYU, dulce y pelirroja. Dije que me la quedaba, pero a continuación me informaron de que exigían tres meses de depósito y les pedí que, en ese caso, me permitieran consultarlo con la almohada.

Cogí la línea F hasta el Lower East Side para transferir a la J. Volví a estar rodeado del crisol de personajes, culturas e historias que se respira en el subsuelo de Nueva York. Inspiré profundamente. Deseaba registrar en mi cerebro cada uno de los olores y sabores de la humanidad.

En Flushing visité un apartamento que olía a carne en descomposición.

Regresé al metro hasta pasarme a la línea L en Broadway & Junction. Me bajé en Morgan, en el barrio de Bushwick. Había oído que allí residían los artistas. Todas las construcciones eran antiguas fábricas remodeladas para que las ocuparan jóvenes promesas que no se podían costear los precios de la ciudad. El paisaje resultaba decadente pero tenía un no sé qué bohemio. Entré en el piso en cuestión y vi que habían suplementado un falso techo a mitad de altura para dividir una habitación en dos. La media habitación que quedaba disponible era la superior. Tendría que utilizar una endeble escalera de madera para acceder a ella y andar en cuclillas si no quería darme cabezazos contra el techo.

—Lo siento, no puedo escribir con la espalda torcida.

El indio que tenía frente a mí en el metro se miraba los dedos de las manos con gesto sorprendido, como si los descubriera más cortos que nunca. Me imaginé que, cuando esa misma mañana se disponía a enrollarse su turbante alrededor de la cabeza como cada día, la tela le habría alcanzado para dar varias vueltas más de lo usual. Algo parecido le habría debido de ocurrir al calzarse. Sus zapatos le quedarían enormes y, al bajar las escaleras de su edificio, tendría que haberlo hecho a saltos. Lo del tamaño de los dedos de sus manos sería su última sorpresa. Todo en él menguaba a una velocidad vertiginosa mientras que su entorno conservaba sus dimensiones habituales. Y es que Nueva York se le estaba quedando grande (a él y a mí y a todos los demás) y, si no reaccionábamos a tiempo, la ciudad acabaría por hacernos desaparecer.

El arrendador del piso en Queens era un filipino que se presentó a sí mismo como un compañero, ante todo, respetuoso, pero ya iba cogorza perdido antes de que dieran las doce del mediodía.

Visité una habitación en Harlem que me pareció adecuada al precio que pedían. En las ventanas del edificio ondeaban banderas de Puerto Rico. Algún vecino escuchaba música a todo volumen: *Tengo todo, papi. Tengo todo, papi. Tengo fly, tengo party, tengo una sabrosura.* El propietario del apartamento era cubano. Al final de una entrañable conversación sobre nuestras respectivas patrias, me comentó que su única exigencia era que desalojara la casa cada día desde las nueve de la mañana hasta las siete de la tarde, sábados incluidos, los domingos no era necesario. La necesitaba vacía para sus clases de yoga, salsa, español y cocina, me explicó.

—Pero yo solo puedo escribir en casa —repliqué.

—Lo siento, chico —me guiaba cordialmente por el hombro hacia la salida—. Mis alumnos no se concentran si saben que alguien merodea por aquí.

Decidí seguir a pie. Tanto metro ya me estaba dando dolor de cabeza. Me detuve a la altura de la zona de Columbia University, en la 116. Desde el otro lado de la acera observé a los estudiantes que accedían al campus de la prestigiosa universidad. Los envidié, a todos ellos, parecían tan satisfechos de sí mismos... Yo ya había dejado atrás mis años universitarios y no había venido a Nueva York con intención de ingresar en otra institución que me marcara las pautas a seguir. Me creía preparado para ir por libre. Sin embargo, en ese momento lo hubiera dado todo por volver a tener unos objetivos concretos: exámenes que aprobar y profesores a los que impresionar.

Crucé Broadway y atravesé la verja metálica de entrada a la universidad, flanqueada por dos imponentes pilares de piedra pálida. Llegué a Low Plaza. Estaba rodeado por las impresionantes facultades de ladrillo rojo con techumbres revestidas de cobre. Me sentía como uno más de ellos.

Llamé a mi madre.

—Hola mamá.

—¡Jorge! ¡Jorge! Cuelga, que te llamo yo.

Siempre procuraba limitar mis gastos en todo lo posible.

—Hola mamá —repetí al poco.

—¡Jorge! ¡Jorge! —los primeros minutos de nuestras conversaciones telefónicas solían limitarse a esto—. ¡Jorge! ¿¡Qué tal estás!?

Tumbados sobre un césped raso más verde que un cultivo de lechugas había una multitud de estudiantes reunidos que compartían apuntes o descansaban con la cara hacia el sol.

—Bueno… Verás… Últimamente estoy teniendo algunos problemillas con Juhui.

—¿Has discutido con Junji?

Juhui, que para mi madre nunca dejaría de llamarse Junji o Fungi, era la persona que mis padres creían que vivía conmigo. Mi madre conocía mi orientación sexual desde hacía más de un año y medio. Se lo confesé cuando me vino a visitar a Nueva York. Yo me sentía tan feliz y enamorado por aquel entonces que no me costó ningún esfuerzo revelarle, tras la última gota de nuestra botella de vino en un restaurante del Meatpacking District, que era gay. Pero a ella sí que le llevó algo más que un esfuerzo el digerirlo. Empezó a discutir con Dios en voz alta antes de pagar la cuenta. En ese momento comprendí que añadir que, además, tenía novio y que, además, era mi compañero de piso y que, por consiguiente, practicábamos sexo con frecuencia, sería ya excesivo. Entonces fue cuando Juhui entró en escena. Ella no existía. Me la había inventado. «Es una chica estupenda, muy trabajadora, como todos los de Seúl. También quiere ser guionista. Ella me enseña cine asiático y yo a ella cine europeo. Hemos decidido compartir piso para poder trabajar el máximo tiempo posible en nuestros proyectos en común».

13

—Es una guarra, mamá —improvisé.

—No me digas. ¿Lo es?

—Lo sorbe todo…

—Ajá —asintió a modo de invitación para que continuase—. Ajá —repitió.

—Están tan acostumbrados a los fideos que estos asiáticos absorben hasta la pizza. No lo aguanto más. Chrssssssssss. Chrssssssssss. Lo oigo desde todas partes de la casa. Se coloca la punta del sándwich, o lo que sea, entre los dientes y ya estamos otra vez: chrssssssssss, absorbiendo como una aspiradora. Y lo hace a todas horas, no para de tragar, mamá. El café, los macarrones, las galletas… ¡Se cree que todo se come igual que sus fideos!

Temí que las tres chicas con melenas oscuras que tenía enfrente fueran hispanohablantes. Me encaminé hacia una zona más solitaria. Mi madre tardó en replicar, pero cuando lo hizo todo lo que escuché fue una sonora carcajada.

—¿Mamá?

—Chrssssssssss. Chrssssssssss —imitaba el sonido—. ¿Hacen eso todos los chinos?

—Juhui es coreana. —Quizá mi pretexto no había sido el más atinado—. ¿Y sabes qué más hace?

—¿Qué? —Era toda oídos.

—Colecciona insectos muertos.

—¡Vaya! ¿Por qué no escribes un guion sobre ella?

—Y la he pillado cuatro veces masturbándose en el salón.

—¿¡Qué!? Sal de allí inmediatamente —decretó con decisión.

Primer paso conseguido. Oía los resoplidos nerviosos de mi madre al otro lado de la línea.

—Eso mismo he pensado yo, no te creas. No es nada agradable encontrármela con las manos en la masa... De hecho, llevo toda la mañana visitando habitaciones. Pero... ¿Sabes lo que pasa, mamá? Me piden tres meses por adelantado.

—Pues los pagamos. ¡Menuda sinvergüenza esa Junji!

—Ya, sí, pero en total vienen a ser 700 del primer mes más... 2100 de los de depósito, y entonces, veamos, eso hace... 2800 en total. —Silencio sepulcral, mi madre dejó de resoplar—. Fíjate qué precio, mamá... —Nada—. ¿Mamá?

—Estarás de broma. ¿Quién en su sano juicio iba a pagar eso? A tu padre le da un infarto si le pides 2800 euros.

—Dólares, dólares —la corregí.

—Que se vaya Junji a Japón. Tú tienes todo el derecho a quedarte en el piso. Búscate otro compañero, Jorge, uno decente... Mejor que esta vez sea francés o italiano. Incluso un alemán... Pero olvídate ya de los chinos... Toda Asia anda un poco pasada de rosca.

—Echarla del piso no va a ser nada fácil. Tiene muy mal carácter.

—Pero tú tienes a Dios de tu parte, cariño —adoptó un tono monjil al decirlo—. Él no va a permitir que una pervertida gane la batalla. ¿Sigues rezando?

—Claro —mentí—. Antes de acostarme.

—Pues ahí lo tienes, mi amor. Esto va a ser pan comido.

Cuando di media vuelta y regresé al Low Plaza ya no había nadie tumbado en el césped. Los pocos jóvenes que todavía tenía a la vista estaban entrando en las diferentes facultades que circundaban el parque donde me había quedado solo.

Me detuve en un restaurante ecuatoriano en la esquina de la Calle 27 con la Octava Avenida. Estaba casi vacío, medio a oscuras y, además, sonaba una canción de Raphael, pero no me importó meterme en el lugar más deprimente de la zona. Necesitaba sentarme en cualquier sitio para recuperar el aliento. Había recorrido noventa y nueve manzanas a paso acelerado, me dolían las plantas de los pies. Pedí un café y me situé en una mesa al fondo del local.

Abrí mi cuaderno y taché los pisos que ya había visto sin resultados satisfactorios. Me quedaban cinco más, pero eran las alternativas que había dejado para el final porque se salían del presupuesto. Y ahora que sabía que mis padres no pensaban colaborar con el depósito no tenía sentido que los siguiera teniendo en consideración.

Me había quedado sin opciones.

—Aquí tiene su cafecito caliente, con su lechecita y, cómo no, su azucarito dulzón, mi amor —me dijo la camarera. Era una cincuentona entrada en carnes que parecía tener un instinto maternal tan grande como su trasero. Trataba a los pocos clientes que estábamos allí con el mismo cariño que si nos hubiera parido.

—Muchas gracias —le contesté con un rendido tono de voz infantil. Me hubiera gustado echarme a llorar acurrucado entre sus pechos.

Arranqué la página de mi cuaderno y la hice pedazos.

Al poco me sorprendió el sonido metálico de unos tacones resonando, amenazantes, contra el suelo del restaurante. A un par de mesas de distancia se sentó un hombre de unos cuarenta y tantos años. Su tez morena podría hacerle pasar por latino, pero le escuché pedir a gritos el especial del día con genuino acento del sur de los Estados Unidos. Me fijé en su estrechísima camisa sintética empapada en sudor y los anillos que lucía en las dos manos. Era, sin duda, un hortera, y seguro que apestaba a sobaco. No tardó en percatarse de la indiscreción con la que le analizaba y, en lugar de incomodarse, me sonrió. Tenía todos los dientes de arriba torcidos hacia el mismo lado, como sacudidos por una brisa del este. Además era bizco, parecía que uno de sus ojos también se hubiera visto barrido por la misma ventisca. Me sonreía cada vez con más efusividad. Reparé en mi propio aspecto, mi camiseta también estaba mojada y aún tenía la frente centelleante. Seguramente eso era lo que le atraía de mí: solo nosotros dos sudábamos a chorros dentro de aquel establecimiento refrigerado. Me guiñó un ojo y se me erizó la piel como un gato ante el peligro. La camarera se interpuso entre nosotros para depositar el plato de comida sobre su mesa. Aproveché la interrupción para apartar mi vista de él.

—Mire qué pollito marinado más rico, mi amor. Con su arroz amarillo y sus deliciosas habichuelas que a todos nos vuelven locos. —Me molestó que hablara de la misma forma maternal a un tipo que nadie desearía tener como hijo.

Para distraerme, dibujé líneas y triángulos sobre el papel de mi cuaderno. Círculos, nubes y flores. Con un seis y un cuatro la cara de tu retrato. Fingía estar concentrado en mis cosas, escribiendo, aparentando no ser consciente de que la lasciva mirada del desconocido seguía clavada en mí. La letra de la canción de Raphael retumbaba: *Yo soy aquel que cada noche te persigue, yo soy aquel que por quererte ya no vive.* Esos versos me hicieron pensar en

17

Fabio y en mi familia, en aquellas personas que se preocupaban por mí. Al rato detuve mis dibujos para darle un sorbo al café. Al depositar de vuelta la taza sobre el platito no pude evitar mirar al hombre por el rabillo del ojo. Comía pollo como un auténtico cerdo, manejaba el cuchillo y el tenedor sin ninguna destreza. En cuanto descubrió que lo escrutaba, volvió a sonreírme con los labios bañados en grasa. *Y estoy aquí aquí, para quererte, estoy aquí aquí para adorarte.* Se metió una cucharada de habichuelas en la boca y dejó el cubierto sobre el plato para llevarse la mano a las pelotas. Se las estuvo manoseando mientras arqueaba insistentemente sus cejas y masticaba con la boca abierta. Volví a mi cuaderno y subrayé las líneas y los triángulos, los círculos, las nubes y las flores, también repasé el perfil de la cara creada con el seis y el cuatro. Me temblaba el pulso y no sabía el porqué. Me faltaba aire. *Yo estoy aquí aquí, para decirte ¡amooor!, ¡amooooor!, ¡amoooooooor!* La punta del bolígrafo agujereó el papel y mi respiración se entrecortó.

—¿Más café, mijo?

—No —esta vez mi tono sonó de ultratumba.

En cuanto la mujer se dio la vuelta para dirigirse hacia la barra, me incorporé. Conseguí mantener la mirada fija en el ojo bueno del bizco durante unos segundos. Su cara era la de un jabalí al acecho. Le sonreí, insinuándome con descaro, y me giré hacia el lavabo.

No sabía qué estaba haciendo allí, de pie en aquel baño sucio y estrecho, sin ganas de mear y escuchando, sobre el goteo del váter estropeado, uno de los temas más populares de Raphael. No había echado el pestillo. Mi respiración se aceleraba más y más conforme esperaba a que el pomo de la puerta girase y ese ser repugnante me obligara a entregarme a él. Ahora no solo me temblaba el pulso, sino el cuerpo entero. Me sentía desconcertado por un deseo tan irracional e incontrolable que iba más allá de lo que podía comprender. Incluso me castañeaban los dientes y me silbaban los oídos. Me miré al espejo con intención de entrar en razón pero, en vez de eso, me llevé un susto de muerte. Estaba rojo y sudado y mis ojos estaban marcados por un pavor nunca antes experimentado. Igual que ese hombre con rostro de jabalí, tampoco mi cara era ya la de un ser humano.

Escuché el taconeo de sus botines aproximándose. Seguro que había acabado de engullir su pollo marinado y ahora venía a por mí. Yo le había invitado con mi sonrisa. No obstante, y en el último momento, cerré el pestillo.

A continuación perdí la consciencia del tiempo que me mantuve encerrado en el estrecho lavabo. Sentado sobre el retrete, me sentí desconcertado. No era capaz de responderme si, solo unos pocos minutos antes, había estado excitado o muerto de miedo.

Tras unos apresurados pasos en dirección a la estación de metro encontré un anuncio pegado a un semáforo. Tenía una foto de una rubia que llevaba la cara cubierta por un ungüento que parecía espeso, como barro. Miraba a cámara con gesto de espanto. Debajo de la foto había un texto:

«Si buscas vivir en un lugar silencioso, este es tu sitio porque compartirás el apartamento con una depresiva que no abre la boca ni para cepillarse los dientes».

Arranqué el folio y me lo guardé en el bolsillo de mi pantalón.

Si me quedaba algo de decencia tenía que mudarme cuanto antes, pensé. Para proteger a Fabio. De mí.

La distinguí a la altura de la Calle 7. Su tranquilidad me llamó la atención igual que lo haría una paloma en medio de una autopista. Caminaba a un ritmo lento, balanceándose como un badajo dentro de una campana. Por su expresión pude adivinar que cada paso le dolía. Iba vestida rara. Llevaba zapatos de buceo (de esos que cada dedito tiene su propia funda) y un impermeable rosa. Su cabello blanco se le pegaba a la cabeza como si no se lo hubiera lavado en semanas. Se detuvo frente a un colmado y utilizó ambas manos y todo el impulso de su cuerpo menudo para intentar abrir la puerta de entrada, pero la pobre anciana no conseguía ni hacer vibrar el letrero de hojalata que colgaba con la palabra OPEN.

En cuanto me acerqué y le abrí la puerta, ella me apartó de un manotazo para adelantarme. Avanzaba con urgencia hacia el estante de los periódicos gratuitos. Solo quedaba uno y, probablemente, temía que mi intención fuera arrebatárselo. Lo agarró y lo estrechó contra su pecho mientras recuperaba el aliento. Al girarse me encontró esperándola todavía con la puerta abierta. Se apartó el flequillo de los ojos y me miró sorprendida. Reconocí algo muy cercano en la expresión de su rostro. Avanzó y atravesó la puerta con seguridad, como si ahora estuviera frente a un galán que le ofreciese la mano para salir del coche. Luego se detuvo muy cerca de mí. Su prominente nariz estaba torcida y abría más un ojo que el otro para ayudarse a enfocar. A pesar de las arrugas y los gruesos pelos blancos que le nacían en la barbilla y la nariz, de cerca dejaba de parecer tan vieja.

—Parlez-vous français?

—No —le respondí.

—Sei italiano?

—Español —le respondí.

—¿Mexicano?

—De España —le respondí.

—¡España! —se llevó las manos a la boca—. J'adore l'Espagne!

Deletreó mi nombre en cuanto se lo dije y esperó a que la felicitara por acertar con las letras. El suyo era Eve, Eve Sternberg. Me hizo deletrearlo y no me equivoqué. Ella aplaudió y comentó que debía de ser un chico con un coeficiente intelectual alto.

—¿A qué te dedicas, Jorge?

—Soy guionista —respondí con la misma lástima que siempre me invadía en el momento de compartir mis ambiciones—. Quiero escribir películas —concluí, dándome mucha, mucha pena.

Noté que sonreía para sí misma. Temí que, igual que yo mismo, no me creyese capaz de llegar a ninguna parte.

—¿Serías tan amable de acompañarme hasta mi casa? —me preguntó, tomándose la confianza de cogerme del brazo—. Vivo a la vuelta de la esquina pero mis piernas no sirven para nada.

Mi paso, al intentar seguir el suyo, resultaba torpe. No estaba acostumbrado a caminar al ritmo de una octogenaria. Los viandantes que se nos cruzaban como balas sonreían al vernos.

—Yo soy dramaturga —me dijo, entornando los ojos para no perderse el impacto que pudiera crearme su confidencia—. Dramaturga de Broadway, debo decir.

Evité precipitarme. Me obligué a seguir mirando al frente. Allí estaba el destino juntando a un guionista primerizo y a una dramaturga en el ocaso de su vida. Ya era hora de que llegaran las buenas noticias. Fuentes de ingenio a punto de converger y salpicarse recíprocamente con sus respectivos chorros de imaginación. Quizá escribiríamos un guion en colaboración. Sí, seguro que tarde o temprano lo haríamos. Generaciones distantes que se fusionan en una trama común que atraería a multitud de espectadores a los teatros de todo el mundo. Luego llegaría la fama, una carrera envidiable impulsada por una dramaturga neoyorquina que conocí intentando abrir la puerta de un colmado durante la primera tarde otoñal de 2009. ¡Menuda casualidad más oportuna la de encontrarme con esta viejecita!

—¿Me has oído? —me preguntó, ofendida ante mi aparente impasibilidad.

—Sí —seguí mirando al frente—. Me alegro.

Se detuvo junto al portal que atravesábamos y me indicó que vivía allí.

¡Mierda! ¡No se me podía escapar! ¡Debía hacer uso de mi ingenio para retenerla!

Ella parecía contrariada, con el ceño fruncido. Algo le molestaba. Se llevó la mano al estómago y se tiró un pedo. Su falta de reacción, sin embargo, me hizo dudar de si se lo había tirado ella o si había sido yo sin darme cuenta. En todo caso el incidente me sirvió para apresurarme a hablar.

—Estoy disfrutando mucho de tu compañía.

¡Diana! Eve sonrió, e incluso me dio la sensación de que se sonrojaba (quizá era porque se empezaba a percibir el tufo). Miró hacia la portada del periódico durante unos segundos en los que parecía debatir si merecía la pena alterar su rutina. Finalmente me invitó a entrar al patio del edificio. Me explicó que había un jardín y dos bancos donde podríamos seguir disfrutando de nuestra mutua compañía.

—Me da la sensación de que aún queremos charlar un rato más —dijo—, ¿no es así?

Atravesamos el recibidor del edificio cogidos de la mano. El portero uniformado sonreía tras el mostrador. Llegamos al patio interior, un hermoso recinto en el que no se colaba ni un solo ruido de la ciudad. Al contrario, allí se podía oír los pájaros piar y las ramas de los árboles frotarse entre sí con cada ráfaga de viento. Pensé que si fuera de noche seguro que desde ese patio se podría contemplar la galaxia entera. Quién lo hubiera dicho, un remanso de paz en el mismísimo centro de la jungla.

Nos sentamos frente a frente en unos bancos de madera. Eve reparó en mi expresión.

—¿Qué te pasa? —me preguntó tras romper en una carcajada.

Siempre que me encuentro envuelto en situaciones dignas de transcribir al papel, la mandíbula inferior se me adormila, descolgándose. A veces, incluso, se me cae la baba.

—Eres muy gracioso, ¿lo sabes? ¿Qué tipo de historias escribes, Jorge?

Me incomodé al pensar en el papel en blanco que me acechaba a diario sobre mi escritorio desde el momento en que había empezado a convivir con Fabio. Ella debió de notarlo y tuvo la amabilidad de no hacerme responder.

—En realidad eso es lo que menos importa. Bastante haces con intentarlo.

Nos quedamos en silencio durante un rato. Yo quería preguntarle muchas cosas sobre nuestra profesión, que me desvelara los secretos y los atajos, pero descartaba todo lo que me venía a la cabeza por miedo a sonar inexperto. Ella se debía de sentir muy a gusto junto a mí porque dejó escapar otra flatulencia seguida por la misma reacción: ninguna. Volví a apresurarme en hablar para evitar el silencio mientras respirábamos sus olores gastrointestinales.

—¿Vives sola?

—Llevo sesenta años sola.

Me imaginé su casa y lugar de trabajo. Seguro que esa mujer que no compartía espacio habitaba en medio de un caos tan original como su vestimenta. De pronto sentí aversión hacia el estilo minimalista de Fabio.

—¿Sabes lo que he observado, Jorge? —me preguntó—. Tú y yo tenemos algo en común… Los dos somos abiertos, de lo contrario no estaríamos ahora aquí, juntos. Pero también somos introvertidos, que no es lo mismo que tímidos, y eso es porque nos gusta reflexionar sobre lo que vamos percibiendo en cada momento. ¿Me equivoco?

Era una mujer más observadora que un búho en el paisaje nocturno. Seguro que sus obras eran fascinantes. *Written by Eve Sternberg*. Me contó que era de Nueva York, de familia judía pero sin ninguna inclinación personal por la religión. Acordamos volver a vernos. Tenía más de ochenta años y debía de acumular tantas experiencias fascinantes como para escribir una biografía de unas mil quinientas páginas. Y allí estaba yo, frente a ella, mudo e inseguro, gracioso, según decía, iniciando un nuevo capítulo al final de su grueso libro. *Written by Eve Sternberg and Jorge Lazcano*. No podía sonar mejor.

—Ahora adiós, debo ir al baño —dijo, sujetándose el vientre.

El sol ya estaba muy bajo en el cielo, su resplandor era intenso. La luz se tornaba dorada. Era un placer notar que el verano se despedía de esta parte del planeta. Por fin el aire empezaba a ser ligero. Durante el trayecto de vuelta a Greenpoint no pude dejar de pensar en aquella mujer. Era el primer personaje al que ubicaba en el Nueva York que había venido buscando y por el que dejé tantas cosas atrás. Un Nueva York que había construido en mi cabeza y donde no había lugar para las prisas, pretensiones y superficialidades que, una vez aquí, me di cuenta de que invadían las calles de Manhattan. Esa anciana era como un tejido bordado artesanalmente, con paciencia y esmero, pero de un material capaz de sobrevivir a las temperaturas extremas de la ciudad.

¿Cómo se podía conseguir una tranquilidad de espíritu tan sólida que ni dos sonoros pedos fueran capaces de alterar?

Cuando entré en casa eran las nueve y media de la noche y Fabio llevaba más de una hora esperándome. Estaba en el sofá con las piernas cruzadas. Todavía llevaba puesto su traje de chaqueta. Bebía cerveza en una copa de plástico que habíamos ganado juntos tiempo atrás en una feria del barrio. Era su copa preferida.

—¿Qué has hecho? —me preguntó nada más verme.

Cuando se ponía tenso se esforzaba demasiado en no parecerlo y nunca le daba resultado.

Fabio se conocía de memoria la rutina de mi día a día. Iba al supermercado o limpiaba la casa por las mañanas.

25

Cada lunes visitaba la lavandería cargando un saco con nuestra ropa sucia. Por las tardes me dedicaba a escribir, aunque eso nunca daba resultado y, en su lugar, solía acabar leyendo o viendo una película. A la hora a la que Fabio llegaba del trabajo me encontraba en pijama añadiendo el último toque de sal a la cena recién cocinada. En una ocasión me llegó a reconocer que le tranquilizaba saber exactamente lo que estaba haciendo en todo momento. Me lo dijo con una sonrisa amable en la cara, como si se tratara de una pretensión de lo más noble, de una muestra del intenso amor que sentía por mí. Algo que merecería en todo caso mi gratitud.

—Nada —respondí.

Se apresuró a esconder su cara encendida detrás de la gigantesca copa.

—Hacer nada es imposible —dijo tras beber un trago de cerveza—. Algo habrás hecho durante el día.

—He fregado el suelo.

—Ves. Ya lo había notado. Gracias. ¿Qué más?

—He ido al supermercado.

—Entonces has comprado, supongo.

Aguardaba mi confirmación con impaciencia. Seguramente al llegar a casa y no encontrar la cena lista habría inspeccionado la nevera y la despensa, que seguían tan vacías como por la mañana. Esa inusual falta de atención por mi parte habría supuesto el germen de sus sospechas.

—No, no he comprado nada —respondí.

—¿Por qué?

—Porque estoy harto de perder mi tiempo.

Se creó un silencio súbito entre nosotros durante el cual los gritos de los vecinos de arriba se introdujeron subrepticiamente en nuestro salón. Era una pareja joven que discutía a todo volumen cada dos por tres. Fabio solía burlarse de ellos. Decía que solo los muy tarados discuten de esa manera. Me senté junto a él en el sofá y le estreché la mano.

—Llevo casi dos años viviendo lejos de mi país y no estoy haciendo nada de lo que me propuse —dije casi susurrando.

—¿Qué es lo que te propusiste?

—Joder Fabio, ¿a ti qué te parece? Pues escribir.

Puso expresión de estar escuchando un sinsentido.

—Tienes el día entero para hacerlo —extendió los brazos para abarcar el espacio en el que me pasaba las horas—. ¿Cuál es el problema?

Vacilé antes de responder.

—Aquí no puedo… —Me animó con un gesto a que continuara explicándome—. Los días se me pasan como si yo no existiera… No sé qué es lo que me condiciona, pero la cuestión es que no he escrito ni una palabra desde que me instalé en tu habitación. No sabría sobre qué…

—Pero yo no te lo impido —me interrumpió—. Ni siquiera estoy aquí contigo para distraerte. Me paso el día en el estudio. Lo estás planteando como si fuera yo el que te impidiera realizarte y eso no es así. Si yo tuviera tanto tiempo libre como tú ya habría diseñado mi propia colección de muebles hace mucho —Hizo una pausa, entrecerró los ojos—. ¿Qué es lo que de verdad está pasando aquí, Jorge?

Quizá considerara que lo que le estaba contando fuese una tapadera para ocultar algo peor.

—Estoy estancado, Fabio —insistí, categórico—. Hablo en serio… Necesito despertar de una vez por todas y no voy a conseguirlo en esta casa.

Dejé de escuchar a los vecinos. Se callaron de pronto, como si ahora fueran ellos los que estuvieran pendientes de oír gritos desde nuestro apartamento. Tras mi última frase Fabio se había quedado con los ojos muy abiertos, reflejando en ellos un pánico que no era capaz de ocultar. Pero él no alzaría el tono de voz ni aunque le lanzara a la cara una sartén con aceite hirviendo.

—Si queremos seguir juntos debemos vivir separados —concluí.

Día 2

Abrí los ojos y Fabio ya no estaba a mi lado. Su almohada no mantenía la marca del peso de su cabeza y su parte de las sábanas estaba fría.

—¿Fabio?

Escuché unos pies descalzos recorriendo el salón hacia donde yo estaba. Fabio atravesó el marco de la puerta con un bolígrafo en una mano y uno de sus planos de trabajo enrollado en la otra. Sonreía con desazón al acercarse a la cama. Se sentó sobre su almohada, colocó el bolígrafo tras su oreja y desplegó el plano frente a mis ojos.

—No he podido dormir en toda la noche —confesó, hablando hacia el dibujo de líneas y puertas que me mostraba con orgullo.

Estuve observando aquello algunos segundos, sin entender. Quizá era porque me acababa de despertar, pero a primera vista no fui capaz de identificar qué era.

—¿Por qué no has dormido? —le pregunté, repasando con uno de mis dedos la arruga en su entrecejo. Nunca antes la había notado tan larga. Parecía haber crecido al menos medio centímetro desde la noche anterior.

—He tenido una idea.

—¿De qué tipo? —Sus ojeras se dibujaban en su cara como dos humedades en un techo viejo.

Agitó el plano que sujetaba frente a mí. Volví a mirarlo y esta vez distinguí algo que me resultó conocido. Desde luego. Se trataba de la planta de nuestro piso, aunque modificada.

Me explicó que, al cabo de vueltas y más vueltas en la cama, se dio cuenta de que la solución que yo había planteado para mi problema era totalmente desatinada, poco efectiva y demasiado drástica. Si lo que necesitaba era más concentración, qué mejor manera para lograrla que teniendo un espacio propio.

—¿Un espacio propio? —Siempre me había impresionado la naturalidad con la que Fabio reemplazaba mis decisiones por las suyas.

—Sí. Aquí —rodeó con un círculo la ubicación en el plano.

Lo pensaba construir al fondo del salón, a un metro de la puerta del baño. En el plano anotaba el tipo de pared que levantaría para convertirlo en un espacio hermético y emancipado del resto del piso. Aprecié, por los dibujos trazados, que ya había determinado hasta la decoración del cubículo que me cedía.

—Imposible. El salón quedaría diminuto... Y sin luz —objeté, negando con la cabeza.

—Las paredes no llegarán hasta el techo, así la luz alcanzará el resto del piso. —Su móvil sonó. Era su jefe. Fabio ignoró la llamada y me revolvió el pelo—. ¿Tienes hambre?

—No tenemos comida —le recordé.

Me sacó de la cama para llevarme a la cocina. Sobre la mesita había colocado el desayuno del café Riviera, una de mis pastelerías preferidas que teníamos a una manzana de casa. Pero esa mañana ni siquiera aquello, que humeaba y olía a recién horneado, me levantó el apetito.

30

—Les diré a los chicos que están trabajando en la renovación de Lucien que vengan esta semana a levantar las paredes —dijo al poco de sentarnos—. Con suerte se lo puedo colar en el presupuesto de su casa sin que se dé cuenta.

—¿Esta semana? —me sentía impotente ante mi falta de firmeza. No era capaz de pedirle que se calmara.

—Tienes que empezar a escribir cuanto antes.

Partí el cruasán en dos mitades y el queso fundido salió de la masa como una lámina de sangre tras una puñalada. Pensé que sobre qué diablos iba a escribir un tipo como yo, un pusilánime incapaz de defender sus ideas frente a su obcecada pareja. Me estaba vendiendo por cuatro paredes de yeso que con suerte nos saldrían gratis. El móvil de Fabio volvió a sonar y él no tuvo reparos en ignorar una vez más a su jefe. Alzó su taza desechable como si fuera una copa de champán.

—Por tu despacho —levantó la voz sobre la insistente melodía de su móvil. Había un brillo de desesperación en su mirada, como el de quien intenta ignorar que se le está quemando la casa a sus espaldas.

Yo no concebía el espacio personal que había defendido la noche anterior como un área cercada por cuatro paredes que ni siquiera llegarían al techo, sino como un remanso para mi turbulento cerebro. Esa tranquilidad que solo sienten los que se saben fieles a sí mismos. Fabio notó enseguida la contrariedad en mi rostro y se apresuró a desaparecer antes de que me diera tiempo a poner voz a mis pensamientos.

—Hoy sí que llego tarde —dijo, engullendo su último pedazo de cruasán mientras se levantaba de la silla—. Maldita sea —matizó al consultar la hora.

Se metió en el vestidor y salió a los dos minutos ajustándose el cinturón. Esa mañana no se había afeitado ni puesto cera en el pelo. Ni siquiera se había duchado y llevaba los faldones de la camisa por fuera del pantalón.

—Ciao —balbuceó al salir escopetado.

Dejé el cruasán sobre el plato, todavía sin palabras ante el comportamiento de mi pareja. Acababa de condenarme a ser asesino reincidente cuando mi intención era haberlo asesinado una sola vez: «Quedarme contigo supondría seguir renunciando a mí».

Cogí la línea G hacia Myrtle and Willoughby. Desdoblé el papel y observé la cara embadurnada de la chica del panfleto. ¿Qué manera de anunciar una habitación era esa? ¿Y qué significaba aquello de que compartiría el apartamento con una depresiva que no abre la boca ni para cepillarse los dientes? El piso estaba ubicado en Bed-Stuy y no sabía lo que esperar de esa zona porque jamás se me había pasado por la cabeza visitarla. Había buscado información en Google y descubrí que era un barrio mayoritariamente afroamericano desde donde, hasta hace muy poco, se proveía de *crack* a los yonquis de Brooklyn.

Cuando salí de la estación me encontré frente al Marcy Playground. Un grupo de ocho adolescentes jugaba a baloncesto. Tras la verja de la cancha una mujer gigantesca con una peluca torcida y en silla de ruedas ofrecía fuego a un desdentado que sostenía una colilla entre sus dedos. Seguí avanzando por Marcy Avenue. Los colmados de allí eran viejos y sucios y la comida que se exhibía en sus escaparates parecía que estuviera caducada desde hacía mucho tiempo. A lo largo de las cinco manzanas que anduve divisé tres coches patrulla que circulaban parsimoniosamente mientras los policías de su interior se dedicaban a escrutar a diestro y siniestro. Una mujer, seguramente más joven que yo, cargaba sobre uno de sus huesudos brazos a un niño de unos tres años y con el otro arrastraba un carrito con un bebé. Cuando nos cruzamos lo único que pude entender del grito que propinó al mayor de los críos fue «Ahora vas a escucharme, pedazo de mierda».

Localicé Stockton Street y torcí a la derecha. Me detuve frente a la puerta indicada. Estaba a mitad de una hilera de edificaciones adosadas. Eran recientes pero parecía que los promotores hubieran tirado la toalla a mitad del proyecto. Todavía había andamios sobre los tejados y la mayoría de los marcos de las ventanas estaban a medio pintar. Apreté el botón del piso tercero en el telefonillo repetidas veces. No hubo respuesta hasta transcurridos diez minutos, cuando una chica se asomó por una de esas ventanas. Tenía el pelo liso, rubio y revuelto alrededor de una cara abotargada. Apenas era capaz de abrir los ojos. Llevaba puesto un kimono con dibujos de loros y palmeras.

—La de abajo es con la redonda y la de arriba, con la cuadrada —hablaba con voz somnolienta. Pensé que en lugar de depresiva, más bien se trataba de una sonámbula.

—¿Perdona?

—La de abajo es con la redonda y la de arriba, con la cuadrada —repitió.

No entendía a lo que se refería.

—Vengo por el anuncio de la habitación en alquiler —grité a voz en cuello.

Le enseñé el folio con la foto de aquella muchacha que no lograba averiguar si era ella misma. Poco a poco empezó a pestañear con más frecuencia hasta que, finalmente, torció el cuello hacia el sol, esperando que la luz directa la despererezase por completo. Doblé el anuncio y lo volví a guardar en mi bolsillo. No entendía si debía marcharme, quizá todo se tratara de una broma. A su lado apareció de pronto otra chica igual de rubia pero más lúcida. Me tiró las llaves envueltas en un guante.

—La puerta de abajo se abre con la redonda y la de arriba, con la llave cuadrada —explicó con voz nítida justo antes de que ambas muchachas desaparecieran a la vez.

El interior del edificio era precisamente lo que podías esperar tras ver la fachada. En cada rellano había sacos de cemento y herramientas de construcción. El piso que iba a visitar estaba ubicado en la última planta, la tercera. Me recibió la rubia del kimono con la boca abierta en medio de un bostezo interminable. Definitivamente esta no era la depresiva que no abría la boca ni para cepillarse los dientes.

—Buenos días —me miró de arriba abajo y de izquierda a derecha, como trazando con sus ojos una cruz sobre mi cuerpo.

—Lo siento… ¿Estabas durmiendo?

—Solo me había tumbado un rato —tenía un acento muy marcado—. Mi nombre es Mila.

Nos estrechamos las manos y me invitó a pasar. El salón era espacioso pero apenas estaba amueblado. Había un cabezal de cama apoyado contra una pared sobre el que se apilaban unos cuantos libros y un par de fotografías, un colchón de aire disfrazado de sofá y una mesa barata de plástico. La cocina estaba abierta. De las paredes colgaban mapas: dos del mundo, uno de Brooklyn y otro de la red de transporte público de Manhattan.

—Qué limpio está todo —comenté.

—Sveta es alérgica al polvo. Se pasa el día limpiando. No tendrás que mover ni un dedo —me guiñó el ojo en un ademán de complicidad—. ¿Café? —preguntó de camino a la encimera donde reposaba una jarra humeante.

—Me encantaría, gracias.

—Mierda, es té... —confirmó tras comprobar el color del líquido—. Sveta no bebe café. ¡¡Sveta!! —gritó.

Sveta salió de su habitación arrastrando sus calcetines sobre el brillante parqué. Iba vestida toda de negro. Su cuerpo era más estrecho y esbelto que el de Mila y su cara era angulosa, igual que la chica de la foto del anuncio. En su expresión había una paradójica mezcla de frialdad y dulzura. Era más joven de lo que me pareció en el papel, de mi misma edad. No apartaba la mirada del suelo, como presa de una timidez infantil. Solo se había maquillado un ojo y el que aún estaba sin pintar revelaba la apariencia de una muchacha hastiada por la vida.

—Buenos días, mi nombre es Jorge —extendí mi mano frente a ella.

Sveta la tomó sin fuerzas. Los huesos de su mano apenas tenían consistencia, finos y ligeros. Tenía la sensación de estar agitando un manojo de ramas secas.

—Tengo que salir en diez minutos, pero puedes sentarte. ¿Quieres té? —su voz era apenas audible.

—Me encantaría, gracias.

—Quiere café —advirtió Mila con crudeza—. Estoy preparándole café.

Sveta, que era alérgica al polvo, no bebía café y tenía el típico trasero prieto de un jinete, sirvió de todas maneras una taza de té y me la acercó a la mesa donde yo ya había tomado asiento. Mila seguía la escena mordiéndose el labio inferior. Sveta se sentó a mi lado y ordenó sobre la mesa algunos productos cosméticos que sacaba de un neceser. Se hizo con un espejito que mantuvo frente a su cara y empezó a maquillarse su ojo de muchacha exhausta. Le di un sorbo al té procurando que Mila no lo viera.

—¿De dónde eres? —ahora hablaba con tono más firme, como si esconderse tras su espejito le transmitiera seguridad. Su acento inglés era mucho mejor que el de Mila y el mío. Casi se la podía tomar por americana.

—De España.

—¡Lo sabía! —vitoreó la otra por detrás mientras vertía innumerables cucharadas de café instantáneo en dos tazas llenas de agua caliente.

—No me gustaría que trajeras chicas a pasar la noche —me avisó Sveta. Se ponía rímel en las pestañas de su ojo izquierdo—. No es agradable cruzarte constantemente con desconocidos en tu propia casa... ¿Tienes pareja?

—Sí —contesté.

—Yo también —comentó Mila avanzando hacia la mesa donde estábamos. Traía las dos tazas de café. De camino derramó líquido en el suelo y se limitó a echar un vistazo sin la más mínima intención de limpiar nada. Depositó una de las tazas junto a la mía de té y se sentó a mi otro lado—. Me ha dejado embarazada. Por eso me mudo a su casa, enfrente del Central Park. Vigésima planta —sonrió, orgullosa. Estaba más pendiente de la reacción de Sveta que de la mía.

—¡Enhorabuena! —la felicité mirando hacia su abultado vientre.

—Sí, gracias, ya he vivido demasiado tiempo en este antro.

—¿Fumas? —interrumpió Sveta mientras perfilaba la línea negra de debajo de su ojo.

—No —me quedé aturdido ante el calificativo que Mila había utilizado respecto al lugar que pretendía cederme.

—¿A qué te dedicas?

—Al cine.

—Si yo tuviera tu cara también me haría actriz —intervino de nuevo Mila, consiguiendo irritar a la que no tenía tiempo que perder.

—Soy guionista —corregí.

—Eres una hermosura. Vas a volver locas a todas las adolescentes —añadió mientras soplaba hacia su café—. Yo soy abogada.

A continuación Mila bostezó sin taparse la boca.

—Es muy importante mantener el piso limpio —ahora continuaba Sveta. Había acabado los últimos retoques y cerró el espejito. Introducía con movimientos apresurados su maquillaje en el neceser. Seguía sin mirarme—. De lo contrario en dos días la casa se llenaría de ratones, cucarachas y chinches. Puedes utilizar los platos y cacharros para cocinar, siempre y cuando…

—Los limpiaré inmediatamente después —me adelanté.

—Muy bien —me miró a la cara por primera vez, sus ojos brillaban como luciérnagas enterradas bajo una ligera capa de arena—. Por mí, bien. Si te gusta la habitación, trasládate lo antes posible, por favor.

Volvió a su dormitorio y al poco salió con un bolso y una chaqueta gris de lana fina. Se calzó enfrente de la puerta de entrada con unos zapatos negros de charol. Yo la observaba, hipnotizado ante su belleza, su aflicción y la eficacia con la que repartía su tiempo. No había dejado de realizar actividades simultáneas mientras Mila y yo nos manteníamos como espectadores sobre nuestros asientos.

—Ya me dirás lo que decides —estiró ligeramente los extremos de sus labios antes de darse la vuelta. No sabría decir si su intención era sonreír.

Cerró la puerta y me extrañó que no se hubiera despedido de su compañera de piso, ni siquiera con un gesto. Me giré hacia Mila. Mantenía los ojos cerrados y apoyaba su mofletuda cara sobre la palma de la mano. Su expresión era angelical, no parecía haber roto un plato en su vida. Sin embargo… ¿Habría sido ella quien divulgó por la ciudad aquellos anuncios insultantes? Apuré mi taza de té e hice ruido al depositarla sobre la mesa. Mila reaccionó al sonido y abrió los ojos. Me sonrió con semblante enajenado, como si todavía anduviera inmersa en un agradable sueño.

—No lo has probado —se percató de que mi café seguía intacto.

Lo hice en ese momento.

—¿Te gusta más el café o el té?

—El café —aseguré, dándole un segundo sorbo.

—Entonces eres de los míos —sonrió, sus dientes parecían de leche—. A mí es lo único que consigue despertarme…

Cuando acabamos de absorber el líquido caliente de nuestras tazas, le pregunté:

—¿Puedo ver la habitación?

—¿La mía? —se retrepó sobre su silla, como si mi pregunta fuera inapropiada.

—La que está en alquiler.

—Mejor no. Hoy está hecha un desastre… —La miré con expresión desconcertada y ella comprendió el mensaje—.

Pero has venido hasta aquí para verla, ¿verdad? —Asentí—. Está bien —suspiró profundamente—, dame unos minutos, ¿vale?

Me dejó solo en el salón. Notaba los efectos de la teína de Sveta y la cafeína de Mila acelerando mis pulsaciones a la par. Mis piernas parecían saltamontes que se daban cabezazos contra la tabla de la mesa. Me incorporé para estirarme. Observé de cerca las dos fotografías enmarcadas sobre el cabezal que utilizaban como estantería. En una de ellas aparecía una Sveta más joven y con el rostro lleno y pueril. Debía de rondar los dieciocho años y en ese preciso momento no parecía particularmente deprimida. Besaba con la boca abierta a un joven moreno con granos y aspecto de estar en plena pubertad. Se hallaban en un parque de atracciones, enfrente de una gigantesca montaña rusa, cada uno sujetaba una nube de algodón dulce. La otra foto la protagonizaba Mila, era reciente y posaba al lado de un joven espectacular. Alto, ancho de espaldas, bronceado y con una sonrisa irresistible, se le marcaban los hoyuelos de la cara y se le achinaban los ojos. Él iba con esmoquin y Mila llevaba un vestido largo de lentejuelas negras que acentuaba sus protuberantes curvas. Estaban en medio de una elegante sala de baile y ambos sujetaban una copa de champán. Parecían gente importante.

—¡Adelante! —gritó desde el interior de la habitación.

Me la encontré recostada de medio lado sobre la cama, cubierta hasta la cintura con las sábanas. Avancé con inseguridad. Me sentía como un adolescente entrando en la alcoba de la prostituta con la que ha decidido perder su virginidad.

—Setecientos cincuenta dólares. Una ganga.

La decoración era cursi e infantil, con postales de colores pegadas a la pared junto a recortes de revistas con actrices, modelos femeninas y cantantes americanas. Había una colección de pegatinas fosforitas con forma de estrella en el techo. La ventana daba al edificio de enfrente, a apenas diez metros de distancia, pero aun así entraba bastante luz. Setecientos cincuenta dólares no era ninguna ganga, considerando que era un barrio poblado por exadictos al *crack*, pero yo ya daba por imposible encontrar algo más barato.

—Si te interesa la cama te la puedo regalar.

Le dio unos palmetazos al colchón en un intento de mostrarme su consistencia. Era una cama individual, estrecha, para uno, y su oferta me pareció un regalo caído del cielo. Hacía años que no dormía en una de esas. Rememoré las noches plácidas y de sueños tranquilos que, antaño, me proporcionaron camas del tamaño de la de Mila.

—Hay un problema, Mila… —cogí un taburete y lo coloqué frente a ella—. Te puedo dar el dinero del primer mes cuando quieras… pero ahora mismo no me alcanza para pagar el depósito.

Ella tardó en contestar, me analizaba con expresión dispersa.

—Los españoles sois los hombres más sexis del planeta, ¿te das cuenta? —Se apoyó sobre su codo para inclinarse hacia mí. Podía entrever con facilidad las grandes dimensiones de sus senos que el escote del kimono dejaba al descubierto—. Apuesto a que tienes vello en el pecho.

—Sí. Bastante.

Torció la cara de medio lado para que la observara bien.

—¿Crees que yo podría pasar por española?

—No… —Era rubia platino, pálida, mofletuda y con los ojos azules—. Más bien por alemana… O sueca.

Frunció los morros y sacó una fotografía del cajón de la mesita de noche.

—¿Y qué me dices sobre esto?

Se trataba de un retrato en blanco y negro del chico guapo que aparecía con ella en la instantánea que acababa de observar en el salón. En esta posaba sin camiseta y con los tres primeros botones de sus vaqueros desabrochados, ostentando unos centímetros de vello púbico rasurado. Parecía una fotografía profesional de un cotizado actor porno. Estaba buenísimo.

—¿Es modelo?

Mila tardó en contestar, sopesaba la respuesta con el ceño fruncido.

—Es mi novio —aclaró—. ¿De dónde dirías que es?

—De España.

Sonrió, satisfecha.

—No. Pero no te culpo, la primera vez que lo vi pensé lo mismo. Por eso me enamoré al instante… Al final resultó ser también bielorruso y más imberbe que yo. —Le devolví la foto—. De todos modos estoy muy satisfecha con lo que me da —concluyó, acariciándose el lugar de su cuerpo donde albergaba la criatura que estaba cogiendo forma.

—No tengo dinero para pagar el depósito —repetí con aire desesperado.

—¿Qué importancia tiene eso? Confío en ti. Puedes pagarlo a plazos. —Sonreí, agradecido, sin todavía ser consciente de lo que eso significaba: su generosidad acababa de dibujar ante mí un horizonte lleno de futuro—. ¿Buscas trabajo?

—Como loco —mentí apasionadamente.

—Yo te puedo ayudar a conseguir uno. No será de actor…
pero es preferible que los sueños lleguen después que el
dinero, ¿no?

Afirmé con una sonrisa incrédula. Esta vez preferí
obviar que yo no era actor. Ella analizaba desde mi flequillo hasta los cordones de mis deportivas, como cuando me
abrió la puerta por primera vez.

—Está bien. Mira eso. Sí. Sí. Oh, sí. Vaya que sí —mur-
muraba mientras balanceaba la cabeza de lado a lado, acunando los proyectos que afloraban en su cerebro respecto a
lo que iba a hacer de mí.

Visité el piso de Fabio por primera vez una tarde de
febrero, casi dos años atrás, para ver la habitación en alquiler. Por aquel entonces yo tenía veintidós años y llevaba un
mes viviendo en el Chelsea International Hostel, el hostal
más barato de Manhattan. Se me cruzaban continuamente
cucarachas por los pasillos y ratas por las calles próximas.
Nada se parecía ni de lejos a lo que había imaginado. Me
había distanciado de mi hogar tanto como había podido
para cumplir con lo que entendía como un paso indis-
pensable en la carrera de todo aspirante a guionista: ale-
jarme de las influencias que habían moldeado mi cerebro
desde niño. Quería descubrirme a mí mismo, aprender a
enfrentarme a lo desconocido del mismo modo que había
aprendido a mantenerme en pie. En definitiva, me sentía
dispuesto a perseguir la ambiciosa meta de encontrar mi
lugar. Sin embargo, encontré el de Fabio antes, y ahora me
disponía a repetirle la decisión final de reemprender mi
camino.

Llegó a casa poco después de que yo terminara de preparar mi equipaje. Trajo consigo una expresión tan abatida que ni siquiera reparó en las maletas que me rodeaban.

—Me he quedado sin trabajo —anunció desde el umbral.

—¿¡Qué!?

Colgó su maletín en el perchero y avanzó hacia mí hasta sentarse confiadamente sobre una de las maletas.

—Acabo de tener una reunión con Lucien... El negocio no funciona. Él se va a ir de Nueva York y probar suerte en otro sitio.

—¿Dónde? No puede hacer eso.

—Claro que puede. Es lo mejor que puede hacer. Seguir en esta ciudad es de locos... Aquí todo se está yendo a pique.

—¿Estás pensando en volver a Brasil?

No me respondió. Me senté frente a él sobre otra de mis maletas. Le agarré de las manos, preocupado. Sus rizos de mulato cosquilleaban mi frente y la punta de su nariz rozaba la mía.

—¿Qué va a pasar contigo, Fabio?

—Aún no lo sé. Todavía no me ha dado tiempo a pensar.

—Pero te van a quitar el visado.

—No tienen por qué. Seguirá vigente por unas semanas. Me podría dar tiempo a encontrar otro trabajo...

A pesar de que ambos estábamos acomodados sobre las evidencias de mi siguiente movimiento, de pronto me sentía incapaz de concederle aclaración alguna.

—¡Fabio! —exclamé con voz quebrada.

Le besé las manos, los brazos, el cuello y la cara como un pájaro muerto de hambre. Nos desnudamos. Hicimos el amor en el salón. En nuestras caricias quedaban impresas las huellas de su tristeza y las de mi pánico a perjudicarle más de lo que ya lo habían hecho durante ese día. Cuando concluimos, sudados y abrazados en el sofá, los ojos de él se incendiaron de golpe.

—¿Qué coño es todo esto?

En un acto de cobardía, mantuve los párpados cerrados antes y después de contestar.

—Me voy.

Día 3

Quedé en ir a recoger las llaves de mi nueva casa en el piso al que se había trasladado Mila. Enfrente del Central Park. Vigésima planta. Las calles de ese área de Manhattan eran las del escenario en el que siempre había imaginado a las sofisticadas amas de casa neoyorquinas caminar con sus carísimos abrigos largos y sus peinados de peluquería diaria resistentes a las ráfagas de viento más fuertes. Todo aparentaba elegancia y despilfarro a lo largo de aquellas avenidas. Armani, Cartier, Jimmy Choo, Louis Vuitton... Estaba seguro de que para sus moradores la crisis económica era... ¿Qué crisis económica?

El domicilio al que Mila me había dejado anotado cómo llegar estaba en la 58 con la Quinta Avenida, entre una lavandería con un escaparate decorado al estilo de una joyería y un refinado restaurante de comida vietnamita. El portero no tenía nada que ver con el yonqui del piso de Eve Sternberg. Este era un hombre de unos setenta años que probablemente llevaba más de la mitad de su vida sobre el mismo metro cuadrado, desde donde recibía con su sonrisa más cordial a los inquilinos del edificio que guardaba y a sus acompañantes.

—Buenos días, muchacho. ¿A quién viene a ver? —al sonreírme, su cara redonda se quedó igual de arrugada que un montón de tierra seca dentro de una maceta.

—A Mila. —Adoptó la expresión urgente de estar subiendo de dos en dos los peldaños de las treinta y ocho plantas del edificio en busca de un inquilino con ese nombre—. Creo que es el número 2001 —le ayudé después de volver a ojear las señas garabateadas en mi libreta.

Su rostro mostraba un nuevo mapa de arrugas. Ahora todas ellas perfilaban exclamaciones de desconfianza.

—¿La nueva rusa? —me preguntó con voz grave.

—Bielorrusa.

Me lanzó una última mirada acusadora y se giró para coger la escoba. El hombre se puso a barrer el impoluto suelo marmóreo del recibidor. Avancé hacia los ascensores sin entender qué mosca le habría picado.

Mila estaba igual que como la dejé: el mismo aspecto de recién despertada, el mismo pelo enredado, los mismos bostezos, la misma bata de seda, el mismo café soluble. Parecía todo un duplicado del encuentro anterior pero en un escenario muy diferente. De hecho, no cabía comparación alguna entre el piso en el que yo me quedaba y el nuevo en el que ella se instalaba. Tenían la cama de matrimonio en medio del salón, pero no importaba porque era un espacio enorme. Al fondo había un ventanal desde el que se podía contemplar el Central Park en toda su amplitud. Era un día soleado y el verde reluciente del paisaje cobraba protagonismo por sí mismo dentro de la habitación. Tenían adornos en todas las esquinas, dejando constancia del dineral invertido en decoración. Del techo colgaba una antigua lámpara de cobre y cristal.

Apareció un chihuahua blanco que entró en el salón haciendo repiquetear sus pezuñas contra el parqué. Mila lo aupó en brazos y el perro le lamió la boca, enroscaba su lengua igual que una lombriz contorsionándose sobre el fango.

—¿Cómo se llama? —pregunté.

—Putana.

Avanzó acunando a Putana entre sus brazos. Yo las seguí. La ostentación del salón contrastaba con los cuadros de las paredes del pasillo. Todos estaban repetidos pero a diferente escala y alternando colores en cada lienzo. En ellos se entreveía una palabra que quedaba ininteligible detrás de una convulsa tachadura. Eran cuadros tan simples como dibujos escolares pero que, aun así, me transmitieron una especie de consejo que decidí aplicarme con optimismo: borrón y cuenta nueva.

Me pareció curioso que la figura de Mila encajara igual de bien tanto en medio del lujo de Midtown como en el de la decadencia de Bed-Stuy. Era una muchacha que, sin despojarse de su taza humeante ni de su kimono, fluctuaba entre barrios opuestos sin que nada desvelara la somnolencia de su mirada.

—Esta es mi habitación —anunció, abriendo una de las puertas del pasillo.

Era un cuarto huérfano, todavía pendiente del arropamiento de su dueño. Las maletas y paquetes de la mudanza de Mila estaban sobre el suelo. Quise preguntarle por qué no compartía cama con el padre de su futuro hijo, pero me quedé callado. Dejó a la perra sobre el pavimento para alcanzar un bolso de cuero rojo que colgaba del pomo de la puerta. Se sentó al borde de la cama y se puso a buscar las llaves.

—Mira. Mi tarjeta. Soy abogada —estaba rebosante de orgullo al entregarme la *business card* que corroboraba lo que ya me había comentado el día anterior—. Puedes quedártela —adoptó una expresión de tremenda generosidad—. Quédatela.

—Gracias —la guardé en el bolsillo trasero de mi pantalón.

Volvió a sumergir ambas manos en su bolso. Sacó tres pintalabios Dior, un pequeño frasco de vidrio con un perfume azulado, un espray de defensa personal y otros utensilios para aligerar la búsqueda que, considerando la estrechez del bolso, le estaba llevando demasiado tiempo. Al final volcó todo su contenido sobre la cama.

—Maldita sea, ¿dónde están las llaves?

Se mantuvo durante un tiempo con las puntas de los dedos hundidas en las raíces de su cabello. A pesar de que el gesto era de fastidio, sus párpados estaban languideciendo paulatinamente. Me dio la sensación de que, en realidad, todo le importaba un pito.

—¿Dónde están? —le recordé su pregunta.

Esa chica tenía limitada su capacidad de atención. Visualicé su cerebro como un ancla que, a intervalos, unos marineros arrojaban al mar, manteniéndola sumergida en las profundidades un rato para retirarla seguidamente. Mila me miraba a los ojos como si viese burbujas subiendo a la superficie.

—No lo sé.

Miró hacia los paquetes que nos rodeaban y se aproximó a una maleta que pareció seleccionar al azar. Abrió la cremallera y removió su contenido.

—¿Te ayudo? —me ofrecí, acercándome a su lado.

—Sí, por favor. Busca.

—¿Dónde?

—Por todas partes.

Miré el entorno y vacié mis pulmones de aire

¿Cómo podía volver a plantear el tema del trabajo?, pensé mientras hurgaba entre un montón de tangas semi transparentes. No quería resultar pesado, pero tampoco podía permitir que se olvidara de su promesa igual que se había olvidado de dónde estaban las llaves de mi casa.

—Tú y Sveta os vais a llevar fatal.

La miré sin dar crédito a lo que acababa de escuchar. Desde donde estaba solo le veía el amplio trasero envuelto en loros y palmeras de seda.

—Ella es todo lo contrario a una española, si entiendes a lo que me refiero… Es más aburrida que un saco de arena, ya verás.

Se incorporó y se dio la vuelta, mostrándome la cara. Mantenía una expresión ensimismada y libre de toda responsabilidad, como si sus palabras, una vez dichas, no pretendieran significar nada. Putana empezó a ladrar y alzar las patitas delanteras hacia Mila, la cual cogió al chihuahua en brazos y frunció los labios frente a su hocico.

—Se cree más adulta que el resto por estar viviendo una mierda de vida. Está enfadada con el mundo porque nadie es tan infeliz como ella.

Abrió las palmas de las manos y el animal cayó sobre sus cuatro patas. Cogió unas tijeras y examinó los bultos que quedaban. Al fin seleccionó una caja y clavó la punta de las tijeras en el precinto que la envolvía.

—¿Sabes qué te digo? Que haga lo que le dé la gana. A mí me da igual —echaba chispas conforme rajaba en dos la superficie de cartón—. No volverá a saber de mí.

Abrió la cobertura y concluyó con un tono de voz que sonaba cansado:

—Aquí están.

Metió la mano dentro de la caja y la sacó con una anilla metálica enroscada en su dedo índice. De la anilla colgaban mis llaves. Dos. La de la puerta de abajo y la de la puerta de arriba. Mila se acercó a mí y yo coloqué las palmas de mis manos juntas, a modo de bandeja. No me importaba lo que acababa de escuchar sobre Sveta. Aquel metal que la otra depositaba sobre mis manos brillaba igual que un lingote de oro.

Recorrimos de vuelta el pasillo. Putana nos seguía por detrás, tropezándose continuamente con nuestros pasos. Pregunté por qué tenían tantos cuadros repetidos.

—Los ha hecho Zhenia, mi novio.

El nombre de su novio me pareció sacado de un personaje de *El libro de la selva*. Se me llenó la boca de lianas, hojas anchas y aventuras selváticas.

—¿Zhenia es pintor? —pregunté cuando llegábamos a la puerta de entrada.

—Ya no. Ahora trabaja en mi gabinete. También es abogado.

Le di un golpe en la cabecita al chucho y un abrazo de despedida a Mila. Ella me dijo «*talk to you later*», lo cual avivó mi esperanza de que la oferta de trabajo siguiese en pie. Se agachó y volvió a ahuecar sus brazos para que la perra se acomodara entre ellos de un brinco. Mientras la bielorrusa acunaba a la criatura emulando a la madre en la que en unos meses se convertiría, me advirtió:

—Pronto te darás cuenta de que no es más que una perra enferma.

Miré a Putana con una inesperada preocupación y Mila cerró la puerta.

Sentía la necesidad de volver a encontrarme con Eve Sternberg. De camino al Village me planteé cómo reaccionaría al verme. Quizá la amabilidad con la que me trató cuando la conocí no significaba que le apeteciera hacer nuevos amigos, sino que era una pequeña recompensa por haberla ayudado. Quizá la interrumpiría en medio de su jornada habitual de trabajo y saltaría a mi cuello hecha una furia. O tal vez se habría quedado dormida viendo la televisión. Sin embargo, ninguna de esas posibilidades consiguió detener mi trayectoria hacia la Calle 8 con Broadway.

—Vengo a ver a Eve Sternberg —le dije al mismo portero que nos había visto entrar en el edificio dos días atrás.

Descolgó el teléfono sin apartar los ojos de un cómic abierto tras el mostrador. Su uniforme era el único detalle en su aspecto que le libraba de parecer un yonqui. Enjuto, todo él era huesos. Cuando ya temí que Eve no fuera a coger el teléfono, pude distinguir su voz al otro lado de la línea.

—Hola miss Sternberg, hay un joven que quiere verla.
—Eve, tras una extensa vacilación, aprobó mi acceso—. Cuarta planta. Piso 406 —me indicó.

Conforme el ascensor se elevaba traté de encontrar las palabras con las que justificarle una visita sin previo aviso. Necesitaba consejo, pero Eve no era psicoanalista. Ni siquiera podía considerarla una amiga. Las puertas del ascensor se abrieron en el momento en el que comprendí que Eve solo era una anciana a la que había ayudado a entrar en un colmado.

—Hola, Eve —dije, tratando de disimular el susto que me llevé al verla.

—Tendrás que darme unos minutos más —me respondió, apurada. Llevaba un camisón casi transparente.

Cerró la puerta, dejándome fuera, y respiré hondo. No había visto muchas tetas a lo largo de mi vida, pero estaba convencido de que pocas mujeres tendrían los pezones del tamaño de los de Eve Sternberg.

Esperé a que se vistiera durante veinte minutos. Desde su fugaz aparición habían desaparecido todas mis dudas y ahora solo deseaba entrar en su piso y sentarme a hablar con ella durante horas. Cuando escuché el pestillo deslizándose me sobresalté. Abrió la puerta y no pude evitar mirarla de nuevo de arriba abajo. No daba crédito. Seguía exhibiendo sus tetas tras la tela raída del camisón.

—Perdona, es que tengo el estómago fatal —se disculpó.

—Yo también —aseguré. Y no sé por qué. No era cierto.

Se dio la vuelta y avanzó hacia el interior, invitándome a seguirla con un gesto. Los estores estaban bajados casi por completo, solamente permitían que hilos de luz tan finos como láminas acrílicas atravesaran el espacioso salón. Había libros por todas partes. Tenía un par de butacas de cuero muy distinguidas. Deduje que allí sería donde la escritora se sentaba a meditar sobre sus historias, envuelta por el silencio y la penumbra de una estancia que transmitía la sensación de que el tiempo se había quitado las zapatillas de correr. De las paredes colgaban cuadros de diferentes estilos. Había uno de un seductor ojo masculino que parecía que te observaba desde cualquier ángulo de la habitación en el que te ubicaras. Tras mi inspección me di cuenta de que Eve me miraba con curiosidad.

—Lo estás anotando todo en tu cabecita de escritor, ¿verdad?

La miré ruborizado por haberme entregado a un análisis tan descarado.

Posicionamos las dos butacas de cuero frente a frente, al lado de la ventana, y nos sentamos. Un cierto embarazo cruzó nuestras miradas. Quizá debido a la consciencia de ser dos desconocidos separados por seis décadas que acababan de colocarse por primera vez cara a cara. Una brisa fresca engordó las cortinas teñidas de polvo y soledad. Ella se llevó las manos a la cabeza y, mientras ponía en orden su pelo, comentó el aspecto desastroso que debía de tener esa mañana. Me cuestioné si avisarla de que, además, se le transparentaban los pechos.

—¿Tocas el piano?

—No —respondió, girándose hacia él—. No sé qué hace ahí, la verdad. Ya no me acuerdo de quién lo trajo. Llevo demasiado tiempo en esta casa como para recordar por qué tengo tantas cosas. ¡Mira eso! —señaló una carretilla de huerto apoyada contra la pared—. No sé lo que es. ¿Lo quieres?

—No...

—Yo tampoco y ocupa muchísimo espacio... pero no lo puedo tirar. Si está en casa es por algo, aunque sea tan feo. En algún momento debí de pensar que tendría alguna utilidad. ¿A ti te pasa lo mismo? —antes de que me decidiera a responder, continuó—: Qué joven eres, Jorge. Yo he pasado una noche espantosa. Apenas he dormido tres horas y eso me afea. Llevo un año durmiendo muy mal. ¿Tú? —de nuevo, antes de poder responder ella se adelantó—: ¿Cuántos años tienes?

—Veinticuatro —esta vez contesté de inmediato.

—¡Pero bueno! Si todavía eres un crío... Te prometo que no te hablaré sobre ciertos temas.

—¿Qué temas?

—Los que no tienen que preocuparte a los veinticuatro. Aprovecha ahora porque, después de unos pocos años más, ya nunca te dejarán tranquilo. ¿Sabes cocinar?

—Sí.

Eve se llevó las dos manos a la boca en un gesto de sorpresa que alargó por varios segundos. Parecía incrédula ante una habilidad que yo nunca había considerado que mereciera reconocimiento alguno.

—¿El qué? ¿Pasta? ¿Pollo?

—Sí.

—¿Verduras frescas?

—Sí.

—Me imagino que pescado sería apuntar demasiado alto…

—También sé cocinarlo.

Se volvió a llevar las manos a la boca y botó sobre su butaca. Sobreactuaba como una antigua estrella de teatro en su primer papel en una película.

Me llevó hacia la cocina de la mano. De camino se detuvo frente a un espejo de cuerpo entero empotrado contra un armario. Mientras analizaba su reflejo temí que me reprobara no haberla avisado de la nitidez con la que exponía sus encantos, sin embargo Eve no prestó la más mínima atención a su cuerpo. Se miraba la cara como si estuviera frente a su contrincante más odiada.

—Si no recupero el sueño de una vez no dejaré de hacerme vieja —lamentó entre dientes.

Seguimos avanzando hasta entrar en la cocina. Era un espacio estrecho. La encimera estaba tan llena de platos y vasos como de sobres, archivadores y cajas de bombillas. Sobre los fogones había una regadera. Eve abrió la portezuela del horno y flexionó su cuerpo hasta meter la cabeza dentro. La imité y encontré toda una colección de ollas antiguas y sartenes chamuscadas. Me dijo que eran artículos de lujo que, en su momento, le habían salido caros, carísimos, fabricados en China, pero que llevaban meses muertos del asco porque ella no los sabía utilizar.

—Y mi estómago ha dejado de digerir bien la comida enlatada —me confesó, acariciándose el vientre con expresión lastimera.

No dudé en prometerle que no tendría por qué recurrir a ese tipo de comida nunca más. Siempre que la visitase le cocinaría platos calientes. Ella vitoreó y extendió sus brazos para que la abrazara.

—Me gustaría pedirte algo, yo también —añadí al separarnos.

—Adelante, mi héroe.

—Quiero leer algo tuyo.

Me miró a los labios como si, de pronto, hubiera dejado de oír mi voz y necesitara leer en ellos para adivinar de qué estaba hablando.

—¿A qué te refieres?

—A los textos que escribes... —aclaré.

Parecía tan extrañada que consideré que a lo mejor todo había sido una mentira tramada para impresionarme.

—Pero tú sabes que hago teatro, ¿verdad?

—Sí, claro.

—Entonces también sabrás que el teatro no se lee, se escucha.

—Bueno... ya, pero...

—Te lo leeré yo misma, Jorge. Y tú escucharás.

No había señales de que Fabio hubiera pasado por casa. Todo estaba tal y como lo dejé esa misma mañana. Mi equipaje seguía reunido en un lado del salón y la cafetera llena. La noche anterior me dijo que, hasta que acabara con mi traslado, prefería quedarse con su amiga Silvana. Salió de casa sin despedirse, sin besarme ni mirarme, sin su cepillo de dientes, sin una sola muda. La tristeza que desprendía despertó en mí un sentimiento nuevo. Comencé mi relación como quien empieza una partida de cartas. Nunca antes había sido consciente de la responsabilidad que recae sobre ambos participantes. En ese momento, observando a quien había sido mi primer amor desalojar su vivienda, tuve la certeza de que acababa de engendrar un temor desconocido que nunca me abandonaría.

El de destrozar a un ser querido sin querer.

Cargué con mis bártulos y me dirigí a la estación de Nassau Avenue para coger la línea G. La gente apodaba a esa línea como *The Ghost Train* ya que se le escuchaba y presentía con más frecuencia de la que se le veía. Las esperas podían alargarse fácilmente hasta tres cuartos de hora. Sin embargo, me gustase o no, a partir de ese día El Tren Fantasma se convertiría en el único medio de transporte que me dejaría cerca de mi nueva casa.

Me entró temblequera en cuanto deposité mis maletas en el suelo tras el último escalón de la entrada del metro. Parecía que allí abajo el invierno hubiera empezado meses antes que en el exterior, incluso me salía vaho de la boca. Se oía un constante goteo a lo largo del andén, como si estuviera dentro de una cisterna agujereada. Al otro lado de las vías, donde el tren iba en dirección a Queens, había una sola persona envuelta en un plumífero. La capucha le cubría hasta por debajo de los ojos. Parecía que llevase días esperando el tren.

Me encontraba en el mismo punto en el que estaba cuando llegué por primera vez a Nueva York: cargado de equipaje y de miedos, con los cuadernos vacíos y sin vínculos con la ciudad. No era más que el mismo muchacho que soñaba con el adulto en el que algún día pretendía convertirse.

El tren con dirección a Court Square, Queens, llegó, haciendo temblar las vías y creando un prolongado crujido que quedó suspendido en el aire lúgubre de la estación. Cuando se puso de nuevo en movimiento y se adentró en el túnel subterráneo, la persona del plumífero seguía sentada en el mismo lugar, con la cabeza hacia atrás, petrificada.

Mi tren con dirección a Church Avenue, Brooklyn, tardaba tanto en llegar que empecé a pensar en Mila. Recordé su mensaje de despedida y comprendí que con aquello de «ya te darás cuenta de que no es más que una perra enferma» no se refería a su mascota, sino que emitía un juicio demoledor sobre la compañera de piso con la que pronto me reuniría. Me pareció curiosa la tirria que Mila profesaba hacia Sveta. Siendo la gandula que me había dado la impresión que era, ese odio encendía un fuego en sus ojos que la despabilaba con más eficacia que la taza más cargada de café soluble.

Una ráfaga gélida erizó el vello de mi cuerpo entero. Al fondo, dos faros abrasaban la oscuridad del túnel. *The Ghost Train* al fin decidía manifestarse entre los humanos. Me puse de pie y arrastré mis maletas hasta el borde del andén. Esperaba encontrarme los vagones vacíos o con un par de personas a lo sumo, igual que en la estación, pero mientras el tren pasaba frente a mí hasta detenerse por completo, me sorprendió ver una enorme masa de cuerpos apiñados. Cabezas flotantes. El tren del mundo de los espectros llegaba a la estación de Nassau Avenue cargado de fantasmas.

Tras subir las tres plantas del edificio con todas aquellas maletas, sudaba a mares y solo pensaba en asearme antes de cruzarme con Sveta, pero ella se me había adelantado. A través de la puerta del baño se oía el chorro de agua caer sobre el plato de la ducha. Mila había dejado el cuarto muy limpio y ordenado. La cama que me regalaba estaba cubierta por unas sábanas de color rosa. A un lado del colchón había dobladas unas mantas de franela, también rosas. Solté el equipaje y me tumbé. Estiré mis piernas y mis brazos doloridos. Cerré los ojos…

Cuando volví a abrirlos una constelación de estrellas fluorescentes se extendía frente a mí. Había una docena de ellas, de cinco puntas y con diferentes tamaños. Recordé haber visto esas pegatinas en mi visita anterior. Traté de despegarlas del techo, pero me resultó imposible. Solo fui capaz de arrancar la punta de una estrella.

Desconocía cuánto tiempo me había quedado dormido, pero el agua de la ducha seguía circulando a la misma presión que antes. Cuando escuché la puerta del baño abrirse, yo estaba volviendo a contar el fajo de dinero para asegurarme por cuarta vez consecutiva de que no faltara ni un dólar. Guardé los billetes y salí de mi habitación con el sobre hacia la cocina. En cuanto vi a Sveta retrocedí. Estaba de espaldas a mí frente al horno recién abierto para airearlo. Iba con un *culotte* ajustado, una camiseta ancha y una toalla enrollada en la cabeza. Supuse que no me había oído entrar, de lo contrario no se atrevería a recibirme en paños menores. Antes de que me diera tiempo a refugiarme en la habitación, Sveta se giró hacia mí. Iba con la mascarilla facial de la fotografía. El ungüento marrón se extendía por todo el rostro, a excepción de dos amplios discos en torno a los ojos que provocaban que sus globos oculares parecieran cabezas humanas sumergidas en un lodo resbaladizo.

Si los del tren me habían parecido fantasmas, ahora mi compañera de piso me parecía un auténtico esperpento.

—Aquí tienes. La primera renta —dije, agitando el sobre con desasosiego.

Al parecer yo estaba más nervioso que ella. Sveta seguía mostrándose tímida. Es decir, que tal y como recordaba, esquivaba el contacto visual directo y, tan pronto como me vio, bajó los hombros y el cuello, adoptando la postura de un cervatillo acobardado. Sin embargo, no me dio la sensación de que su vergüenza tuviera nada que ver con su *culotte* y su cara. Eso parecía traerla sin cuidado. Su timidez no era una reacción a la situación circundante, sino un virus asentado dentro de su cuerpo.

—Déjalo sobre la mesa —bisbiseó—. Da mala suerte pasar dinero de mano en mano.

La obedecí. Ella sacó una fuente del horno y analizó de cerca la apariencia del alimento. Temí que algún grumo de su cara resbalase hasta caer sobre la bandeja.

—¿Qué es? —pregunté.

—Tilapia.

Nunca había oído el nombre de ese pescado que sonaba a enfermedad venérea, pero me moría por probarlo.

—¿Tienes hambre? —quiso saber.

Contesté afirmativamente. Ella se desprendió de las manoplas y se dirigió hacia el sobre. Sacó los billetes del envoltorio y se puso a contarlos. Se los pasaba de una mano a la otra con la agilidad de una cajera de banco. Al concluir, los ojos de Sveta (islotes dentro del fango) rezumaban alarma.

—¿Y el depósito? —preguntó.

—¿Qué depósito? —pregunté.

—¿Cómo que qué depósito? —preguntó.

—Ya le dije a Mila que no tengo dinero para el depósito.

—¿¡Qué!? —Sveta parecía muy sorprendida.

—Me dio permiso para pagarlo a plazos...

Empecé a temer que hubiera habido falta de comunicación entre las bielorrusas de la cual yo me convertiría en culpable y víctima. Ya no fui capaz de divisar ni unos míseros restos de su timidez. Me miraba directamente a los ojos con la espalda recta y la cabeza un poco inclinada hacia atrás, como si la toalla que llevaba encima hubiera ganado peso.

—Creía que ella te lo habría comentado...

—¿Comentar el qué? —Sus ojos oscilaron de un lado a otro. Luego los dejó inmóviles, perpleja ante su descubrimiento—. ¿¡Que entre los dos habéis decidido quedaros con mi dinero!?

Sveta empezó a hablar aceleradamente en bielorruso. Yo actuaba como si comprendiera lo que estaba soltando. Asentía y negaba alternativamente con la cabeza. La movía de arriba abajo para darle la razón en sus gritos de indignación, y de derecha a izquierda cuando bajaba el volumen y me daba la impresión de que hablaba de mí. Quería hacerle notar que asumía mi parte de culpa. Empezó a intercalar frases en inglés del estilo: «¡Este piso ya no tiene nada que ver con Mila!». Y: «¡¿En qué diablos pensabas!?». Incluso me preguntó: «¿Eres tonto?». Y en ese momento no supe en qué dirección mover la cabeza.

Sveta no me concedió la oportunidad de justificar mi inocente participación en el conflicto. Se encerró en su habitación, dejando abandonada la apestosa tilapia con verduras. Yo me mantuve unos segundos inmóvil. Me sentía humillado. Por casualidad o por instinto palpé mi bolsillo trasero. ¡La tarjeta de contacto de Mila! Corrí a mi cuarto en busca de mi teléfono móvil. No traté de relajarme o de ordenar el discurso que intuía que iba a escupir con ferocidad. Mila nos había tendido una trampa y no me iba a andar con chiquitas a la hora de ajustar cuentas.

Primero llamé al móvil, pero una voz mecánica interrumpía al segundo tono de la llamada. Aun así insistí cinco veces, esperando que en alguno de mis intentos respondiera la voz de Mila con su estúpido acento bielorruso. Luego probé con el número fijo, aunque daba por hecho que a esas horas de la noche ya no quedaría nadie en su despacho. La inviabilidad de ponerme en contacto con ella me estaba exasperando. Saqué el ordenador portátil de mi mochila. La tarjeta también contaba con su dirección de correo electrónico.

«Querida Mila,

¿Qué tal estás?».

Borré y empecé de nuevo:

«Liudmyla Khmelnytska,

Intuyo que la convivencia entre tú y Sveta ha acabado con cualquier respeto que pudo existir entre vosotras en algún momento de vuestra relación. Nada más instalarme en casa ha salido a la luz el tema del depósito. Vaya sorpresa nos has dado... Me imagino que no querías abandonar el piso sin antes propiciar un último bofetón a tu compañera. Vale. En eso no me meto. ¿Pero qué pinto yo en medio de vuestras trifulcas? Ponte en mi lugar... Soy un joven en paro. Mi familia está muy lejos. Mi país, en crisis. Sveta dice que le hemos robado su dinero. Está convencida, vamos. Temo que me eche de aquí mañana mismo y se busque a un inquilino que pueda pagar de golpe el alquiler y el depósito. No sé si te importa lo más mínimo, pero si eso ocurre no tengo adonde ir...

No te estoy pidiendo justicia. Te estoy pidiendo PIEDAD. Habla con Sveta esta noche o mañana por la mañana y explícale que yo no he tenido nada que ver en este lío. He pensado que podrías pagarle el importe del depósito tú, Mila, y yo te lo devolveré a plazos, tal y como acordamos. No tardaré en devolvértelo, te lo prometo. Todo depende del tiempo que me lleve encontrar un trabajo. Tengo mucha disciplina y un horario flexible. Aprendo rápido. Te adjunto mi currículum.

Apenas te conozco pero confío en que tomarás la decisión correcta.

Jorge».

Tan pronto lo envié me encontré más aliviado. Realmente la escritura era la mejor manera de desahogarse. Tenían razón los terapeutas cuando afirmaban que escribir ayuda a sanar las experiencias traumáticas y a drenar las heridas.

De inmediato recibí respuesta. Abrí el correo con vehemencia, sin pararme a pensar que había transcurrido muy poco tiempo.

«*The email account that you tried to reach does not exist*».

Me cercioré de que no me hubiera equivocado al teclear la dirección, pero no fue el caso. Eso solo podía significar que el correo electrónico que aparecía en su *business card* no existía. Tecleé la dirección de su página web y no di crédito al mensaje que apareció ante mis ojos: «*The website you have entered does not exist*». Volví a llamar a su teléfono móvil y esta vez presté atención a la voz mecánica. En todos mis otros intentos había colgado en cuanto la oía, tomándola por su contestador. Sin embargo, conforme escuchaba de nuevo sus palabras iba comprendiendo que lo que esa máquina había tratado de decirme una y otra vez era que el número marcado no correspondía a ningún usuario. ¡También era falso! ¡Falso!

Me tumbé en la cama sin desvestirme y me tapé hasta la boca con las sábanas y las mantas rosas que había heredado de la canalla que se había burlado de mí. Me entraba ansiedad solo de pensar que me iban a poner de patitas en la calle. Había caído de cabeza en la trampa que Mila nos había tendido. Cuando Sveta me preguntó si era tonto debería haber afirmado con efusivos movimientos verticales de cabeza: ¡No te imaginas cuánto!

Tenía los ojos húmedos y no los apartaba de las estrellas fluorescentes pegadas al techo. Me esforzaba por no llorar. Prestaba especial atención a la estrella a la que, un rato antes, yo mismo le había arrancado una de sus cinco puntas.

Brillaba más que las otras.

Día 4

—No es culpa tuya.

Eso dijo. Golpeó la puerta de mi habitación hasta conseguir despertarme. No debía de ser más tarde de las ocho de la mañana. La camiseta del día anterior se me pegaba a la piel por el sudor. Ladeé la cabeza sobre la almohada procurando no hacer ruido. Me proponía fingir estar dormido hasta que Sveta desistiera, pero su insistencia me obligó a incorporarme. Avancé lentamente, aplastándome el pelo. No tenía ningún espejo en la habitación, pero a juzgar por mi ropa arrugada y la sensación de tener la cabeza llena de espuma de poliuretano, seguro que mi aspecto era lamentable. Al girar el pomo de la puerta pensé que las cartas ya estaban echadas. Me disponía a escuchar su veredicto.

—No es culpa tuya —eso dijo—. Nunca debí permitir que Mila se encargara de buscar un nuevo inquilino.

Nuestros ojos se movían como cometas en el aire que evitan enredarse en la trayectoria del otro. Estábamos igual de incómodos. Habíamos empezado la convivencia con mal pie, pero ahí estaba Sveta comunicándome buenas noticias: me dejaba quedarme en casa. Me dejaba pagarle el depósito a plazos.

—¿Tienes papeles?

—¿A qué te refieres? —pensé que quería liarse un porro para celebrar nuestra reconciliación.

—En mi compañía de *catering* siempre buscan a gente nueva. Si necesitas trabajo puedo conseguirte una entrevista hoy. Pagan bien, pero te pedirán el número de la seguridad social. ¿Puedes trabajar legalmente?

—No.

Había llegado a Nueva York con un visado de periodista de cinco años que me facilitó un vecino mío de Valencia que trabajaba para una publicación local. Es un visado relativamente fácil de conseguir, incluso aunque el contrato sea falso, pero no te permite trabajar en los Estados Unidos. Está destinado a corresponsales a los que pagan desde su propio país.

—Pues tendrás que ir a sacarte la Green Card ahora mismo. Hay un hombre en la esquina de Roosevelt Avenue con la Calle 80 que lo hace por setenta dólares. No tarda más de una hora. Creo que se llama Rafael. Es moreno, supongo que colombiano o de Ecuador. Siempre está en la misma esquina, enfrente de un mercado.

No sabía de qué hablaba. Las vías que yo conocía para hacerse con una Green Card o Tarjeta de Residencia Permanente en Estados Unidos eran por trabajo, teniendo un familiar directo residiendo en el país o si tenías la fortuna de que te tocara la Lotería de la Diversidad. Nunca había oído hablar de esa vía sucedánea llamada Rafael.

Sveta aguardaba mi respuesta pero yo, a pesar de que lo último que deseaba era arruinar su buen despertar, me veía incapaz de tomar una decisión. Cambió de pierna sobre la que apoyar el peso de su cuerpo y se colocó tres veces seguidas el mismo mechón de pelo tras la oreja.

—Si sales ya, te dará tiempo a tenerlo todo listo para que te presente a mi jefe esta tarde —me apremió—. Entro a trabajar a las cuatro.

Por primera vez me miró con atención a los ojos (párpados hinchados y ojeras) y, a continuación, hizo un recorrido vertical hasta mis pies (la misma ropa del día anterior).

—¿Prefieres que te acompañe? —se ofreció.

—Por favor.

Sveta se enrolló un fular rojo en la cabeza. Se asomaban dos mechones aplanados a los lados de su cara, separados por una raya en medio que creaba un vértice puntiagudo en el altillo de su frente. Se abrigó como si estuviéramos en pleno invierno, con una chaqueta entallada que le marcaba su estrecha cintura. El cuello de la prenda era de piel de lince. Allí, plantada en el andén con su fular, su lince y su extrema palidez, me recordó a Ana Karenina antes de tirarse a las vías.

«Está enfadada con el mundo porque nadie es tan infeliz como ella».

A través de la ventana que estaba frente a nosotros se exhibía una vista panorámica de la ciudad, con su Empire State, su Chrysler y sus rascacielos del Financial District. Sin embargo, conforme el tren avanzaba hacia nuestro destino, la imagen quedaba más lejana, sus edificios más reducidos, su encanto más a desmano. Los barrios que atravesábamos estaban compuestos por hileras de casas de dos plantas y los denominados *projects*, viviendas en masa y sin estética similares a las monstruosas edificaciones de la arquitectura comunista.

Sveta miraba convulsivamente su teléfono móvil. Intercambiaba mensajes con alguien.

—¿Ya has pensado en el nombre? —me preguntó cuando quedaban dos paradas para llegar.

—¿Qué nombre?

—Eso es cosa tuya. —Debió de reconocer que no me enteraba de qué iba la historia porque, tras escrutarme, decidió ser más concreta—. No querrás que consten tus datos personales en una documentación falsa.

Al fin lo había dicho. Documentación falsa. (Explotación. Supervivencia. Cruz Roja. Patera. Estrecho de Gibraltar.) No tenía conocimiento de cómo estaba sancionado por la ley aquel delito pero, a esas alturas, se me antojaba más arriesgado un nuevo enfrentamiento con Sveta que la posibilidad de ser deportado. O encarcelado.

Miré por la ventana y ya no se veía ni el pico más alto de Manhattan.

—Eras escritor, ¿no? —Nos dirigíamos hacia la salida de la estación de la Calle 82, en Jackson Heights.

—Guionista —especifiqué con voz trémula.

—Pues plantéatelo como si tuvieras que elegir un seudónimo con el que firmar tu próximo guion.

Toda la Roosevelt Avenue estaba ensombrecida a causa de las vías elevadas del tren que se ubicaban a diez metros sobre las cabezas de los transeúntes. La mayoría de rótulos y carteles publicitarios estaban en español. Sveta debía de ser la única rubia con ojos azules en el barrio, quizá por ese motivo se había cubierto con el fular. Cuando alcanzamos el cruce de la 80 con Roosevelt movió con discreción la cabeza hacia el mercado que quedaba en la acera de enfrente. Había un hombre parado en la entrada. Era robusto, con la piel bronceada y estaba con los brazos en jarras.

—Ahí tienes a Rafael. Yo te espero aquí —se despidió, abriendo la puerta de un restaurante-pastelería llamado Cositas Ricas.

Cuando entró en el establecimiento no supe qué hacer. Creía que el plan era que me acompañara de principio a fin, no que me abandonara a mi suerte en el momento más peliagudo. Iba de derecha a izquierda y de izquierda a derecha con las manos metidas en los bolsillos del pantalón y mordiendo el cuello de mi camiseta. Rafael, desde la distancia, parecía una de esas estatuas en el centro de algunas plazas mayores que conmemoran a un guerrero emblemático o a un antiguo dictador.

—¿Rafael? —le pregunté en cuanto me atreví a cruzar la calle.

—A tu servicio, hermano.

Sveta me había informado de que debería entregarle una foto de carnet. Ya lo tenía todo listo. Aproveché el apretón de manos para pasársela con máxima discreción.

—Mi nombre es Manuel Bergman —le informé, muy serio.

No sé por qué elegí Manuel, quizá porque rimaba con Rafael y fue lo primero que me vino a la cabeza. El apellido fue en honor al director de cine que tanto admiraba.

—¿Fecha de nacimiento?

Puestos a reinventarme, me hubiera gustado elegir la época de la antigua Grecia. Las meditaciones en los templos, pasear a orillas del azul Egeo con sandalias y holgadas túnicas ceñidas por la cintura, los baños de mármol y El Discóbolo y sus Apolos desnudos.

—Catorce de febrero de 1986.

—Okay, hermano. Setenta dólares.

Le entregué el dinero envuelto en un paquete vacío de tabaco de liar.

—Espérame dentro del mercado en una hora. Entre los chicharrones y la harina de plátano.

Entré en Cositas Ricas con el pecho henchido de orgullo. Me moría de ganas por contarle a Sveta quién era Manuel Bergman. Un valiente, un trotamundos, un bohemio, todo un golfo. El local era amplio. De las paredes decoradas con gotelé colgaban luces de neón que dibujaban una rebanada de pan, una taza de café y una fresa. Sonaba música festiva, cumbia. Sveta había tomado asiento en una mesa frente a la vidriera que exponía la amplia gama de repostería. A pesar de la temperatura cálida del establecimiento, no se había desprendido de su chaqueta ni del fular. Hablaba por teléfono con mueca de frustración. Aproveché su conversación para dirigirme hacia la barra.

La camisa caqui de la camarera que vino a atenderme le venía a reventar. Llevaba los cinco primeros botones desabrochados, permitiendo a la clientela apreciar la generosidad de su pechuga. Me preguntó qué quería. Examiné los bollos y me dispuse a hablar, pero en ese preciso instante la débil voz de Sveta llenó mis oídos.

—No hablo turco, mi amor. No sé ni una maldita palabra.

Me pasó lo mismo que me ocurre en las librerías. Cuando me aventuro a hacerme con un libro desconocido, sin referencias sobre el autor ni el texto, mi método es el siguiente: abro una página al azar y leo un párrafo. Si este contiene alguna idea sugerente que me llame la atención, me lo llevo, sin leer la sinopsis ni darle vueltas al asunto. Pues bien, la frase de Sveta creó el mismo efecto en mí.

Eso de «no hablo turco, mi amor» era breve y prometedor. Deseaba saber más.

—No te entiendo —pausa—. No, no sé lo que estás diciendo —pausa—. Tampoco sé lo que significa eso, Dog. Para de hablar turco —sus palabras sonaban como gritos suplicantes que no se atrevía a gritar—. Para, Dog, por favor.

La camarera me examinaba enarcando sus cejas.

—¿Señor?

—¿Qué me recomienda? —reaccioné al fin.

—Todo está muy rico —pretendió que me contentara con esa respuesta, pero le mantuve la mirada hasta que se vio obligada a continuar—. Pan de leche. Los panes están muy ricos. Pan de bono. Pan de uva. Pan de queso —iba señalando las diferentes piezas con las tenazas de cocina que sujetaba—. Los buñuelos también están ricos. Corazones de hojaldre. Mojicón. Almojabana. Muy ricos. Suspiros. Cannolis. Tres Leches. Pionono…

Por debajo del interminable recital de la mujer percibí otro lamento, casi un murmullo:

—Pero me lo prometiste —dijo Sveta—. Ya lo tenemos todo planeado.

—Tres cannolis —dije yo.

—De acuerdo —pronunciaron la camarera y Sveta a la vez.

—Entonces te llamaré más tarde —continuó Sveta a solas.

—¿Café? —me preguntó la camarera.

—Sí. Con leche de soja.

—Adiós, mi amor. Te quiero con locura.

—¿Leche de qué?

Al girarme la encontré llorando. No había perdido la compostura, pero lloraba. Me pareció una escena formada por elementos incoherentes. Por una parte estaban su elegante chaqueta, su cabeza envuelta en el fular, el humo que ascendía desde su taza y las lágrimas resbalando por una piel muy blanca; por otra parte estaban las luces de neón, los camarones enchilados proyectados en las cuatro pantallas que bordeaban el restaurante, la cumbia, la pechera de mi camarera y los clientes hispanohablantes que se pasaban el kétchup de una mesa a otra. Al sentarme, Sveta miró hacia abajo.

—¿Estás bien?

—Sí. Era mi novio. Dogan Harman.

En la fotografía que había en el cabezal del salón de casa de Sveta, se besaba frente a una montaña rusa con alguien más joven y lleno de granos. Dogan Harman, por lo visto. La relación que unía a la guapa de Sveta con ese adolescente me pareció igual de incoherente que su conexión con el entorno. Le di un mordisco al cannoli.

—¿Es turco?

—Sí. Turco.

—¿Dónde está?

—En Turquía… pero va a instalarse aquí más pronto que tarde. Acaba de terminar la carrera y le estoy ayudando a conseguir trabajo.

—¿Tiene papeles? —señalé hacia el mercado de la acera de enfrente.

—Dogan no necesita papeles falsos. Tiene mucho talento. No le costará que se los consiga la empresa que decida contratarle.

Me sentí un poco ofendido.

—Así que la distancia entre vosotros tiene los días contados —cambié de tercio.

Sus ojos seguían lagrimeando, aunque con menos constancia. Resultaba fácil ignorar ese detalle ya que el resto de su rostro se mantenía ajeno a las lágrimas. Como si su cara y sus lágrimas fueran una nueva agrupación de elementos incongruentes. Igual que su pena y mi apetito.

—Exacto —forzó una medio sonrisa que desequilibró toda la armonía de sus facciones. A pesar de que ni siquiera llegó a formar una medio luna con sus labios, el gesto quedaba demasiado exagerado para un rostro carente de expresividad.

No quise indagar el motivo por el cual él le había hablado en turco si ella no entendía el idioma. Tampoco me atrevía a preguntarle por qué lloraba. Esos eran capítulos que debería esperar para desentrañar en su momento. Sin embargo, me sentí conmovido por el voto de confianza que depositó en mí al hacerme partícipe de su vida privada. Yo todavía no había hablado con nadie sobre mi situación personal.

—Yo no he tenido tanta suerte como tú. —Frunció el ceño, como si me estuviera burlando de ella—. Quiero decir... No eres afortunada por tener a tu novio en Turquía, pero sí por tener una relación que funciona. Verás, antes de mudarme a tu casa yo vivía con mi pareja —me detuve allí. Al alzar mi taza de café me percaté de que me temblaba el pulso—. Nos hemos separado.

Me sentía listo para compartir con Sveta mi fracaso, sin embargo, al observarla me di cuenta de que no me escuchaba. O me escuchaba pero no le importaba. O, en el mejor de los casos, le importaba pero no tenía ni la más remota idea de cómo se actúa cuando te hacen partícipe de una intimidad. Se me secaron las lágrimas que acechaban detrás de mis párpados y se esfumó el desatado discurso que se estaba labrando en mi cerebro. Fue una situación extraña. Ni siquiera contemplaba mis ojos, sino un punto por encima de ellos. Temí tener azúcar en polvo de los cannolis, así que restregué mi mano por toda mi cara. Sveta desvió su mirada hacia el teléfono móvil sobre la mesa y retomó el intercambio de mensajes que había estado enviando durante el trayecto a Jackson Heights.

Empecé a sospechar que fuera Sveta el único elemento discordante en Cositas Ricas y que, por eso, a través de ella se pudieran hacer infinitas asociaciones que no casaban. Era una mujer inadecuada en cualquier entorno, imperturbable ante cualquier conversación, indiferente ante cualquier compañía, incompatible con el mundo. Vivía a distancia del planeta Tierra, en algún lugar inventado junto a ese Dogan Harman. Quizá, dentro de su cabeza aún continuaban en el parque de atracciones donde se hicieron la fotografía, besuqueándose sin parar y sobreviviendo a base de algodón de azúcar.

Yo lo había interpretado como timidez cuando en realidad era pura apatía lo que identificaba a esa muchacha.

Una vez en casa, ya con mis documentos falsos en el bolsillo, Sveta se ofreció a ayudarme en la redacción de mi currículum. Lo hizo de corrido, sin pausas, de memoria, gritándome las frases desde su habitación mientras se ponía los leotardos negros de trabajo. Me aconsejó que nombrara al menos cinco restaurantes en los que había trabajado y que me inventara un tercer idioma que debía pretender dominar con fluidez. Pura ficción. Encontré en todo aquello, de alguna manera, un punto motivador. Las pautas que la otra me indicaba no hacían más que refrescar en mi memoria los capítulos aprendidos en los manuales sobre escritura creativa.

También me ayudó a elegir el vestuario:

—Estos pantalones con la camisa negra. Sí. Ponte cinturón. ¿No tienes otros zapatos? Están destrozados… Creo que me queda algo de betún. Podré arreglarlo. Péinate mejor el pelo, con cera, ¿tienes cera? ¿Gomina? A ver, enséñame las uñas.

Igual era bipolar. O bien me ignoraba por completo o estaba dispuesta a atarme los cordones de los zapatos. Preferí no sucumbir ante sus atenciones. Al fin y al cabo lo único que le interesaba era que me llenara los bolsillos del dinero que le debía.

Las oficinas a las que nos dirigíamos estaban ubicadas en la Calle 18 con Broadway. La compañía se llamaba Il Passatore y su especialidad era la comida italiana.

—Somos como un colectivo de nómadas que vamos de casa en casa rellenando copas de vino —me dijo mientras esperábamos el ascensor—. Ah, se me olvidaba. Di que tienes hijos. Cuatro o cinco.

—Qué barbaridad. ¿Por qué iba a hacer eso?

—Para que te resten menos porcentaje de tasas. Yo tengo seis.

¿Quién se iba a creer que esa muchacha sin una sola arruga en la cara tuviese seis hijos? A su edad era casi biológica y matemáticamente imposible. ¡Y con sus minúsculas caderas! Por otra parte, ¿quién se iba a creer que yo tuviera cuatro o cinco? Mi amaneramiento me delataba en los momentos más inesperados.

El ascensor se detuvo en la sexta planta y Sveta me señaló la puerta del despacho antes de reunirse en otra sala con sus compañeros de trabajo.

—Hola Jorge —me saludó el jefe.

Aunque su cabeza era calva como una bola de billar, sus ojos rebosaban una socarronería juvenil. Tenía una barba castaña rasurada y dos diamantes de corte clásico en el lóbulo izquierdo. Se estaba acariciando su abultado vientre con ambas manos mientras esperaba a que tomara asiento a su lado. Pero yo permanecí de pie, paralizado ante su recibimiento.

—Me llamo Manuel —le corregí.

—¡Me cago en la leche! ¿Qué tendrá que ver Manuel con Jorge? Creí que Sveta me había dicho... En fin, el estrés está acabando con mi memoria... ¿Has traído tu currículum?

—Aquí tiene, señor —se lo entregué y tomé asiento.

—Bergman —leyó con grandilocuencia—. ¿Has visto *Persona*? —Al menos quince veces—. ¿*Gritos y susurros*? —¡Joder! ¡Pero si justo esas dos eran mis películas preferidas de entre las treinta y pico que había rodado el director!—. ¿Te suena de algo el nombre de Ingmar Bergman?

No había considerado la posibilidad de que el jefe de una compañía de *catering* reconociera mi apellido. Vacilaba entre si sería más conveniente confesar mi admiración por el difunto cineasta con el que compartía apellido o fingirme un total ignorante de su existencia.

—No, señor. ¿Quién es ese?

Me lanzó una mirada beligerante, de las que yo lanzo a los que opinan que su cine es un bodrio.

—Así que tu pasión es ser camarero... —repasaba la información de mi currículum con gesto irritado—. Fascinante. Permíteme darte un consejo, muchacho... Échale un vistazo a alguna película de Ingmar Bergman. He oído que tuvo un montón de hijos —arqueó las cejas reiteradamente—. Igual es tu padre.

Empezaba a sospechar que su finalidad fuera desenmascararme, hacerme rabiar hasta que no pudiera aguantarme las ganas de admitir que su empresa me importaba tres pepinos. Que lo único que merecía la pena eran el gran Bergman y el celuloide. No iba a caer en su trampa.

—Yo también tengo bastantes hijos —dije.

—¿Cuántos?

—Cuatro —o cinco, gracias a Dios que me mordí la lengua antes de repetir literalmente las palabras de Sveta.

Sus labios se rizaron alrededor de su boca.

—¿Qué has venido a hacer en Nueva York?

—Intentar triunfar, señor.

—¿Y crees que trabajar aquí te ayudará a conseguirlo?

—Definitivamente. Hace tiempo que admiro su compañía de *catering*.

Hizo una mueca de recelo, como si le acabara de regalar un cumplido que supiese que no se merecía.

—¿Qué tiene de admirable?

—La calidad de su servicio. Impecable —eso me salió muy espontáneo y natural.

Sin embargo, tuve la impresión de que mis últimos comentarios provocaron el efecto contrario al intencionado, como si en realidad le estuviera criticando su déficit de entrega a su profesión. Cruzó las piernas y se apoyó sobre los brazos de su butaca. Acercó mucho su cuerpo hacia mí.

—Dime... ¿Qué te hace encontrar tan apasionante el sector del servicio?

Me quedé en blanco.

—Mi madre —una flema espesó mi voz al hablar. No se me ocurrían detalles con los que inflar mi respuesta. ¿Por qué cojones había metido a mi madre en esto?

Me aclaré la garganta.

—¿Tiene un restaurante?

Esa era una buena solución pero temía que si contestaba afirmativamente, él empezaría a indagar y, dada mi falta de conocimientos sobre el sector, descubriría la milonga de inmediato. El silencio se extendía y no era capaz de improvisar ningún relato coherente. Trataba de escuchar a mi cabeza pero lo único que percibía era la estúpida voz de mi subconsciente repitiendo con recochineo: «Hola, caracola. Hasta luego, cara huevo. Adiós, carita de arroz».

—Murió.

Su falta de sensibilidad frente a la tragedia de Manuel Bergman me corroboró que ese hombre no me tomaba en serio. Volvió a centrarse en mi currículum sin ni siquiera darme el pésame. Era probable que estuviera hasta la coronilla de entrevistar a huérfanos homosexuales con cuatro hijos y una pasión desenfrenada por sujetar bandejas. Estaba convencido de que buscaba las palabras para comunicarme una tajante negativa. No obstante, se puso de pie y me avisó de que no tardaría en volver.

Estando a solas en el cubículo sin ventanas que ese hombre tenía como despacho me sentí en peligro. Temía que se dispusiera a llamar al departamento de inmigración para que se ocuparan de mi caso. Al rato abrió la puerta con una expresión que no supe leer. Me dijo que al día siguiente tenía mi primer evento. A las nueve de la mañana. Vestido de negro.

—Bienvenido al equipo.

Me dio unos golpecitos en la espalda y añadió que debía agradecérselo a Sveta. Acababa de hablar con ella y:

—Lo que me ha convencido es la plena confianza que tiene depositada en ti, Jorge.

Agradecer, ¡los cojones!, pensé. Qué mérito tenía mover cielo y tierra por alguien cuando el único propósito que la motivaba era sacar su propio beneficio lucrativo. Desde luego, yo no me sentía en deuda. Más bien al contrario. Si pudiese volver atrás, a Cositas Ricas en concreto, me pondría a silbar en cuanto ella empezara a hablarme sobre su historia de amor a distancia.

Espera, ¿había dicho Jorge?

—Manuel, señor.

Cuando llegué a Bed-Stuy había oscurecido y lloviznaba. Aun así, estaba empeñado en buscar un supermercado para llenar mi parte de la despensa y la nevera. No deseaba hacer uso de nada que fuera de Sveta. Me metí en el primer colmado que vi con intención de hacerme con un paraguas. Allí lo único que vendían eran trozos rectangulares de plástico de color amarillo canario con un agujero en el centro para introducir la cabeza. No se les podía llegar a llamar chubasqueros, pero eran útiles y solo costaban un dólar y medio. Al pagar le pregunté al dependiente dónde podía encontrar un supermercado. Él quiso saber lo que quería.

—Fruta, cereales, muslitos de pollo, gel de baño, pasta de dientes…

—Aquí, aquí —interrumpió mi listado, señalando sus propiedades—. Todo aquí, amigo.

Los plátanos estaban verdes y las cuatro manzanas expuestas parecían de piedra. Había tres tipos de cereales: Froot Loops, Apple Jacks y Pop Tarts, de los que te garantizan una obesidad inmediata. No vi por ninguna parte los muslitos de pollo y ni me molesté en acercarme al estante donde se apelmazaban los polvorientos productos de higiene personal. Una mujer dominicana, que imagino que había escuchado mi pregunta, se acercó a mí para facilitarme una segunda opción.

—A solo tres manzanas empieza el barrio judío. Ellos sí que saben cuidarse. Yo siempre me cuelo en sus supermercados cuando me pongo a dieta —me confesó, ciñéndose con ambas manos la cintura.

Me coloqué el impermeable amarillo y tomé Myrtle Avenue. En Walworth Street giré a la derecha hasta Wallabout. Iba determinando mi ruta al buen tuntún, sin tener ni pajolera idea del mapa. Tras quince minutos me crucé con Lee Avenue. Era probable que para ese momento ya hubiera pasado de largo más de media docena de supermercados, pero había perdido la noción de lo que buscaba. Era todo ojos y exclamaciones. Fascinación y temor.

Parecía que los árboles se iban quedando sin hojas y la lluvia arreciaba conforme me adentraba en el gueto judío. Aquel era un paisaje invernal. Las ventanas y balcones de las viviendas estaban protegidos por rejas que sobresalían creando la impresión de inmensas jaulas incrustadas en las fachadas. Pegados a los muros de algunos edificios había filas de anuncios de papel con caracteres hebreos, y epígrafes dorados sobre las puertas de entrada a sinagogas y academias judías. También los autobuses escolares aparcados lucían inscripciones en esa lengua. Asomé mi cabeza por la puerta de cristal de un portal y encontré una multitud de carritos de bebé apiñados en una esquina del vestíbulo, todos de color negro. Considerando que era un edificio de cuatro alturas, las cuentas me salían a seis bebés por planta. ¿Pero dónde se habían metido todos?

El primer integrante de la comunidad con el que me topé fue un niño vestido de adulto que corría desprotegido bajo la lluvia. Su cabeza rapada estaba cubierta parcialmente por la kipá. Los dos mechones largos que enmarcaban su rostro como un signo de paréntesis ondeaban por detrás de su cogote. Pasó junto a mí como un rayo y desapareció tras la primera esquina.

Antes de que pudiera recuperarme de esa fugaz visión alcé la cabeza y divisé, tras los barrotes de una ventana iluminada, la silueta de una señora de mediana edad. Permanecía inmóvil, como una imagen televisiva congelada. Llevaba un pañuelo oscuro atado a la cabeza y tenía la mirada fija en un punto.

A unos metros de distancia de mí, un hombre se apoyaba con una mano en el tronco de un árbol y tenía la otra resguardada en el bolsillo de su largo abrigo negro. Igual pensaba en cualquier trivialidad, pero con esa vestimenta y una barba tan larga solo cabía esperar que estuviera inmerso en las más relevantes meditaciones. Pasé a su lado sin que pestañeara ni una sola vez ante mi presencia.

A partir de Flushing Avenue se desplegaron frente a mí turbas de réplicas exactas a ese niño vestido de adulto, a la mujer disecada frente a la ventana de su cocina y al hombre meditabundo inmerso en su diatriba existencial. Todos vestían de un riguroso luto ancestral. Las levitas negras de los hombres, abotonadas desde el cuello hasta más abajo de las rodillas, acentuaban el envaramiento de sus cuerpos. La mayoría de madres jóvenes con críos a su alrededor exhibían un cutis limpio y sedoso de adolescentes virginales. Sus pelucas resplandecían a la luz de las mortecinas farolas del alumbrado público. Las que, en lugar de pelucas, utilizaban pañuelos para cubrir sus cráneos afeitados, mostraban una apariencia incluso más dócil y sumisa. Al contrario que los adultos, que miraban hacia otra parte al cruzarse conmigo, los niños me desafiaban con expresión ceñuda, enrabietados por no entender por qué yo tenía derecho a ir de amarillo.

De pronto me encontré frente a las puertas de cristal de un gran supermercado llamado Chestnut. Eso me ayudó a recordar el motivo de mi excursión. Nunca antes hubiera imaginado que una actividad tan usual como hacer la compra pudiese ser motivo de una taquicardia. Esperaba que, tarde o temprano, el encargado viniera a decirme que este no era lugar para mí. Mientras tanto avanzaba mirando al suelo, sin atreverme a observar las caras de los que llenaban sus cestas.

Cuando me puse a la cola para pagar me di cuenta de que el paso más comprometido estaba a punto de suceder. Hasta ahora había transitado cerca de ellos sin ser visto. Me ignoraban. No existía. Pero el cajero no iba a tener más remedio que tratar conmigo. Miré por encima de las pelucas y los sombreros que esperaban su turno por delante de mí y divisé al individuo con el que me comunicaría. Era un chico joven, como yo, pero con kipá y los dos tirabuzones correspondientes. Temí su reacción cuando me viera.

Sonrió, exhibiendo dos filas de dientes más blancos que la nieve. Me preguntó si había encontrado todo lo que buscaba. Le dije que sí. Me preguntó si tenía la tarjeta Chestnut. Le dije que no. Me explicó los beneficios de hacerme una. Su voz sonaba como la de cualquier otro joven, como la mía. Por algún motivo esperaba una voz melancólica y polvorienta. Cuando me comunicó lo que le debía no supe qué hacer con el dinero. En una ocasión vi a un judío ortodoxo que, al pagar unos calcetines, depositó los billetes sobre el mostrador para evitar el contacto directo con la persona que le atendía. Así que, por si las moscas, yo también hice lo mismo. Al devolverme el cambio, el cajero no dudó en entregármelo en mano con otra de sus espléndidas sonrisas cruzándole la cara.

—Gracias por comprar en Chestnut. Hasta la vista.

Anduve el camino de vuelta a casa sin prisas. No me quitaba de la cabeza su sonrisa. Ahora que había intercambiado algunas palabras con uno de sus integrantes, me sentía más cómodo atravesando de nuevo el barrio judío. Había dejado de resultarme amenazador. Al cruzarme con ellos les sonreía como el cajero había hecho conmigo, a pesar de que ninguno de los transeúntes me miraba. Esas calles eran un escenario idóneo para meditar. Nadie escuchaba música alta. No había bares, luces de neón, ni paneles publicitarios. Los pasos de la gente no hacían apenas ruido. La oscuridad eran dos brazos acogedores.

No existir debía de consistir en esto: tener una identidad falsa, convivir con alguien que no escucha y pasear entre los miembros de una comunidad a los que no se les permite verte.

Empezaba a disfrutar de la sensación.

Día 5

Me desperté a las siete de la mañana por la convergencia de varios sonidos. Por una parte, el de mi puntual despertador que había programado con una hora y media de antelación respecto a la hora en la que debía presentarme a mi primer servicio de *catering*. Me despejó del sueño también, con igual eficacia, el estrépito del agua a presión que, desde el cuarto de baño, volvía a golpear el platillo de la ducha. Me sorprendió que la actividad de Sveta me creara una sensación apaciguadora, sin vestigios de rencor. Ya no la odiaba. Desde el paseo de vuelta de la noche anterior algo había cambiado dentro de mí.

Me había comportado como un palurdo, con los jasídicos y con Sveta. Ahora era capaz de reconocer que lo que más hace sufrir al ego del hombre es ser excluido. Y eso hacían esos judíos con las comunidades vecinas, ignoraban nuestra existencia y se limitaban a vivir a su manera. Lo mismo había hecho Sveta conmigo. Me había excluido y eso había sido suficiente para generar odio. Pero desde la noche anterior, desde ese paseo de vuelta a casa, había aprendido a mirar sin resentimiento a aquellos que van a lo suyo, pero que lo hacen con naturalidad. Incluso con simpatía.

Decidí que prepararía un desayuno kosher para los dos. Sería mi manera de dar las gracias a Sveta por su ayuda.

Saqué los cereales y el tarro de yogur que compré el día anterior, preparé café para mí y calenté agua para el té de Sveta. Dos boles. Dos tazas. Dos cucharas. Era un día soleado y la luz que se colaba a través de la ventana del salón reposaba con vagancia sobre el colchón de aire. Los diversos mapamundis que colgaban de las paredes del salón me hicieron sentir en ese momento como un ciudadano del mundo: América, Europa, África, Asia... no existían fronteras para este joven emprendedor. Ahora tenía la seguridad de que allí donde decidiera plantar mi equipaje sabría apañármelas para salir adelante. Cuando terminé de preparar la mesa, el café ya estaba listo y su agua burbujeaba, pero las cataratas del Niágara seguían su curso. Eran las siete y veinte. Tendríamos que desayunar con premura.

A eso de las ocho menos diez ya era todo un manojo de nervios. ¿Qué coño hacía tanto tiempo metida allí dentro? Aporreé la puerta del baño tan fuerte que, a continuación, tuve que comprobar que no me hubiera dañado los nudillos. Ella cerró el grifo. Yo reculé hacia mi habitación.

Sus pasos húmedos avanzaron hasta su cuarto. En cuanto cerró la puerta me metí en el baño. Me desvestí en un santiamén. Tenía que darme mucha prisa. Era mi primer día de trabajo y me preocupaba causar buena impresión entre mis compañeros. No había servido un plato de comida en mi vida y nadie lo debía notar.

Escuché un portazo que provenía de la puerta principal. Me resultó extraño. Tanto mi compañera de piso como yo teníamos que partir de inmediato para el *catering*, no esperábamos visita. Salí del baño con la toalla enrollada alrededor de mi cintura y no encontré a nadie en la entrada. Golpeé la puerta de la habitación de Sveta. Nadie respondió.

—¿Hola?

Nadie respondió.

—¿Sveta?

Pues eso, que allí nadie respondía.

Me vestí maldiciéndola en voz alta y salí a la calle goteando. Paré un taxi. El trayecto no saldría barato pero ya no me daba tiempo a exponerme a la impuntualidad del transporte público. Me jugaba mi puesto de trabajo. No podía creerme que Sveta no me hubiera esperado para ir juntos. Desgraciada. Miserable. Me dediqué a echar sapos y culebras por la boca durante todo el camino a Manhattan. Después de ser ella la que me había facilitado el puesto, ¿por qué se proponía que me despidieran antes de empezar? Recordé las últimas palabras de Mila y las incluí en mi recital de insultos: perra enferma.

Llegar hasta el Upper East Side me costó veintisiete dólares. Cuando apreté el timbre de la vivienda señalada, para más inri, fue Sveta la que me abrió la puerta con cara de desaprobación. Su piel exhalaba la fragancia del gel exfoliante que se había estado restregando durante tres cuartos de hora.

—Llegas casi diez minutos tarde. —Más que despertar mi ira, su comentario me provocó una bajada de tensión—. Vamos, rápido.

Era un piso inmenso con patio propio. Todos los cuadros expuestos eran retratos de antepasados que posaban vistiendo uniformes historiados y un tanto ridículos. A un lado del pasillo se erguía una vetusta escultura de la Virgen María a la que le faltaban dos dedos y la punta de la nariz. Dos columnas de mármol flanqueaban la puerta que daba acceso al comedor. En la pared del fondo había una vieja pintura de un escudo de armas sobre el que aparecía grabado el apellido familiar.

—Los Heezen son nuestros clientes más preciados. La familia está repartida entre Holanda, Nueva York y Chicago. Se reúnen aquí tres veces al año —parecía que Sveta me recitara las reglas de un juego—. Son veinticinco, entre niños y adultos. No quieren fallos y hasta el momento nunca les hemos fallado.

La mesa era lo suficientemente larga como para que cupiera toda esa gente. Estaba cubierta por un mantel blanco que una chica uniformada repasaba con la palma de la mano para eliminar arrugas.

—Ellas son Charlotte y Adele.

Charlotte era una joven bajita que, tras sus gruesas lentes de miope, escondía una cara de ratón. Adele sacaba brillo a los cubiertos de plata. Era alta, llevaba los ojos muy maquillados y un moño color caoba en lo alto de la cabeza. Tras un segundo vistazo me di cuenta de que la cara de esta también resultaba similar a la de un ratón.

—Él es Jorge. Hoy es su primer día con nosotros.

—Soy Manuel —sonreí a una y a la otra—. Manuel.

Ambas sirvientas consultaron sus relojes de pulsera:

—Llega tarde.

—Seguid trabajando —ordenó Sveta.

Dimos media vuelta y me llevó hacia la cocina. Esas dos muchachas me habían caído como una patada en el culo pero tampoco adivinaba con qué derecho Sveta les había hablado así.

—¿Dónde está el jefe? —pregunté.

—Anthony no ha podido venir. Siempre que le sale algún contratiempo me deja al mando.

En la cocina se encontraba el chef, un italiano con un gorro de tela alto. Estaba acompañado por un africano sin pelo ni gorro. Ambos, con una manga de pastelero entre sus manos, se dedicaban a colocar una perla de chocolate y nata sobre cada pastelito. En la encimera había cestas llenas de fruta y las más deliciosas piezas de repostería. Sveta me entregó un delantal y me explicó el procedimiento. Mientras las chicas se encargaban de dirigir a cada invitado a su asiento, yo preguntaría quiénes querían café, quiénes té y quiénes chocolate. Le pasaría la información a Sveta y ella misma me prepararía las jarras. Charlotte y Adele se responsabilizarían de que no faltara comida y mi única tarea sería que ninguna taza se quedara vacía.

—Es importante que recuerdes lo que te ha pedido cada uno. No queremos preguntarles lo mismo dos veces —concluyó.

El taconeo de alguien bajando las escaleras alteró a Sveta. Enderezó la espalda como un soldado en guardia. El chef y el africano la imitaron. Yo, con un poco de retraso, también. Una mujer de más de setenta años apareció en la cocina. Tenía el pelo gris recogido en un moño, un poco cardado por delante. Iba vestida de negro, con una blusa de seda y una falda hasta las rodillas. Era hermosa.

—¿Habéis visto mis gafas? —preguntó.

—Lo siento, señora. No creo que estén aquí —contestó Sveta.

—Siempre igual. ¿Dónde las habré dejado esta vez? No me puedo maquillar sin mis gafas… —masculló, dándose la vuelta.

Accedió al comedor. Sus tacones de aguja repiqueteaban con cada uno de sus pasos. Repitió la pregunta con un tono más impaciente, y la negativa que Charlotte y Adele le brindaron hizo que la mujer perdiera la calma.

—¡Esto va a ser un desastre! ¿Por qué la mesa no está lista? ¡Vamos! ¡¡Los invitados están de camino y yo sigo sin maquillar!! —Volvió a subir las escaleras sin dejar de escrutar hacia todos los rincones donde cupiera la posibilidad de encontrar sus gafas—. ¡Qué horror! —repetía—, ¡qué horror!

Sveta me pasó una pila de platos y me mandó preparar la mesa. Me mostré disciplinado, en cuanto terminaba una tarea acudía a la responsable de la dirección para recibir nuevas órdenes.

También dictó instrucciones a Charlotte y Adele, las cuales, a diferencia de mí, obedecían con cierto resquemor y a ritmo lento. A pesar de ellas, Sveta consiguió que en diez minutos dejáramos el comedor listo.

—¿Has trabajado alguna vez de camarero? —me preguntaron, primero Charlotte, luego Adele, subiendo la nariz y dejando al descubierto sus paletas de roedoras.

—Por supuesto —les respondí sin vacilar.

Al poco sonó el timbre, seguido de un grito que surgía de la segunda planta: «¡¡Qué horror!!». Las dos muchachas me adelantaron para recibir a los primeros invitados. Luego yo me acerqué a ellos para preguntarles si deseaban café, té o chocolate. En la cocina, Sveta colocó las tazas de café sobre una bandeja que, a continuación, me pasó. Al levantarla, las tres tazas comenzaron a temblar como si les aterrara quedar bajo mi tutela. Era la primera vez que cogía una bandeja con una sola mano. Antes de dejarme partir, Sveta se detuvo a observar el café que se desbordaba de los cuencos de porcelana.

—¿Sabes qué? Por hoy puedes agarrarla con las dos manos —y añadió en voz baja—: Deberemos practicar en casa antes del siguiente evento.

Recorrí el salón sosteniendo la bandeja como un camarero de pacotilla. Las miradas incrédulas de Adele y Charlotte siguieron al detalle hasta mi último paso. Cuando alcancé al grupo traté de compensar mi ineptitud con la bandeja dibujando la sonrisa más amable que pudiera permitirse mi cara. Los adultos, absortos en mi mandíbula dislocada, no pudieron percibir mis puntos flacos.

Llegaron los demás invitados, unos seguidos de otros, hasta que el comedor quedó abarrotado por los Heezen, gente de lo más sofisticada. Cuando la anfitriona bajó di por descontado que no había encontrado sus gafas. Toda la distinción que me había cautivado quedaba enmascarada por pegotes de rímel y polvos mal repartidos. Nadie tuvo la cortesía de llevarla al baño para arreglar ese desatino. Se relacionaban entre ellos con una deferencia poco familiar. Los niños se mantenían inmóviles con expresión amedrentada junto a las piernas de sus padres.

Se me daba bien rellenar tazas. No derramé ni una gota. Charlotte y Adele se espabilaron en cuanto empezó el jaleo. Dejaron su endiosamiento a un lado y trabajaron con acierto. Pero la única que se dejaba la piel en sus tareas era mi compañera de piso. Cada vez que entraba en la cocina para rellenar las jarras encontraba a Sveta montando nuevas bandejas con pastas o cestas de frutas, preparando más café, dando órdenes a los cocineros o atisbando el comedor a través de la ranura de la puerta entreabierta. Trabajaba con suma eficacia y, a pesar de todo el trajín que se traía entre manos, siempre que me veía se detenía para preguntarme: «¿Qué tal vas?» o «¿Cómo te sientes?» o «¿Necesitas algo?». En un momento incluso me dijo: «Lo estás haciendo muy bien, Manuel Bergman», y me guiñó el ojo en una señal de camaradería.

Al concluir el desayuno, después de que todos los invitados desalojaron la vivienda, la señora de la casa nos felicitó por un servicio exquisito. Il Passatore volvía a satisfacer sus expectativas. Luego encontró las gafas en el bolsillo de su batín y al cruzarse con un espejo vociferó el «¡qué horror!» más angustioso de todos.

Adele, Charlotte y yo nos dedicamos a recoger el comedor mientras Sveta y los cocineros se ocupaban de la cocina. Cuando las muchachas estaban doblando los manteles las escuché murmurar:

—Seguro que se folla a Anthony. Si no hacemos algo acabará de jefa.

—Todas las rusas son unas putas.

Me sorprendió sentir el impulso de retorcer el mantel alrededor de sus pescuezos hasta que retiraran lo dicho. Mi imprevisto instinto por defender a Sveta me desconcertó.

¿Estaba cogiéndole aprecio?

Regresamos a casa juntos. No abrimos la boca en todo el recorrido en metro. El interés de Sveta se concentraba de nuevo en su teléfono móvil. Me estaba empezando a divertir la serie de sentimientos contrapuestos que me provocaba su manera de relacionarse conmigo. Había empezado el día sintiéndome agradecido, acto seguido la había odiado, su eficacia en el *catering* había despertado mis respetos y me conmovió hasta la médula la atención que me brindó durante el evento. Ahora volvía a lamentar tenerla al lado. Al principio de las dos manzanas de distancia que había entre la estación y nuestro portal quise probar algo. Detenerme en seco. Me proponía cerciorarme de si era cierto que mi presencia le resultaba imperceptible.

Así fue. Sveta siguió avanzando sin enterarse de que yo ya no estaba a su lado.

Llegué al apartamento tan solo un par de minutos después de ella, tiempo suficiente para que ya se encontrara en su habitación en medio de una conversación por webcam con el único astro que existía en su firmamento. Yo me tumbé de cara al mío, a mi firmamento quiero decir, plagado de todas aquellas estrellitas imposibles de despegar del techo. A diferencia de la conversación telefónica en la cafetería de Queens, esta vez podía escuchar incluso las réplicas de él. No me proponía poner la oreja en los asuntos de otros, pero bastó con permanecer muy quieto sobre la cama para que el sonido de sus voces me llegara con nitidez.

—Lo único que pudieron facilitarme en la embajada turca fue un listado de empresas de ingeniería extranjeras —dijo ella.

—¿No hay ninguna turca? —la voz de Dogan Harman sonaba como si saliera de dentro de un botijo. Basándome en la fotografía que había visto de él, le vaticinaba una entonación aniñada.

—Parece que en Nueva York no, pero me aconsejaron que antes de ir a empresas americanas probara con las extranjeras. Siempre están más dispuestas a tramitar visados de trabajo.

—¿Y...?

—Hay una firma persa que va a empezar un proyecto enorme en Manhattan. No me concretaron detalles, pero se ve que es la renovación de un puente o algo así. Necesitan incorporar personal lo antes posible. Se quedaron muy impresionados con tu currículum, Dog. Dijeron que estarían dispuestos a hacerte una visa de trabajo temporal en el caso de que des el perfil.

—¿Qué perfil? —el tono de él no se contagiaba de la excitación del de ella.

—El perfil adecuado. Que no tengas experiencia puede ir en tu contra, por eso tienes que dejarles claro tu entusiasmo.

—¿Mi entusiasmo por trabajar en un puente «o algo así»?

—Ellos te explicarán los detalles. Tienes que mandarles una carta de presentación cuanto antes. Esta noche o mañana. Mira —escuché el sonido de un papel desdoblándose—, he estado escribiendo algo que te puede servir de ayuda...

—¿No habrás escrito mi carta de motivación?

—Claro que no. Es solo un párrafo. Atiende... —Los muelles de su cama crujieron por un cambio de postura—. Estimados señores. Aquí manifiesto por escrito mi interés en participar en el presente proceso de selección de personal para el excitante proyecto que requiere de un profesional de mis características. Hace un mes terminé mis estudios en la Universidad Politécnica de Estambul, acerca de la cual debo puntualizar que es el mejor centro educativo de mi país y uno de los más exigentes de Europa.

—Eso no es cierto, cielo.

—Quedé entre los cinco alumnos con mejores calificaciones de mi promoción.

—Ya me gustaría.

—Considero que me encuentro listo para iniciar el ejercicio de mi carrera —Sveta había acelerado su monserga para evitar nuevas interrupciones—. Cabe destacar también mi disponibilidad inmediata por trasladar mi residencia a los Estados Unidos de América.

Estaba haciendo lo mismo que había hecho conmigo el día anterior, cuando me dictó con puntos y comas mi presentación como camarero.

—Sveta...

—Por todo ello me agradaría mantener una entrevista con ustedes a su mejor conveniencia y poderles ampliar personalmente la información que les remito.

—Sveta, cariño...

—Podrán localizarme vía Skype bajo el nombre de Dog_inlove.

—¡Sveta! —el grito me sobresaltó hasta a mí—. ¿¡Te parece normal!?

—¿El qué, Dog?

—Te aseguro que soy capaz de escribir mi propia carta de motivación.

—No lo dudo, cariño. Te la voy a mandar por email y luego tú haces con ella lo que quieras... Pero ponte en contacto con ellos, ¿lo harás?

—Sí...

—No podemos dejar pasar esta oportunidad —expresó ella con voz meliflua.

La pausa se extendió tanto que empezaba a creer que fuera a causa de un fallo en la conexión a internet. Visualicé el rostro del turco congelado en la pantalla del ordenador.

—Lo único importante en este asunto es que por fin estemos juntos —le recordó él.

—Ya lo sé.

—No quiero que lo olvidemos. Si te perdiera me quedaría destrozado.

—¿Dónde has estado? —Eve llevaba una camisa blanca con un estampado de tréboles de color azul zafiro, naranja, caqui, esmeralda y oliva. La tela de su falda, cuya cremallera estaba completamente abierta, reunía los colores salmón, magenta, violeta y marrón ocre. Sus calcetines eran de un exultante amarillo limón—. Empezaba a temer que te hubiera atropellado un coche —dijo con desasosiego.

—¿Por qué me iba a atropellar un coche?

—Tarde o temprano a todos nos atropella uno, especialmente a los que somos escritores.

Se apartó del marco de la puerta para dejarme pasar. El hecho de que me hubiera incluido en la categoría de escritor me llenó de remordimientos. Ni siquiera recordaba qué había sido de mi libreta tras el traslado. Reconocí una colección de archivadores apilados sobre la mesita que había entre las dos butacas donde nos sentamos la vez anterior. Sus textos teatrales. Me sorprendió que una mujer tan acostumbrada a la soledad hubiera estado esperando mi llegada. Nos dirigimos hacia las butacas. Con todos los cambios que habían acontecido desde la última vez que estuve en su piso, en ese momento, imitando sus pasos cortos tras ella, me di cuenta de que hacía días que iba acelerado. Su artritis me recordaba, una vez más, la existencia de otros ritmos a los que adecuar la vida. Junto a la pila de papeles había dos vasos de agua y un cuenco con un total de diez cacahuetes.

—Si tienes suerte, claro —retomó la conversación—. A mí la primera vez me atropelló un autobús.

—¿¡Un autobús!? ¿Pero cuántas veces te han atropellado, Eve?

—¡Buff! —exclamó, como si no fuera apta para tan laborioso cálculo—. Yo ya he tenido lo mío —me soltó la mano para cruzar los dedos.

Imaginaba que, tan pronto nos sentáramos, nos abalanzaríamos sobre sus cartapacios para iniciar la lectura, pero me equivoqué. Eve se reclinó sobre el respaldo de la butaca para observarme con comodidad. Yo tampoco apartaba los ojos de ella. Cuando la contemplación es recíproca la tensión que se crea entre dos personas parece presagiar que alguna acabará rindiéndose. Pero en este caso ninguno se sonrojó ni miró hacia otra parte. Salimos victoriosos del envite. Daba la sensación de que no tuviéramos nada que esconder al otro.

—¿Cómo has estado? —me preguntó después.

—Un poco triste.

Se mantuvo en silencio durante un tiempo, probablemente esperaba que tuviera la iniciativa de explicarle los motivos de mi estado de ánimo, pero yo ni siquiera entendía por qué había respondido eso. ¿No era cierto que un par de horas antes me sentía satisfecho conmigo mismo? Había trabajado por primera vez en mi vida en una labor remunerada. ¿Qué había sido de ese entusiasmo?

—Eres muy valiente —me consoló—. Por algún motivo yo tardé mucho más que tú en salir de casa de mis padres. Y, déjame decirte algo, Jorge… Aunque decidieras volver a España, has elegido una profesión que de cualquier manera te obliga a estar lejos de casa.

Esta vez no pude mantenerle la mirada. Bajé los ojos hacia sus obras amontonadas frente a mí y me pregunté: ¿cuántas horas al día era Eve Sternberg dramaturga?

97

—Hace tiempo que no estoy inspirado —me sinceré.

—¿Y para qué quieres inspirarte, Jorge?

—Para escribir.

Frunció el entrecejo, como si le costara encontrar la relación entre el acto de escribir y la susodicha inspiración.

—La escritura es un camino muy largo... Y, como te decía, tú lo estás empezando sin retraso.

Yo no había empezado nada. Había malgastado los años esperando que un buen día apareciera sobre mi mesa una colección de cartapacios tan gruesos como los de Eve. Y que fueran mis obras. Guiones rompedores, sinceros y geniales. Las películas en las que no había invertido ni un minuto de mi tiempo en escribir. Estiré mi brazo hacia el cuenco que estaba entre nosotros dos, resoplando con indignación.

—¡No lo hagas, por favor! —Me detuve ante su súplica—. No me quedan muchos cacahuetes. Será mejor que los reservemos para más adelante.

La anciana no se ruborizó ante un comentario tan poco elegante. Había colocado el piscolabis en el centro de la mesa y tenía la poca vergüenza de anunciar que solo se podían consumir en caso de desnutrición. Preferí no darle más vueltas al asunto y seguir deleitándome con sus conocimientos. Pero menuda tacaña...

—¿Cómo has estado tú? —le pregunté.

—¿Yo? —escondió su rostro tras sus manos. Tenía los dedos torcidos y de entre ellos se asomaba su prominente nariz, también torcida. Alargó el gesto tanto tiempo que me incomodé ante la sospecha de que hubiera roto en llanto. Sin embargo, al descubrirse la cara su expresión no había cambiado un ápice—. Te aseguro que no quieres saberlo.

—Sí que quiero —todavía estaba resentido por lo de los cacahuetes.

Le desconcertó mi determinación. Apartó la mirada de mí y cerró los párpados.

—Bueno... —tardó en articular—. Digamos que todo es culpa de las noches. Si no duermes, no existen puntos y aparte en tu vida y el transcurso de los días se narra en un solo párrafo sin interrupciones. Y, chico, no hay nada más agotador que una novela sin puntos y aparte. ¿Entiendes por dónde voy?

Me vino a la cabeza *Retahílas*, un libro de Carmen Martín Gaite. Estaba en la biblioteca de mis padres y, en más de una ocasión, lo había seleccionado como próxima lectura. No obstante, siempre que lo abría y pasaba las hojas sin apenas encontrar divisiones de párrafos en el texto me entraba tal sofoquina que terminaba aparcándolo para más adelante. Nunca llegué a leerlo. Debía de ser insoportable sentir ese mismo mareo frente a la opresiva visión de tus pensamientos.

—Creo que sí —respondí.

—Bien. Pues para serte sincera temo que estoy empezando a perder hasta las comas... Nada tiene sentido. Ayer me pasé el día entero intentando recordar el nombre de... eso amarillo... —dijo, dibujando con sus manos algo de forma alargada.

—¿El qué?

—No importa. Al final me compré una manzana.

Pensé en un plátano.

—¿Plátano?

Se quedó petrificada tras mi mención, como si el mínimo movimiento pudiera volver a extraviar la palabra en algún lugar recóndito de su cerebro sin signos de puntuación.

—¡Escríbelo antes de que se nos olvide! ¡¡Rápido!!

Me señaló la pila de textos y me entregó un lápiz. Seleccioné un cuaderno al azar y me lo coloqué sobre las rodillas. Conforme escribía BANANA en la esquina superior de la portada con caligrafía clara y en mayúsculas, mi atención se desplazó al centro de la hoja. THE LAUGHTER era el título y abajo del todo aparecía su nombre completo —Evelyn Sternberg— junto al año 1949. Al levantar la cabeza hacia ella mis ojos parecían los de un excavador cuya pala acabara de tropezar con un tesoro.

—¿Me lo puedes leer? —deposité la obra sobre sus manos.

—¿*The Laughter*? —daba la sensación de que no recordara haberla escrito—. ¿Mil novecientos cuarenta y...? —se detuvo ahí, con el recato de las mujeres sin edad.

Pasó la primera página y se aclaró la garganta. Creo que tenía tanta curiosidad como yo por descubrir el contenido.

Se detuvo al cabo de una hora y media de lectura. No había hecho una sola pausa desde el comienzo y de pronto respiraba con dificultad, agotada. Tardó en pronunciar palabra, como si después de tantas mutaciones de voz le costara reencontrar la suya. Alcanzó uno de los vasos de agua y bebió sujetándolo con ambas manos. La luz solar había desaparecido y ninguno de los dos sabíamos cuánto tiempo llevábamos a oscuras. Me sentía efervescente, no quería dejar de escucharla. Eve depositó el vaso sobre la mesa y se frotó los ojos.

—¿Quieres un cacahuete?

—No —rechacé su generosidad.

—Tengo hambre y me duelen los ojos. Deberíamos parar aquí para cenar.

No me podía hacer esto. Apenas quedaban diez páginas.

—¿Seguiremos después?

La tacañería que me había demostrado con los cacahuetes la refutó en su estrecha cocina. Prácticamente vació la despensa y la nevera para ofrecerme todos los ingredientes que había acumulado a lo largo de años sin encender un fogón. Espaguetis, cuscús, cebollas italianas enfrascadas, calamares en su tinta enlatados, tiras de pollo envasadas al vacío, zanahorias y una caja con polvos para hacer flan de coco.

—¿Crees que puede salir algo decente de todo esto? —me preguntó, preocupada.

Le aseguré que sí.

Mientras yo cocinaba, ella preparaba la mesa. Acabamos al mismo tiempo. Eve se había dedicado a ir y venir de la cocina al salón desplazando un solo utensilio por viaje. Ahora un cuchillo. Ahora un vaso. Ahora una servilleta. Por mi parte, tuve que desechar la mitad de sus alimentos por estar caducados desde hacía, al menos, tres años, pero fui capaz de elaborar dos platos de cuscús con pollo y zanahorias. Cuando los transportaba al salón me detuve ante la mesa que Eve había tardado veinte minutos en dejar lista. La superficie de cristal donde comeríamos estaba cubierta por hojas de periódico. También las había extendido sobre los cojines de los asientos y en el suelo, como una alfombra.

—¿Qué pasa? —se incomodó ante mi manera de observar su trabajo—. ¿Se me ha olvidado algo?

Un segundo después de sentarnos sobre ese montón de papel, Eve se puso en pie de un brinco. Me dijo que guardaba una sorpresa. Dobló su cuerpo hasta esconder la mitad debajo de la mesa. Con lo que le costaba andar, esa anciana tenía una flexibilidad de acróbata.

—Yo no bebo alcohol —resonó su voz por debajo de la mesa—, pero quizá a ti esto te pueda interesar.

Se desdobló sujetando una botella de vino cubierta de polvo. El corcho había sido incrustado en la boca de la botella y el líquido, de un amarillo como pegajoso, ocupaba tres cuartas partes de la cabida. Era un Sauvignon Blanc californiano.

—¿Cuándo la abriste? —quise saber mientras tiraba del corcho.

—No recuerdo la fecha exacta. La última fiesta que di en casa fue antes de torcerme la nariz, como a finales de los noventa.

Dejé el corcho donde estaba y le informé que, de hecho, yo tampoco bebía alcohol, pero gracias. Cuando Eve se llevó a la boca la primera cucharada, puso los ojos en blanco. Al principio no supe a qué achacarlo. Estaba soso y los granos de cuscús se pegaban entre sí. Cuando el alimento descendía a trompicones por su garganta emitió un gemido placentero. Dijo que era el bocado más exquisito que había probado en mucho, mucho tiempo.

—¿Cómo lo haces? —me preguntó.

—¿Cómo lo haces tú? —le pregunté—. ¿Te inspiras en tu vida?

Dejó de masticar y entrecerró los ojos.

—Supongo que escribo sobre temas que me conciernen de alguna manera… pero luego me invento la historia de cabo a rabo. Lo más importante es el final, Jorge… Si no tienes final te has metido en un buen lío.

102

Puesto que los polvos para hacer flan de coco llevaban seis años caducados, no hubo postre y recuperamos directamente nuestros asientos. Prendió la luz de una lámpara con la pantalla chamuscada y continuamos hasta el final.

La última vez que había utilizado mi libreta fue cuando recogí las llaves en casa de Mila ya que tenía apuntada su dirección allí. Por consiguiente, el único lugar donde cabía esperar encontrarla era en mi mochila, pero no hubo suerte. ¿Me la habría dejado olvidada en su piso? Si ese era el caso, ya me podía olvidar de recuperarla. De todas formas rebusqué dentro de las maletas, que permanecían sin deshacer en medio de mi habitación. Nada, arrugué todas mis prendas de vestir y saqué los libros del interior, pero no encontré nada. Después de conseguir las llaves había pasado por mi antigua casa para recoger el equipaje. También cabía la posibilidad de que me la hubiera dejado en casa de Fabio. Si ese era el caso, ¿qué iba a hacer? Maldije mi fortuna. Sveta salió del cuarto de baño. La escuché abandonar la casa. Me había quedado solo. Perfecto para escribir.

—¿Pero cómo?

Caminaba de esquina a esquina repitiendo en voz alta los consejos de Eve. Solo tenía que meditar sobre las materias que me interesaban, quizá hacer una lista y seleccionar el asunto que más me atañía. Sí, una lista. Abrí en mi ordenador un documento que titulé «Temáticas para un guion». Me pasé diez minutos contemplando el título hasta que empecé a teclear. Me detuve tras la tercera anotación.

—Frustración en el amor.

—Frustración profesional.

—Frustración con uno mismo.

Al parecer, el tema de la frustración y sus diferentes bifurcaciones me apasionaba. No pude evitar pensar en mi experiencia con Fabio. Había sido mi primera frustración. Mi primer conflicto. Mi primera historia de amor: la invasión del individuo. Si me decidía a ficcionar el romance fracasado que había vivido con él, sería capaz de poner el corazón y las vísceras en el intento, pero incapaz de ponerle un final.

¿Qué había sido de aquella época en la que la ficción brotaba de mi cabeza de forma compulsiva? Antes me atrevía a abordar cualquier tema. Había escrito sobre astronautas, curas y bailarines, sobre pasos de cebra reencarnándose en mujeres con larguísimas faldas a rayas, sobre aventuras en las selvas de Colombia, incluso conservaba un cuaderno con una docena de poemas de amor. Ninguno de esos escritos tenía valor literario, pero al menos estaban escritos. Ahora no se me ocurría nada. Y, mucho menos, nada original. Empezaba a temer que la experiencia en la vida no te hiciera más sabio, sino más prosaico. Conforme recibes nuevas lecciones vitales tu propia sombra va atornillándose al suelo y ya no te permite volar.

¿Estaba decidiendo el resto de mi vida en función de un don esfumado?

El plantearme qué sería de mí si desistiera de mis empeños artísticos me ahogaba. Fui al salón para asomarme por la ventana y respirar. Desde la tercera planta de mi edificio, Stockton Street se veía más variopinto y entretenido de lo habitual. En la esquina con Marcy Avenue había una pareja de quinceañeros besuqueándose. A cada poco ella se apartaba de los labios de él y le gritaba con los morros al rojo vivo. Él, sin que las quejas de la otra redujeran la hinchazón de su bragueta, se apretaba a la muchacha y la volvía a callar. Un vendedor asiático de reducida estatura desmontaba su tenderete de frutas y verduras. Por la expresión con la que apilaba cajas repletas de manzanas pochas, no parecía satisfecho de las ventas. Me identifiqué con él. Comprendía lo fastidioso que resulta ver pudrirse aquello que tienes para ofrecer. También reconocí a la mujer gigantesca en silla de ruedas que ya había visto en otra ocasión, durante mi primer paseo por el barrio. Apretaba una colilla entre sus labios y le colgaban tirabuzones pelirrojos desde la cabeza hasta el ombligo. Me pareció recordar que la vez anterior había lucido el mismo atuendo que ahora, pero con una oscura melena corta. Imaginé su armario, un solo vestido y muchísimas pelucas.

Estaba rodeado de momentos, de ciudad, de vida, bastaba con asomarme por la ventana del salón para darme cuenta. Pero por alguna razón las palabras huían de mí, dejándome con imágenes recortadas, sin un hilo narrativo. Lo mismo ocurría si me asomaba a la ventana que me mostraba a Sveta y sus conversaciones transoceánicas con Dogan. O a la que exhibía la decepción de Fabio. O a la ventana por la que podía escuchar los diferentes registros de la voz de Eve. Allí estaban ellos, a la espera de que los disfrazase de personajes en pos de un argumento acertado, pero yo no encontraba esa historia con la que entrelazar los paisajes que ofrecían mis ventanas.

Escuché la melodía de mi teléfono móvil y me apresuré a cogerlo. Era mi madre. Me aclaré la voz para que no percibiera mi tri-frustración.

—¿Estás con Junji?

—No, ha salido.

—¿Hablaste con ella?

Al principio no entendía por qué tanto interés por Juhui, pero pronto recordé la historia que me había inventado.

—Sí. Me juró que no volvería a ocurrir.

—Bueno. Como si alguien se creyera eso. Al menos que a partir de ahora lo haga en su habitación y con la puerta cerrada. Ni se te ocurra probar bocado de lo que ella cocine.

—¿Por?

—Seguro que no se lava las manos.

Y sin hacer una pausa, sin conceder el punto y aparte con el que yo ahora organizo su discurso, añadió:

—¿Cuándo piensas volver a casa?

Es decir:

—Seguro que no se lava las manos ¿cuándo piensas volver a casa?

Esa pregunta me encogió el pecho. Primero, solo fue el pecho. Su interrogante sobre mi regreso se me presentó como una necesidad que estaba obcecado en vencer. Me urgía regresar a casa pero eso conllevaba una derrota a la que, posiblemente, no sería capaz de sobreponerme. Si volvía a entrar en casa de mis padres, o en la de Fabio, corría el peligro de no salir de ellas nunca más.

—No lo sé, mamá. Necesito acabar el guion antes de tomarme unas vacaciones.

El guion era mi salvación. El guion suponía mi posibilidad de independencia, de madurez, de la satisfacción que todavía podía alcanzar. El guion era el timón que debía enderezar para seguir adelante. El guion lo era todo.

—¿El guion? —se interesó—. ¿Qué guion?

Se me empezó a encoger el resto del cuerpo, a hacerse pequeñito. Sus preguntas eran tijeretazos que recortaban mi silueta. Ella tenía razón. ¿Qué guion?

—¿De qué va?

Mi madre quería saberlo todo sobre el guion y yo quería dar un salto a través de la ventana. Seguía empequeñeciendo. 24 años, 18 años, 13 años… A cada segundo se me iba reduciendo la edad. Me vinieron a la cabeza las repetidas veces que fingí estar enfermo para no ir al colegio y conseguir pasarme el día entero bajo las atenciones de mi madre.

—Ay, cómo eres. Al menos dime la idea general. Una pista, hijo, no seas plasta.

Me acababa de convertir en un bebé. En un recién nacido al que le dan dos cachetes en el culo para provocar su primer llanto.

—¿Jorge? ¿Te has constipado?

Mi madre tardó en reconocer mis sollozos ahogados, pero en cuanto lo hizo reaccionó con determinación.

—¡¡Hijo mío, vuelve ya!! Al menos trasládate a Londres, que está más cerca. ¿Qué te ha hecho Europa? ¿¡Qué te he hecho yo!?

Al colgar el teléfono caí desolado sobre la cama cual feto desconectado del cordón umbilical. Acababa de quedarme aplastado bajo la piedra más pesada: la plena desconfianza en uno mismo.

Día 6

Pasaban las horas, la luz atravesaba los visillos de mi ventana y yo era incapaz de permanecer más de dos minutos con los ojos abiertos. Llegó un punto en el que cada vez que cerraba mis párpados no hallaba más que oscuridad. Aun así, el color negro me atemorizaba menos que el blanco. No quería volver a sentarme frente al papel. Con la noche anterior había tenido bastante. Otra frustración con la que concluir la lista de «Temáticas para un guion»: no saber escribir un guion. A partir de ahora resurgirían una serie de interrogantes que no podría evitar plantearme en el caso de que decidiera levantarme. El primero de todos: ¿qué estaba haciendo en Nueva York? El segundo: ¿qué estaba haciendo, en general?

Mi móvil llevaba rato sonando, pero no lo podía alcanzar desde la cama. Resultaba fácil adivinar que era mi madre, ¿quién, si no? No se me ocurría con qué justificar mis lloriqueos de niño pequeño ni la manera en la que le había colgado la noche anterior.

Me levanté para apagarlo de una puta vez.

Cuando lo alcancé me sorprendió ver que no era mi madre, sino Eve. Esperé a que saltara el contestador. A pesar de la curiosidad por descubrir el motivo de su llamada, sentía mi voz semienterrada en el fondo del abdomen. En cuanto la melodía cesó, descolgué el auricular para escuchar los mensajes de voz recolectados durante la mañana.

—¡Oh! Jorge, soy Eve, no sé dónde estás ni qué decía tu madre —¿mi madre? ¿Había dicho mi madre?—. Hoy es ma-ma-ma... vieeee... no, shhshh, bueno, vamos a ver, qué tontería, por supuesto que hoy es... Esto es terrible, no soy capaz de... Espera, voy a empezar desde el principio —hizo una pausa antes de reiniciar con renovada vivacidad—. Hola querido Jorge. Soy Eve. Imagino que habrás salido de casa. Yo también pensaba salir pero al final no he salido porque estoy muy cansada. Duermo muy mal. Apenas duermo. ¡Miércoles! ¡Hoy es miércoles! Lunes. Martes. Miércoles. Jueves. Viernes. Sábado. Domingo. ¡¡Ajá!! Ahora todo me viene a la cabeza con claridad, ¿no es curioso? Son las tres de la tarde de un miércoles. Te llamaba porque he estado pensando mucho en nuestra cita de anoche, martes. No solo he pensado en aquellos granitos marrones con pollo y lo naranja tan delicioso que cocinaste, sino también en la lectura. Verás, aunque a lo mejor tú te creías que yo solo estaba concentrada en el texto, también te observaba. Y me llamó mucho la atención algo que es inusual encontrar en los jóvenes de hoy en día... la concentración con la que escuchabas. Los ojos se te salían de las órbitas, Jorge. ¿Eso es normal? Quiero decir... ¿Se te salen con frecuencia? Bueno, el asunto es que quería proponerteee... —alargó tanto la última letra del verbo que logró inquietarme. ¿Qué quiere proponerme? ¿Qué quiere proponerme? Una colaboración. Una adaptación al cine de *The Laughter*. Ayudarme con el desarrollo de mi primer guion de largometraje. Cederme un tema sobre el que escribir.

Me puse nervioso. Me golpeé la espinilla con la esquina del somier y caí de rodillas al suelo, estrenando mi voz con un aullido—. ¿Hola? ¿Jorge? ¿Hola?

Fue como si hubiera interferencias temporales. Yo creía estar escuchando un mensaje del contestador.

—¿Eve?

—¡¡Cómo me has encontrado!?

—He descolgado el teléfono… —contesté, tan confundido como ella y a cuatro patas.

—¿Hola?

—Hola. ¿Hola?

—Hola. ¿Dónde estás? —me la imaginé buscándome por las habitaciones de su apartamento.

—En mi casa.

—¿En España?

—No… en Brooklyn.

—Antes escuché la voz de tu madre diciéndome algo en español. Pero yo no hablo español, Jorge, tienes que hacérselo entender. Se debe pensar que soy una maleducada.

Más tarde, atando cabos, reparé en que el mensaje automático de mi contestador lo recitaba una mecánica voz femenina en español.

—Mi madre está muy lejos, Eve. ¿Qué querías proponerme?

—¿Proponerte yo? Ah, sí. Bueno, tengo un texto en casa… el último que he escrito. —Me entraron escalofríos al imaginar el giro que mi vida estaba a punto de dar—. Alguien me lo imprimió hace unos años. No me acuerdo quién fue pero debió de ser una persona con un coeficiente intelectual limitado porque solo se le ocurrió imprimirme una copia. Y, claro, he ido mejorándolo durante este tiempo y ahora todas las páginas están llenas de borrones, cambios y frases que he añadido... No puedo enviar a los teatros un texto plagado de anotaciones a mano. Yo tengo un ordenador en casa, caro, carísimo, fabricado en Japón, me costó una auténtica fortuna, pero no sé cómo funciona. El problema es que el texto está fuera del ordenador y lo necesito dentro. ¿Entiendes? Alguien me lo tiene que meter de alguna manera dentro.

—¿Quieres que te transcriba la obra?

Esto ya me parecía una broma de mal gusto. Para lo mucho que le habían impresionado mis globos oculares, su propuesta era irrisoria. Cualquiera sabía teclear las teclas de un teclado.

—¡Oh! ¿Pero tú sabes hacer eso?

Ni me molesté en regresar a la cama. Me tumbé sobre el suelo de la habitación, crucé los brazos sobre mi pecho y decidí que esta vez iba a ser definitivo. Ningún sonido me sacaría de mi letargo. Aunque mi madre me llamara cuatro-cientas veces y acabara por venir a Estados Unidos a bus-carme, tendría que apañárselas con un cuerpo tumbado e inerte. A estas alturas ya no me negaba a regresar a mi país, pero debería ser transportado en posición horizontal. La verticalidad se la cedía a aquellos que sabían hacer uso de ella.

Volvió a sonar el teléfono. Esta vez anunciaba un men-saje de texto.

«¿Qué pasa que ya no me dices nada? ¿Ya no te veo?».
Era Fabio.

Nunca se me hubiera ocurrido esa posibilidad: que me enviase un mensaje, que me siguiera queriendo. Giré la cara hacia la ventana. Sentía como si acabara de sonar el despertador que esa mañana no sonaba. Quedaba mucho día por delante.

Me duché, me vestí, cogí el móvil y salí de casa. Crucé Stockton Street y me detuve en la esquina con Marcy. Antes de emprender una ansiosa caminata hacia ninguna parte debía contestar a Fabio. Eso requería profundizar en mis sentimientos. Pensar. Tomar una decisión. Formular una respuesta. Esto no era lo mismo que desarrollar un guion, en este caso no valía rendirse. Debía escribirle, sí o sí.

Desde donde estaba alcanzaba a ver la ventana de mi salón, la misma por la que me asomé la noche anterior en una búsqueda desesperada de historias. Ahora yo ya no era el escritor. Me había cambiado de bando. Ahora formaba parte del escenario: un personaje rastreando las ruinas de su corazón.

«¿Te apetece venir a cenar a mi casa?».

Le di a enviar.

Mierda. Mierda. Mierda. ¿¡Por qué le he dado a enviar!?

Me gustara o no, había sido yo el causante de nuestra separación. Era mi deber mantener una coherencia entre mis actos y mis decisiones. Las contradicciones eran la mejor manera de volvernos locos de atar.

«Solo si me preparas cuscús» —contestó.

Corrí al supermercado kosher.

Todavía no había acabado de cocinar cuando se abrió la puerta principal de sopetón. Me sobresalté, olvidando por unos momentos que Fabio no tenía las llaves de esta casa. Era Sveta. No había previsto que fuera a estar presente durante mi cita. Bien pensado, que Fabio y yo no estuviéramos a solas podía ser lo mejor. La saludé y ella farfulló algo incomprensible de camino a su habitación. Iba con la espalda encorvada y eso hacía que sus clavículas parecieran una flecha que la atravesaba de hombro a hombro. Supuse que venía de repartir currículums de Dogan Harman o algo por el estilo. Antes de llegar a su cuarto se detuvo y me preguntó si al día siguiente tenía la tarde libre. Nos necesitaban para el *catering* de otro evento.

—Son unos cineastas británicos que vienen a presentar sus películas. Pensé que te podía interesar.

Le dije que contaran conmigo, que me interesaba demasiado, que muchísimas gracias por pensar en mí. Añadí que estaba esperando a un amigo y tenía comida de sobra para tres. La verdad es que no me la imaginaba desenvolviéndose en tal coyuntura, pero ya no me daba miedo acercarme a ella, o al menos intentarlo. Ahora que tenía más detalles sobre su romance a distancia la compadecía por vivir en ese purgatorio de la espera. Deseaba distraerla de Dog y que ella nos distrajera a Fabio y a mí de nosotros mismos. Pero contestó que se iba al gimnasio.

—Gracias, de todos modos —esbozó una diminuta sonrisa al decirlo.

Antes de que Sveta acabara de preparar su mochila de deporte sonó el telefonillo. Se me agitó el corazón al ver los rizos de Fabio desde la ventana del salón. Estaba muy guapo, con una camisa vaquera por dentro de los pantalones y sus zapatos tan relucientes como si tuviera una vela encendida en la punta de cada uno de ellos. Miraba con azoramiento hacia los lados y hacia atrás, inconsciente de que yo le espiaba desde las alturas. Cuando inclinó la cabeza tras escuchar el retintín de las llaves que estaba a punto de lanzarle, me percaté de su cara de susto.

Nos abrazamos con ganas, con fuerza, asentándonos en ese abrazo, acomodando nuestras barbillas en el hombro del otro, como sabíamos hacer, como echábamos de menos hacer, como si lo pensáramos alargar una eternidad. Sin embargo, él reculó de pronto.

—Este barrio da miedo.

—Claro. Es que es un barrio de mala muerte —le aclaré.

Sveta atravesó el comedor sin apenas hacer ruido y se deslizó entre nuestros cuerpos como si fuéramos barrotes de una verja que le cortaba el paso.

—¿Qué ha sido eso? —preguntó Fabio después de que mi compañera de piso hubiera salido.

—Un fantasma.

Oteó los mapas arrugados que colgaban de las paredes y los pocos muebles que disimulaban el vacío. Ese espacio era una aberración para los ojos de un diseñador de interiores, o para cualquier persona con un mínimo gusto estético. Yo no lo tenía y por eso no me importaba, pero en ese momento aprecié por primera vez lo horrible que era mi nueva vivienda. Muy limpia, eso sí, pero feísima.

—¿No encontraste un sitio mejor?

—No lo buscaba.

Prestó atención a los ecos de mi respuesta. Escudriñaba mi mirada, mis manos y la expresión con la que me había quedado después de afirmar que no aspiraba a un hogar mejor que un cuchitril mal decorado en un barrio con altos índices de violencia callejera. Trataba de identificar arrepentimiento. La intensidad con la que Fabio me miraba me hizo entender que esa noche venía en busca de algo.

—Veo que has traído una botella de vino —interrumpí su análisis, incómodo.

La sacó de la bolsa de plástico y me la entregó. Un Rioja, todo un detalle. Me di cuenta de que seguía habiendo algo más dentro de esa bolsa que él no soltaba. Parecía un objeto pesado. Me giré hacia los cajones en busca del sacacorchos, mostrándole mi nuca. Si llevaba un revólver prefería que me disparase por la espalda.

Tan pronto nos sentamos a la mesa, el ambiente adoptó un aire de normalidad. Al fin y al cabo seguíamos siendo nosotros mismos comiendo cuscús y bebiendo vino, como habíamos hecho durante dos años. Solo que ahora nos habíamos vestido con cierta elegancia para la ocasión. Una semana antes habríamos llevado a cabo esta misma escena en pijama. De momento ese era el único cambio que percibía. Quizá romper una relación no consistiera en perder a una persona, sino en no volver a enseñarle tu pijama.

Le pregunté por su situación laboral.

—De momento estoy disfrutando de mis días libres. Hago las cosas que me gustan.

Así que los dos estábamos montando el mismo puzle, haciendo uso de esta nueva y delicada libertad para recolocar las piezas de nuestros espíritus quebrantados. Apostaba que a él le estaba yendo mejor que a mí.

—¿Qué cosas? —me interesé.

—Pensar, dibujar, he empezado a esbozar mi propia colección de muebles… También voy a la iglesia.

—¿A la iglesia? ¿Desde cuándo, Fabio?

—A veces me paso a rezar un padrenuestro. He encontrado una en el Greenwich Village que te gustaría mucho.

—¿Ah, sí? ¿A mí? ¿Y eso por qué?

—Van muchos artistas. Hay una fotógrafa que me ha invitado a su estudio en Chelsea. Quiere enseñarme su trabajo. Y un cantante de ópera. Son gente muy real, Jorge, no como los artistillas de poca monta que van desfilando por Bedford. También va gente gay. El otro día conocí a una pareja de ancianos que llevan juntos cuarenta y siete años.

Me narró su experiencia con ellos.

Uno de ellos, Murray, tocaba el órgano. Jessie siempre se sentaba en el primer banco. Fabio ya se había fijado en ellos dos antes de que, al acabar la misa, la organizadora de actividades eclesiásticas le invitara a tomar un café con el resto de la comunidad. La mujer debió de captar rápidamente la orientación sexual de Fabio porque no tardó en informarle de que había homosexuales entre los miembros, incluso contaban con una pareja que se amaba desde hacía medio siglo. Se los señaló tan pronto llegaron a la austera sala que quedaba detrás del claustro. Estaban sentados en una esquina despejada de gente, al lado de la única ventana abierta a través de la que se colaba la brisa. Mojaban galletas de mantequilla en café negro. Todos los demás miembros de la comunidad se fueron acercando a Fabio para darle la bienvenida, pero con quien en realidad él quería entablar conversación era con esa vieja pareja. Disfrutaban del café y las galletas como nadie. Se relamían incluso al ingerir las últimas migajas que recogían de sus pecheras. Fabio se acercó a ellos en cuanto se libró del resto. Les preguntó si podía sentarse a su lado. No dudaron en hacerle un hueco en la banqueta. Sus ojos parecían reposar con comodidad bajo unos párpados igual de arrugados que las sábanas de una cama por la mañana. Murray le advirtió que se le iba a enfriar el café. Fabio bebió de la taza que sujetaba entre sus manos y, durante ese sorbo en concreto, le pareció estar tragando la bebida más deliciosa que jamás hubiera probado. Imaginó, me dijo, que el amor tras cuarenta y siete años debía de saber a ese sorbo de café: igual que siempre pero mejor que nunca. Se le pasaron por la cabeza una decena de preguntas que hacerles, pero al final solo formuló una: «¿Qué vais a hacer esta tarde?». Murray y Jessie se miraron entre ellos y se repitieron la pregunta el uno al otro. Se observaban con gesto concentrado, como si debatieran diferentes planes por telepatía. Luego se volvieron hacia Fabio y se encogieron de hombros con otra de sus desbordantes sonrisas. No parecían temer al aburrimiento. Estaban en buena compañía.

Cuando Fabio concluyó, yo ya no tenía nada sobre el plato mientras que él apenas había ingerido un grano de cuscús. Estaba entusiasmado ante su propia narración, como si, conforme contaba lo acontecido, él también lo estuviese escuchando por primera vez. Respecto a mí, el hecho de que el amor eterno fuera el primer tema sobre el que hablar tras nuestra separación llevaba rato incomodándome.

—Tienen muchas ganas de conocerte —añadió.

Temí lo que les habría podido contar acerca de mí.

—No deberías hacerte tan religioso.

—Yo no lo encuentro nada malo —repuso.

—Estas cosas siempre van a más con la edad. —Arqueó las cejas para que siguiera hablando—. Mi madre es una de las mujeres más religiosas que conozco, pero a tu edad todavía le gustaba marcar los pezones.

Pretendía minimizar la relevancia que estaba tomando la conversación, sin embargo Fabio bajó la mirada hacia su plato y removió la comida con el tenedor. Tenía la frente apoyada en la palma de su mano. De repente parecía un ser completamente infeliz y no probaba mi cuscús. Verle así me dolía. Empecé a beber más rápido que él.

—¡¡He encontrado trabajo!!

Le expliqué todo acerca de Il Passatore, incluyendo el capítulo de los papeles falsos en Queens y el desayuno con los Heezen. Únicamente interrumpía mi discurso para beber más vino. Estuve especialmente emotivo al expresarle lo mucho que Sveta me estaba ayudando. ¡Al día siguiente teníamos un *catering* con cineastas! Fabio atendía con una expresión nueva y algo violenta. Yo bebía y hablaba sin parar. También le expresé mi fascinación por Eve Sternberg. Por primera vez le relaté cómo nos habíamos conocido y hasta le revelé los recientes planes de colaborar juntos en un proyecto para teatro. Fui a llenarme una vez más la copa, pero la botella estaba vacía. Me la había bebido entera.

Cuando terminé la cronología de los cuatro días sin él, la silla de Fabio resbaló hacia mí, como si el suelo del comedor se hubiera inclinado tras un imprevisto temblor.

—Es injusto lo que estás haciendo —me tenía acorralado. Me hablaba a la oreja.

—¿Qué estoy haciendo? —estaba borracho como una cuba.

—Imitar vidas que no son la tuya.

Todavía ejercía ese poder sobre mí, el de hacerme pequeño y medroso.

—¿Y cuál es la mía?

Tan pronto pronuncié la pregunta me arrepentí. Aunque Fabio acertara, no quería cederle la autoría de la respuesta. Le besé para silenciarle. Estaba tan cerca de mi cara que solo tuve que fruncir mis labios para que se engancharan con hilo y aguja a los suyos. Me vinieron de golpe a la cabeza los otros capítulos que no le había contado sobre mis días sin él. Que Mila me había engañado. Que Sveta no tenía el más mínimo interés en escucharme. Que lo que en realidad Eve me había propuesto era mecanografiar una obra completada. Que había llorado porque ya no creía en mí. Que mis días amanecían llenos de nubarrones y amenazas. Me arrimé a su cuerpo. Sus labios y su oreja sabían mejor que nunca, a café después de cuarenta y siete años. Le desabroché la camisa vaquera y sentí su piel caliente en mis mejillas. No quería dejar de amarle, porque empezaba a temer que el amor es así de fortuito, amas hasta que dejas de amar, y yo todavía creía que podía seguir amando. Le besé el torso y el abdomen. Ahogué un susurro inaudible en el interior de su ombligo: «Te amo». Aún no sospechaba que el desamor es así de retrasado, te crees que amas cuando ya has dejado de hacerlo.

—Vamos a tu habitación —me pidió antes de que le bajase los pantalones del todo.

Nos trasladamos a mi cuarto para seguir desnudándonos. Mientras me desabrochaba el cinturón le sorprendí recorriendo las cuatro paredes con fiebre en los ojos. Me preguntó si tenía preservativos. Hacía mucho que nosotros practicábamos sexo sin protección, pero debía asumir que los tiempos de confianza ya eran agua pasada. Le dije que no. Nos sentamos en el colchón individual y nos masturbamos el uno al otro. Fabio se escupió en la palma de su mano derecha y yo hice lo mismo con la mía. Repasé su anchísimo glande haciendo círculos con mi pulgar. Él me agarró de la nuca y nos besamos otra vez. Nuestras frentes resbalaban como placas de hielo. Fabio tenía una erección inmejorable y sus jadeos iban en aumento, sin embargo no dejaba de escrutar el espacio con una mirada completamente ajena al placer que nos procurábamos.

Detuvo sus movimientos y me avisó de que tenía ganas de hacer pis.

—Bueno —le solté el pene para permitirle ir al lavabo.

—Acompáñame.

Me paré frente a la puerta del cuarto de baño. Fabio me empujó dentro, arrastrándome por los hombros hasta depositar mi trasero en el suelo acrílico de la bañera. No me miraba a los ojos, como si a pesar de la firmeza con la que me había guiado, hubiera cierta vergüenza en sus actos. Me apuntó a la cara con la punta de su pene y empezó a orinar. Me pilló tan desprevenido que tuve que ahogar un grito tras el primer contacto húmedo. Comencé a asfixiarme con mi propia respiración, mis pulmones habían olvidado qué hacer con el oxígeno, además se me colaba orina cada vez que intentaba respirar por la boca. Volví a masturbarme, esta vez con los ojos cerrados para evitar dañarlos. Al acabar de mear, Fabio se inclinó hacia mí para ocuparse de la tarea que yo estaba desempeñando. Me retorcí de placer. Seguía con los ojos cerrados, aunque ya no hubiera pis de por medio. Cuando me sentí cerca de eyacular, él empezó a agitar mi prepucio más rápido, adivinándome con exactitud. Gemí en voz alta mientras me salpicaba a mí mismo por todas partes.

Él no concluyó ni tuvo intención de hacerlo. Parecía que con mi orgasmo había sido suficiente.

Nos quedamos un instante en silencio mirando hacia ninguna parte, recuperándonos. Luego buscó mis ojos. En cuanto los encontró, mi espalda patinó en la curva de la bañera como si se deslizara por un tobogán. Su mirada me avergonzaba, quería que dejara de mirarme. La imagen que yo proyectaba en esos momentos era de lo más mugrienta: el cuello torcido, las piernas en alto y cubierto de pis y semen. En cambio él, de pie frente a mí, estaba limpio y todavía duro. Traté de incorporarme pero volví a resbalar dentro de la bañera.

—Será mejor que te duches —me aconsejó antes de salir.

En cuanto abrí el grifo no pude reprimir el llanto. Detestaba la idea de que Fabio y yo hubiéramos llegado a un punto sin retorno. A la soledad de vivir sin él se le sumó la soledad de habernos convertido en desconocidos.

Cuando entré en mi habitación, él ya se había vestido. Se estaba atando los cordones de sus zapatos con desacierto. El pulso le temblaba. Al lograr ceñir el nudo se incorporó y me dijo que tenía prisa, sin especificar para qué. Había lágrimas por su cara.

—¿Has llorado? —le detuve. Nunca antes le había visto llorar.

—Correcto. ¡¡Y justo ahora estoy subiendo el tono de voz!! ¿¡También puedes notar esto!? —Temí que fuera a golpearme, pero en la siguiente pregunta su voz se hizo pequeña como un guisante—. ¿Qué esperas de mí, Jorge? No soy un superhéroe capaz de sobrevolar cada uno de tus caprichos… Exijo que me expliques lo que está pasando.

Transitaba una etapa de mi vida en la que apenas tenía respuestas para nada y no tenía manera de saber cuánto tiempo tardaría en encontrarlas.

—Adiós.

Mi segunda casa en Nueva York tembló con su portazo. Fui yo el que dije adiós. Él se marchó sin despedirse.

La bolsa negra en la que trajo la botella de vino, y algo más, colgaba del respaldo de la silla que estaba enfrente de su triste plato lleno de cuscús. El peso que el objeto ejercía dentro del plástico creaba unos pliegues tan rectos como trazados con regla. La agarré por las asas y metí la mano. En cuanto reconocí el tacto de la Moleskine aparté mis dedos como si se hubieran pinchado con un erizo. Dejé la bolsa donde estaba y fui a mi cuarto.

El hallazgo de lo que la noche anterior buscaba con desesperación no me produjo regocijo alguno. Al fin y al cabo, no había nada dentro de esa libreta de escritor.

Rectifico: contenía el vacío.

Abrí los ojos al oír a Sveta cerrar la puerta de casa. No tenía la sensación de haber dormido profundamente, pero sí logré el suficiente estado de anonadamiento mental como para convencerme de que no me había movido de la cama en todo el día. Suponer que la cita con Fabio había sido solo un mal sueño resultaba alentador. Mi compañera de piso corrió a su habitación y repitió quince veces el nombre de su pareja.

—Dog. Dog. Dog. Dog. Dog. Dog. Dog. Dog. Dog. Dog. Dog. Dog. Dog. Dog. Dog.

Creí que lo estaba invocando. La imaginé dando vueltas en el suelo como una peonza. Oí cajones abrirse y cerrarse. Un estornudo. La sonoridad de una pesada alfombra que sacudía a golpes por la ventana. Luego se dirigió a la cocina y, al poco, aporreó la puerta de mi habitación.

—¡Jorge!

Quise comprobar si también pensaba pronunciar mi nombre quince veces, pero no lo hizo. Abrió la puerta sin que le diera permiso y no se detuvo al encontrarme tumbado en la cama. Su habitual palidez estaba coloreada a causa del ejercicio físico. Llevaba el pelo recogido en una coleta, exhibiendo una frente tan amplia que resultaba fácil imaginar su aspecto si fuera calva.

—Te expliqué las reglas de esta casa —se detuvo a menos de medio metro de mí. Su sudor seco olía a romesco—. Haz el favor de limpiar toda la mierda que tú y tu amigo habéis dejado en la cocina.

No cerró la puerta de mi habitación al retirarse.

Mi consuelo duró lo que Sveta tardó en recordarme la realidad. Había sucedido. «Mi amigo» había estado allí y se había marchado sin decir adiós, más roto que antes. Los amigos no se estropean el corazón a martillazos. La amistad y el amor son tan diferentes como la tinta y el lápiz. A menudo había escuchado que una pareja es un amigo que te llevas a la cama. Estuve de acuerdo con aquella idea durante un tiempo, pero ahora me parecía una auténtica sandez. La elegancia de la amistad parte de la restricción a invadir al otro. El amor, por el contrario, se nutre de esa licencia.

Sveta estaba fregando el suelo de la cocina a cuatro patas, como si no hubiera visto un palo de escoba en su vida. Del cubo emanaba un fortísimo olor a lejía. Tiré los restos de comida a la basura y fregué los platos. Parecía que entre los dos estuviéramos tratando de borrar las huellas de mi fallido encuentro con Fabio.

Tras acabar mi tarea me giré hacia la que estaba de rodillas y la observé restregar el trapo contra el suelo. Sus brazadas eran cada vez más amplias, abarcando hasta cinco baldosas en un solo movimiento. Le cayeron dos mechones de pelo frente a su cara sonrojada. Era la cenicienta de Bed-Stuy esperando a su príncipe turco para que le exfoliara las rodillas. Posiblemente ella estaba tan sola como yo. Que supiera, tampoco tenía a nadie en Nueva York. Se levantó del suelo, cogió el cubo con ambas manos y la escuché verter el agua sucia por el desagüe de la bañera. Volvió a llenar el cubo y, al salir del cuarto de baño, la peste que echaba a desinfectante se me incrustó en el cerebro. Me apresuré a taparme la nariz con ambas manos en el preciso instante en el que vibró la voz de Dogan desde el ordenador de su habitación.

—Sveta, naber aşkım? —Ella se detuvo de golpe, como si un mercancías atravesara la cocina a un centímetro de su nariz—. Canim Sveta'm... Alo?

Se le escurrieron las asas del cubo, que se estampó en el suelo y lo empapó todo con ese agua venenosa. Mis calcetines se humedecieron antes de que pudiera reaccionar. El olor había salpicado el espacio y era insoportable aguantarlo.

—Merhaba? —Dogan hablaba muy lento, como el monitor de un jardín de infancia—. Nerde benim prensesim? Sveta?

Y entonces ocurrió algo inesperado. Sveta corrió hacia mí (me asusté tanto que alcé mis brazos en un gesto de defensa) y me abrazó (me sorprendió tanto que tardé en bajar los brazos y rodearla con ellos). Notaba su taquicardia repiquetear contra mi pecho. A mí también se me empezó a acelerar el corazón. Podía ser debido al acercamiento excepcional de mi compañera de piso, o porque ese abrazo era justo lo que andaba necesitando. Cerré los ojos y presioné con más fuerza su cintura estrecha. Al tacto resultaba una mujer más delicada que el terciopelo.

—Todo va a salir bien —dije.

Despegó su rostro de mí para mirarme a los ojos. Con todas esas lágrimas y el iris tan azul, sus ojos parecían planetas extraviados del Sistema Solar.

—¿Qué? —preguntó.

Me di cuenta de que era la primera vez que me escuchaba. Al fin Sveta me reconocía como una persona con palabras.

—Todo va a salir bien —repetí.

Desaparecieron las lágrimas de su cara. Miró hacia nuestros pies descalzos. Parecía que en ese momento recuperaba los sentidos.

—El suelo está empapado —dijo.

—Sí. Se te ha caído el cubo —le recordé.

Cuando alzó el rostro, Sveta me regaló la sonrisa más bonita del mundo. La imagen de sus labios dibujando una media luna se me antojó como un obsequio que me hizo sentir, por primera vez en mucho tiempo, orgulloso de mí mismo.

Su expresión se había apaciguado. Se arregló los mechones sueltos y extendió una toalla sobre el charco.

—Si no te importa, luego me ocuparé del desastre. Creo que Dogan me espera.

Acudió a su pantalla del ordenador para reunirse con quien se empeñaba, una vez más, en hablarle en turco.

—No es justo —fue lo primero que la oí decir.

Recogí lo último que me quedaba por recoger en el comedor: la bolsa negra que colgaba del respaldo de la silla. La llevé a mi cuarto, cerré la puerta y me quité los calcetines mojados antes de sacar la libreta. Seguía sin tener historia, pero volvía a ser una persona con palabras. Ahora podía aventurarme a utilizarlas.

Escuchaba a Dogan vacilar. Temía que la decisión de mudarse a Nueva York pudiera arruinar su carrera profesional.

—Aquí no paran de caerme buenas ofertas, cielo.

Yo me senté en el colchón con la espalda apoyada contra la pared. Abrí la libreta. Sveta le enumeraba las razones por las que debía considerar el cambio como una oportunidad ambiciosa. Nueva York es la ciudad de los triunfadores. *If you can make it in New York, you can make it everywhere,* le cantó. Dogan ponía un pero a cada comentario optimista de ella.

—¿Y qué sería de mí en Turquía? —objetó Sveta, rendida.

Empecé a escribir algo sencillo:

¿Y qué sería de mí en Turquía?

La pregunta resonó en mi cabeza. Dejé de escuchar la conversación que seguía manteniéndose en la habitación vecina y me trasladé a las dependencias de un aeropuerto con el suelo brillante.

Ada era un buen nombre. Ada está en el aeropuerto. Ada espera en el aeropuerto.

Mi habitación se llenó de corrientes de aire. Me tapé las piernas con las sábanas y apoyé el cuaderno en mis rodillas. Era consciente de que se estaba cociendo algo en mi cabeza. Una muchachita bielorrusa más delicada que el terciopelo. Un aeropuerto. Turquía. ¿Y qué sería de mí en Turquía? Escribí el nombre de la protagonista sin todavía tener claro qué verbo le seguiría al sujeto.

Ada

¿Qué hace Ada? La imaginé nerviosa, las manos le sudaban. Sin darse cuenta estaba destrozando el billete que retorcía entre sus dedos.

espera frente a la puerta de embarque con destino a Turquía. Por megafonía anuncian que su avión llegará con retraso. Todos los que esperan en la sala se quejan y despotrican contra Obama y Estados Unidos en general. Ada lo corrobora en ese preciso instante. No hay ningún rubio entre los pasajeros. Ya se lo había dicho su mejor amiga, también bielorrusa. Fue de vacaciones a Estambul y constantemente la tomaban por prostituta. Y eso que no se puso ni una sola minifalda.

Ada decide dar un paseo por el aeropuerto. Se siente vacía, el estado perfecto para ser secuestrada o rescatada, depende de cómo interprete el amor cada uno. Se detiene frente a la puerta de embarque con destino a París.

¿Y qué sería de mí en París?

Observa a los hombres no acompañados de entre veinticinco y cuarenta años que hacen cola para entrar en el avión. La mayoría son elegantes, pero ya se van. Ha llegado demasiado tarde para enamorarse de un parisino. Una pena. Piensa en la Torre Eiffel, en Notre Dame, en el Moulin Rouge y en la Nouvelle Vague. Una verdadera pena perdérselo. Deja atrás ese destino y sigue avanzando por los amplios pasillos del aeropuerto JFK.

Ada conoció al turco hace tres años, una semana después de que ella llegara a Estados Unidos. Él la llevó al parque de atracciones cuando ella se moría de aburrimiento. Suficiente. Desde que había llegado a ese continente se sentía vacía, el estado perfecto para ser secuestrada o rescatada. Y él no perdió la oportunidad. Pero el problema era que él solo estaba en Nueva York de vacaciones, y en cambio ella había aterrizado para quedarse. Decidieron mantener la relación a distancia hasta que él ahorrase lo suficiente para mudarse con Ada a Nueva York.

Cada persona reacciona de una manera diferente a la ilusión del amor. Ada es romántica y fiel como una cigüeña, y eso sig-

nifica que ha vivido la ausencia de él en la más absoluta sole-
dad. Apenas conoce la ciudad en la que ha habitado tres años.
No tiene amigos. En su tiempo libre disfruta de largas sesiones
bajo el grifo de la ducha, entrenando en el gimnasio, limpiando
la casa de arriba abajo y, sobre todo, hablando con el turco por
Skype. El tiempo ha sido su enemigo durante estos tres años,
porque de todos los tiempos, el de la espera es el único que lleva
armadura de acero. Cuesta una barbaridad destruirlo.

Se detiene frente a São Paulo. El trópico siempre le ha trans-
mitido una sensación de ingravidez, como si flotara en el mar.
Se contonea por entre los asientos ocupados y le da la sensación
de apreciar olor a coco. Todavía faltan cuarenta y cinco minutos
para el embarque. Tiempo suficiente para cambiar los planes de
su vida. Piensa en el pao de queijo, la feijoada, la yuca frita... Se
le hace la boca agua. No puede evitar lanzar miradas hechiceras
a todos los varones. Muchos tienen la tez tan oscura como los
turcos, pero también hay brasileños rubios y de ojos claros.

¿Y qué sería de mí en São Paulo?

Un joven la mira con curiosidad. Ella se detiene. El chico, que
es un bombón, deja a un lado la revista que estaba hojeando.
Buena señal. Ella se sienta y cruza sus piernas con sensualidad.
Él no se pierde detalle. Escucha tras su espalda a una paulista
que explica a un americano que para manejarse en la ciudad
es imprescindible tener automóvil. El servicio público no es de
gran utilidad. Ada se apresura a incorporarse y largarse de allí.
Tiene fobia a los coches. Sus padres murieron en un accidente de
tráfico. No tiene permiso de conducir ni piensa sacárselo jamás.
Adiós, Brasil.

Está muy enfadada con el turco, aunque él no lo sabe. Cuando
el tiempo de espera parecía estar llegando a su fin, él le dijo que
le habían ofrecido un puestazo en Estambul que les garantiza-

ría una vida de lujo. Le estuvo suplicando durante semanas que fuera ella la que se trasladase a Turquía, hasta que Ada se quedó sin pretextos para seguir negándose. La había convencido de que la gran ciudad era un capricho. Entonces se compró un billete sin retorno y, al empacar sus tres años de existencia en Nueva York, se echó a llorar como una descosida. Ni se había enterado de esos años, de esa ciudad, la ciudad de sus sueños. Su capricho. La había estado reservando para estrenarla junto al turco y ahora eso ya nunca iba a suceder. Por primera vez le entró el miedo de haber elegido al hombre equivocado. Turquía nunca le había transmitido un buen 'feeling'.

¿Y qué sería de mí en Tokio?

Ada no tiene ni la más remota idea de lo que sería de ella en Tokio.

Sin darse cuenta ha llegado a una terminal distinta. Observa, a cinco metros de distancia, la sala donde están reunidos todos los japoneses que esperan para volver a casa. No se imagina capaz de llegar a escribir esa lengua, aunque apuesta a que en Tokio hablan mejor inglés que en Estambul. Pero entonces recuerda el tema del vello púbico y le entra un escalofrío. Ha oído que lo tienen liso como el flequillo de Cleopatra.

Alguien le ha tocado el hombro.

—¿Necesita ayuda?

Es un hombre. Un hombre. Debe de tener casi cincuenta años, pero Ada le encuentra un no sé qué atractivo. Por lo menos se ha presentado con amabilidad. Un caballero, que ya es mucho. Responde que está buscando un bar donde beber un trago. Él la acompaña arrastrando un maletín con ruedas. Parece un ejecutivo o un político, un hombre serio y con piscina. Tiene un acento difícil de identificar. Puede que sea alemán. Ada le coge de la mano con naturalidad, como si llevaran saliendo juntos una

130

temporada. *Él se detiene, confundido pero en absoluto molesto. Ella le mete la lengua en la garganta. Él cambia de dirección y se la lleva a los servicios. Se cuelan en el de hombres y Ada le hace una felación. El pene del alemán es bastante parecido al del turco, pero desteñido y encogido, como si acabara de salir de la lavadora. Cuando él eyacula, anuncian la última llamada con destino a Estambul.*

—¿A dónde vas tú? —*pregunta ella, sin respiración.*

—A Ámsterdam —*responde mientras se mete la camisa por debajo de los pantalones.*

—¿Y qué sería de mí en Ámsterdam?

—No lo sé.

El hombre sale del aseo con prisas, como si fuera él quien está a punto de perder su vuelo. Ada permanece unos minutos más encerrada en el lavabo de hombres. Espera a que el holandés, o cualquier otro, regrese a por ella. Luego se lava la boca y las manos. Tiene que atravesar una terminal entera para regresar a su puerta de embarque, y se lo toma con calma. Reproduce con la voz el sonido de sus tacones contra el pavimento: toc, toc, toc. Como un reloj.

Es la última pasajera que embarca. La estaban esperando. Una azafata le dice algo en turco que suena muy mal. Ada aclara que no habla ni una palabra del idioma. Cuando avanza por el estrecho pasillo hacia su asiento, se da cuenta de que todos los pasajeros, ya con sus cinturones abrochados desde hace tiempo, la miran con desaprobación.

Deben creerse que soy prostituta, piensa ella mientras toma asiento.

Día 7

Nada más despertarme releí lo que había escrito la noche anterior. No sentía la necesidad de destrozar la página. Me gustaba. Lo leí otra vez. Desconocía qué tipo de texto era. No servía para cortometraje, había demasiada introspección y yo no era partidario de utilizar la voz en *off* en el cine. Tampoco se podía considerar un cuento, era un texto precipitado, sin ambición literaria. No, no era nada de eso.

Quizá era el primer ladrillo de mi verdadera casa.

Resolví ayudar a Eve. Me había despertado optimista y con ganas de trabajar. La transcripción de su obra de teatro podía ser una lección magistral. Me sentaría en la butaca de una creadora de Broadway, frente a su pantalla, y teclearía cada letra como si fueran invenciones mías. Seguro que era una práctica mucho más instructiva que el estudio de cualquier manual para escribir un guion.

No debía presentarme en el *catering* hasta las cuatro de la tarde. La llamé para proponerle que empezáramos a trabajar esa misma mañana. Le pareció de fábula.

—Espera, que te abro la puerta.

—Estoy en mi casa, Eve.

—¿¡Todavía!?

Al salir de la boca de metro ubicada en el centro de Union Square me encontré de frente a una quincena de americanos vestidos como indios de la India. Estaban sentados sobre alfombras y cantaban el mantra Hare Krishna acompañándose con instrumentos de percusión. A la izquierda estaban los ajedrecistas bajo sombrillas y con sus tableros sobre cajones plastificados de supermercado. A la derecha se extendían los puestos de venta del Greenmarket.

Se me ocurrió dar una sorpresa a Eve. Me detuve en un colmado en la esquina de la Calle 9 con Broadway y compré dos plátanos, fornidos y radiantes.

Ya le había avisado por teléfono de que disponía de poco tiempo para estar con ella. En el instante en el que pulsé el timbre, Eve abrió la puerta y me agarró por la muñeca.

—¡Alabado sea el Señor!

Daba sus habituales pasitos de quince centímetros, pero estaba triplicando el número por margen de tiempo. Verla resultaba alentador. Resollaba como una atleta a punto de hacerse con el primer puesto.

—Rápido. Rápido. Rápido. Rápido.

Lo primero que identifiqué al entrar en su dormitorio fue una pizarrita colgada de la puerta con el titular «Amigos muertos», y una extensa columna de nombres con sus respectivos apellidos seguidos de una fecha. A pesar de que tenía el salón abarrotado de libros, había otra estantería allí dentro. No me dio tiempo a fijarme en los títulos. Eve me guiaba con premura hacia el escritorio, posicionado frente a la ventana del fondo.

—Rápido. Rápido. Rápido. Rápido.

Lo que sí me dio tiempo a atisbar fueron algunos recortes de periódicos apoyados contra los lomos de sus libros. Se trataban de fotografías en blanco y negro de una cacatúa, una tribu amazónica comiendo helados Häagen-Dazs y Julia Roberts en su época de *Pretty Woman*. Entre las sábanas desordenadas de su colchón conté cinco aparatos de radio. Sobre la superficie de una cómoda que escupía mangas y perneras de sus cajones entreabiertos relucía la plata que enmarcaba un retrato de Eve entre bastidores. Debía de rondar los cuarenta y pocos años y se la veía muy concentrada. No miraba hacia el objetivo de la cámara. Tenía los brazos cruzados frente a su pecho y una sonrisa satisfecha, como si estuviera siguiendo la representación de una de sus obras y las reacciones del público fueran más entusiastas de lo esperado.

Eve se detuvo. Yo me detuve detrás de ella. Habíamos llegado.

—Jorge... —dijo, ahora sin prisas—. Procura no alejarte mucho tiempo de tu escritorio porque, a la que te decidas a regresar, lo encontrarás lleno de porquería. —Durante la pausa que hizo, su nariz arrugada y su mirada plena de desasosiego se mantuvieron apuntando a la pieza que teníamos enfrente—. Mira todo esto... ¿Me puedes explicar qué es todo esto?

Lo que teníamos delante era una mesa de picnic con aspecto de ir a derrumbarse en cualquier momento. Además, no había espacio donde apoyar un cartapacio y un ordenador. Estaba cubierta en toda su amplitud por cuencos llenos de bolígrafos, pastillas Aleve contra el dolor muscular, un catálogo de jardinería, una treintena de cartas sin abrir del Bank of America, una bolsa de la librería Strand llena de postales de Navidad, crema hidratante y una cesta de mimbre con un tambor dentro. El brazo del flexo caía verticalmente como un murciélago hibernando.

—Me temo que hoy deberemos dedicarnos a convertir este sinsentido en un lugar de trabajo.

Me había ilusionado ante la idea de hacérmelas pasar por todo un profesional de la dramaturgia, pero ni por esas. Incluso para interpretar el anhelado papel de guionista en el que ansiaba convertirme, debía ascender, empezando desde muy abajo. Quería que le limpiara la mesa. Pues bien, me deshice de mi mochila para ponerme manos a la obra.

Cogí el catálogo sobre jardinería y dije:

—Para empezar, esto se va a la basura.

Eve me quitó el volumen de las manos, alarmada ante mi iniciativa. Observó la fotografía de la portada en la que una asiática bajo un puntiagudo gorro de paja regaba un rosal. Acarició con sus dedos índice y medio la sonrisa de la jardinera y sus pantaloncitos vaqueros. Parecía nostálgica ante la idea de perderla de vista para siempre.

—Tienes parte de razón, Jorge… en este piso no hay espacio para un jardín. Pero no podemos tirarlo a la basura… Parece nuevo —se lo acercó a la nariz e inhaló—. Fíjate —me lo colocó debajo de mis orificios nasales—, huele a nuevo.

Se apaciguó al colocar el catálogo en el lugar exacto donde antes estaba. Decidió que sería más fácil empezar por revisar uno de los tres cuencos repletos de bolígrafos.

—Vamos a ver… Dr. James Jacobs —leía el sello corporativo impreso en el cuerpo del primer bolígrafo que alcanzó—. Periodoncia e implantes —miró, ceñuda, a través de las cortinas translúcidas—. No recuerdo la cara de ningún doctor llamado así… De todos modos… ¿quién querría guardar un recuerdo de un lugar tan lúgubre? —le acerqué la bolsa de plástico donde habíamos decidido almacenar todo lo desechable, pero Eve todavía no había tomado una decisión—. Vamos a comprobar si pinta —hurgó entre los papeles esparcidos sobre la mesa hasta hacerse con un pedazo donde garabatear algo. El borrón quedó impreso con tinta negra—. ¡Vaya! Parece que no pasa el tiempo para este doctor.

Si seguíamos a este ritmo tardaríamos semanas en empezar la transcripción.

—Para serte sincera, no le tengo ninguna simpatía al muy respetable Señor Jacobs, por muy fresca que se mantenga su tinta —dijo después de analizarlo desde todos los ángulos posibles—. Me arrancó más de los necesarios —miró una última vez el bolígrafo, ahora con resentimiento, y estiró el brazo hacia mí—. Toma. Te lo regalo. Es tuyo.

Acepté su dádiva y fui hacia mi mochila con el pretexto de guardar el bolígrafo. Me senté sobre el colchón. Me agobiaba invertir mis horas con Eve en la selección de unos bolígrafos que la trasladaban a cirugías del pasado. Estaba ansioso por escuchar sus consejos, leer sus obras y seguir aprendiendo de ella. No concebía mi relación con la dramaturga desde la naturalidad, sino desde la urgencia. Había fantaseado tanto con nuestro futuro como colaboradores creativos que no me quedaba paciencia para tareas insustanciales. Agarré los plátanos, esperanzado en que esas frutas tropicales aportaran un cambio de rumbo a nuestra reunión.

—Yo también tengo un regalo para ti.

Se balanceó en su asiento reclinable al ver las dos piezas que saqué de la mochila. Cuando intenté hablar, Eve me mandó callar. Se cubrió el rostro con las dos manos.

—Manzana, pera, melón, uva, sandía… No es una piña. Definitivamente no, ni siquiera es un melocotón. Tampoco es un pomelo —apartó sus manos de su cara para volver a analizar el enigma de su búsqueda. Tras unos segundos de desesperación, su expresión dibujó unas líneas de súbita complacencia—. Es un plátano, Jorge. De hecho son dos —puntualizó con seguridad, alzando dos dedos de su mano derecha—, dos plátanos preciosos.

Se sentó a mi lado y me pidió que le quitara la piel al suyo, como si ella no supiera hacerlo. Masticaba sonriendo con la boca llena.

—Soy gay.

No concluyó el nuevo mordisco que estaba a punto de propinar. Alejó el plátano de sus dientes y guardó la lengua dentro de su boca.

—¿Y qué? Eso hoy en día ya no es un problema. Además, no deberías utilizar esa palabra. Antes «gay» significaba algo distinto. Se refería a cualquier persona alegre y jovial, sin que sus preferencias sexuales importaran a nadie.

—¿Homosexual?

—Peor. Parece que hablas de un dinosaurio. No utilices ninguna palabra, Jorge. Pronto será tan natural que ni siquiera precisará de un calificativo.

—Bueno. El caso es que estoy hecho un lío.

Y empecé a hablar. Hablé cerca de veinte minutos sobre mi historia con Fabio.

—Siento que tengo que elegir entre mis sueños románticos y mis sueños profesionales —concluí.

Eve no movió un solo músculo de su cara ni de su cuerpo durante la exposición de mis demonios interiores. Fue una oyente atenta, de las que no preguntan para evitar interrupciones. Ella seguía sin moverse cuando ya hacía tiempo que había terminado mi relato. Entre el lejano sonido del tráfico que llegaba a la habitación, identifiqué la sirena de una ambulancia. Me metí el resto del plátano en la boca y luego no supe qué hacer con la piel flácida.

Ladeó los ojos y cruzó las manos sobre su regazo. Pude reconocer por primera vez a la Eve prudente y meditativa. Imaginé que me estaba tratando con la misma dedicación que a uno de sus personajes, trasladándose ella misma al purgatorio en el que yo residía para comprender mi malestar como si fuera el suyo propio. Su intensidad reflexiva quedaba registrada en el constante golpeteo de los dientes del maxilar inferior contra el superior, como si le quedaran restos de plátano en la boca. Llevábamos alrededor de cinco minutos en silencio cuando Eve se decidió a romperlo con una frase que permanecería durante mucho tiempo dando vueltas en mi cabeza.

—Tienes muy buen corazón, Jorge, pero lo debes de tener en el lado equivocado del pecho.

El *catering* esta vez tuvo lugar en la sala de eventos del mismo edificio donde estaban las oficinas de Il Passatore. Era un espacio amplio y de techos altos, en la sexta planta, con un ventanal que daba a un patio interior revestido por las zigzagueantes escaleras de incendio. Todavía entraba algo de luz solar, pero las lámparas ya estaban encendidas. La decoración era como la de un cuarto de baño de un hotel elegante: higiénica y monocromática. Sveta se hallaba ahuecando los cojines del sofá de felpa. Cuando me vio a través del reflejo del espejo colgado en la pared del fondo, agitó su mano como si estuviera en la cubierta de un barco que se alejara del puerto.

—¡Jorge!

Corrí hacia ella, mirando a los lados, alarmado. Por fortuna todavía no había nadie más con nosotros.

—Llámame Manuel —le susurré.

—Tenías razón cuando anoche me dijiste que todo iba a salir bien —dijo de carrerilla, con colorete en los pómulos y abrazándose al cojín.

Por detrás de nosotros aparecieron las otras dos camareras. La de constitución menuda, Charlotte, se había desprendido de sus gafas, dejando al descubierto una mirada miope coloreada por dos tonos púrpura diferentes en los párpados. Para Adele no era posible ir más maquillada que en el evento anterior, pero esta vez se había colocado unas pestañas postizas tan peludas como abejorros.

—Algo tipo Angelina Jolie en *Tomb Raider*.

—Llámame antigua, pero yo prefiero un papel como el de Frances en *Dirty Dancing*.

—¿Y qué me dices de una Uma Thurman en *Kill Bill*?

Se ilusionaban ante la idea de llamar la atención de los cineastas británicos y que estos desearan convertirlas en protagonistas de alguna superproducción americana. No se callaron hasta que Anthony, el jefe, entró en la sala a zancadas. Nos dio órdenes para que empezáramos a preparar el espacio para la llegada de los artistas. Se le hinchaba la boca cada vez que pronunciaba la palabra «artistas». Él mismo había dotado a su aspecto de un *look* más artístico. En vez de diamantes se había colocado dos aretes de plata oxidada en el lóbulo izquierdo y su calva estaba cubierta por una boina parisina de lana oscura. Cargaba con tres pósteres enrollados.

—Bergman, cuando acabes de colocar las copas ven a ayudarme con esto —me ordenó.

Eran los murales de las películas que se presentaban en el evento. Anthony me pidió que me alejara unos metros para confirmarle que estuvieran rectos antes de clavar las chinchetas. Desde la distancia me fijé en los nombres de los directores: Jimmy Ferguson, Alkama Hazuki y Chris Cassey. En unos minutos estarían en la sala...

—¿Y bien? —preguntó Anthony, sujetando como podía las tres laminas a la vez.

Tramaba un plan de aproximación. En cuanto llegaran los invitados, mi objetivo sería localizar a los directores y convencerles de que yo también tenía talento, aunque aún no hubiese tenido tiempo para demostrarlo.

De pronto Anthony soltó los pósters y me lanzó un grito colérico.

—¡¿Cuál es tu problema!?

—Están rectos, señor.

—Están en el suelo, *vaffanculo*. Encárgate de colgarlos.

Antes de salir de la estancia, el jefe bramó a las roedoras que dejaran de atusarse el pelo y le acompañaran a traer las bandejas de comida. Cuando el espacio quedó en silencio me giré hacia Sveta. Seguía frente al sofá, dando volumen al mismo cojín que antes estrechaba contra ella. No quedaba ni pizca de la diligencia con la que había llevado a cabo su función en el *catering* anterior. Me pregunté cómo habría concluido su conversación por Skype de la noche pasada. ¿Habría cedido Sveta a irse a Turquía? ¿O estaría el turco haciendo las maletas? Ella había mencionado el acierto de mi profecía, pero que todo fuera a salir bien podía significar cualquier cosa.

Oteé hacia el ventanal. La luz natural se había extinguido por completo.

Me responsabilizaron de recoger las copas y los platos vacíos. Charlotte, Adele y Sveta eran las encargadas de abastecer a los invitados de bebida y canapés. Las dos primeras se contoneaban entre los asistentes con desparpajo, procurando mantenerse cerca de los hombres con esmoquin. El recorrido de mi compañera de piso no tenía ningún sentido. Se mantenía paseando su bandeja alrededor de la única parte vacía de la sala. Su semblante seguía abstraído. Por fortuna, nuestro jefe no se enteraba de lo disperso que andaba esa noche el personal. Disfrutaba del gremio que llenaba su establecimiento, paseándose entre grupo y grupo para repetir el mismo discurso entusiasta sobre las contribuciones del Neorrealismo italiano al cine actual. Su tono de voz era tan estridente que no invitaba a sus oyentes a participar. Lo miraban con benevolencia hasta que se le terminaba la verborrea y les permitía continuar su conversación por donde él la había interrumpido.

Mientras yo recogía los vasos que algunos sujetaban vacíos en la mano o que iban dejando sobre mesas y alféizares, me repetía una y otra vez el nombre de los directores en voz baja, sin embargo me faltaban pistas para identificarlos. Los vestidos de esmoquin seguro que no eran, posiblemente serían engranajes relevantes dentro de la industria cinematográfica, pero ninguno de ellos hablaba con acento británico. Me acercaba a los diferentes corros que se habían formado y tardaba hasta cinco minutos en recoger una servilleta sucia. Era el tiempo que precisaba para reconocer los distintos acentos. Casi todos hablaban sobre la crisis económica. Escuchar una y otra vez que el cine atravesaba su peor momento estaba agotándome.

Empezaba a temer que ninguno de mis cineastas estuviera presente cuando, de pronto, salieron del baño cinco personas a la vez, dos hombres y tres mujeres. Estaban inmersos en lo que parecía una excitante charla, agitando las manos e interrumpiéndose los unos a los otros. Me fijé en sus narices pero estaban impolutas. Tuve la corazonada de que uno de ellos en concreto respondía al nombre de Jimmy, Alkama o Chris. Creo que fue la mirada ausente de aquel tipo larguirucho lo que me convenció de que debía de tratarse de un director de cine.

Crucé la sala sin recoger nada y me coloqué detrás de ellos. Afiné el oído.

—Es pura energía, una pasada. La gente no pierde el tiempo. Se mueve, se mueve, se mueve. Pagamos tanto por el alquiler de un piso que no nos permitimos malgastar un solo día de la semana. ¿Ir de *brunch*? Enséñame tu *business card* y te diré si me voy a comer los huevos contigo, cariño. —esta era americana.

—¿Y eso no es agotador? —no estaba seguro, pero me pareció detectar un acento británico. La que habló era una mujer.

—Lo es —respondió uno de los hombres, americano—. Nueva York es una ciudad agotadora. Cuando me falta el aire pienso en las vistas de la casa donde me crie, en Denver. Con frecuencia veía cabras montesas desde la ventana de mi habitación. Pero aunque me paso once meses y tres semanas al año detestando Nueva York, soy incapaz de irme. Es como si la ciudad te plantease un reto: te atreves o dejas de atreverte.

—¿Y no echáis de menos la calidad de vida? —confirmé que era británica.

—En cuanto me salgan diez canas más me vuelvo a Florida —dijo la otra fémina—. Me niego a hacerme mayor aquí.

—Yo estudié tres años en la NYU. Disfruté de Nueva York igual que disfruto de Londres o de cualquier ciudad cosmopolita. Pero me fui sin llegar a entender qué tiene este lugar para que la gente se empeñe en analizarlo como un tratado de Filosofía.

Ese era mi hombre. Había hablado. Tenía un acento claramente británico. No cabía duda de que era él, altísimo, con dedos de mujer y las pupilas dilatadas como panqueques. Me lo imaginé gritando «¡Acción!» y un cierto éxtasis me oprimió el estómago. «¡Corten!». «¡Repetimos toma!».

Me acerqué a él y le quité su copa vacía de las manos. Los otros hicieron uso de mi oportuna aparición y apuraron sus copas antes de entregármelas. Cuando coleccioné todos los residuos del grupo entorné los ojos hacia el director.

—¿Cuál es tu película?

Mi pregunta le complació. Yo todavía no había escuchado a ninguno de los invitados hablar sobre las películas.

—*Between Partners*.

—¿Chris Cassey? Lo sabía. ¿Cómo puedo verla?

Entrelazó los dedos de la mano derecha con los de la izquierda y arqueó las cejas. Ni él ni yo prestamos atención a los susurros de sus amigos. Se pinzaba los dedos como si se sacara anillos imaginarios.

—Puedo enviarte un enlace privado por email.

El director se hizo con su teléfono móvil para apuntar mi dirección. Darle mi correo significaba mantener el contacto. Que me enviara un enlace privado era equivalente a un prestigioso trato de exclusividad. Se me desplazaron las comisuras de los labios hacia los extremos de mi cara. Estaba tratando de deletrear mi dirección sin tartamudeos cuando una mano fuerte estrechó mi hombro, poniendo punto final al encantamiento.

La voz llena de prosecco de Anthony irrumpió entre el director de cine y su admirador.

—Veo que ya habéis conocido al joven Bergman. —Su comentario consiguió crear cierta expectación entre los que me rodeaban. Enrojecí de inmediato. Chris miraba a Anthony a la espera de que continuara—. Tiene el mismo apellido del director sueco y no tiene ni puta idea de quién es Ingmar Bergman.

Yo también me hubiera reído de un zoquete como Manuel Bergman. Incluso le hubiera propinado una colleja.

—Sigue trabajando, muchacho —me ordenó, señalando una mesa llena de copas y servilletas usadas.

Me alejé de las carcajadas. No recordaba haberme sentido tan humillado en mucho tiempo. Quería llorar, gritar y sobre todo hacer daño a Anthony. No había acabado de deletrear mi email a Chris Cassey cuando él, apasionado participante en el coro de risas, guardó su móvil en el bolsillo de su pantalón.

La fiesta estaba llegando a su fin. La mitad de los invitados ya se había marchado y la otra mitad recogía sus bolsos y maletines. Se despedían de los contactos que habían hecho esa noche recitando nombres y apellidos en una demostración de su interés por hacer negocios juntos. Charlotte y Adele no se rendían. Ya sin sus bandejas, flanqueaban la puerta de salida haciendo genuflexiones de siervas ante los que opinaban merecérselas. Sveta regresó de su solitario retiro y se colocó a mi lado.

145

Al rato volví a ver a los de antes salir del baño en grupo, pero el director de *Between Partners* ya no estaba entre ellos. Anthony ocupaba su lugar. Se acercó a nosotros dos tanto que pude contemplar el interior de sus orificios nasales tiznados de blanco.

—Sveta, ocúpate tú misma de cerrar —le entregó un manojo de llaves—. Diles a estas que barran un poco y que Bergman traslade las botellas que han sobrado al refrigerador. Yo me voy a arreglar unos asuntos con los chicos —hizo un gesto con la cabeza hacia el grupo que le esperaba a la salida, ansiosos por encender sus cigarrillos.

Mi compañera de piso no siguió las instrucciones de nuestro jefe y, en cuanto se marchó, permitió que Charlotte y Adele se largaran sin barrer. A pesar de no haber logrado convertirse en estrellas de Hollywood, no parecían ni siquiera un poco alicaídas. Se despidieron hablando sobre yoga con el mismo ímpetu con el que habían llegado, cinco horas atrás, haciéndolo sobre *Tomb Raider*, *Dirty Dancing* y *Kill Bill*.

Cuando la sala de eventos cobró el mismo ambiente privado que nuestro apartamento, Sveta colocó sobre la mesa dos copas de plástico y una de las botellas de vino espumoso que no se habían abierto. Me animó a sentarme a su lado en el sofá.

Durante los primeros quince minutos nos dedicamos a beber en silencio. Ella estaba tumbada con una mano tras la cabeza a modo de almohada y con la otra mantenía su copa en equilibrio sobre el vientre. Disfrutaba de cada sorbo. Yo estaba hundido en el cojín del sofá pero con la espalda muy recta, como si estuviera emborrachándome en el interior acolchado de un féretro.

—¿Qué es lo que ha salido bien? —le pregunté cuando el alcohol empezaba a aflojar mis músculos.

—Anoche Dogan me dio un susto de muerte… A veces puede comportarse como un niño mimado. El tiempo más largo que ha estado lejos de su casa fue durante el verano que pasó en Nueva York, cuando nos conocimos. Me hizo prometerle que no me movería de aquí hasta que él regresara a mi lado. Desde entonces me he dedicado a contar los días que le quedaban para acabar sus estudios. Y después de tres años, cuando ese momento llega y yo encuentro una empresa que está interesada en él, va y me suelta que no es práctico que él se mude a Nueva York. Que lo inteligente es que me traslade yo a Estambul.

—No me lo puedo creer. —Estaba dándome cuenta de que en el relato que había escrito la noche anterior había acertado en muchísimas cosas.

—Estoy segura de que Estambul es una ciudad maravillosa, pero…

—¿Qué sería de ti en Turquía? —la interrumpí, adivinándola.

—Exacto. No tengo nada que hacer allí. Desaparecería —chascó los dedos y sus ojos siguieron la estela que el verbo desaparecer dejó en el aire—. Pero hoy ha mandado la solicitud de trabajo… Me ha pedido perdón y me ha jurado que en menos de un mes estaremos viviendo juntos. Aquí.

Esbozó una de esas sonrisas suyas que desencajaban sus facciones. Aparte de los polvos de más que se había puesto en los mofletes, el prosecco le estaba coloreando de rojo el resto de la cara. El ángulo desde el que la observaba tumbada me facilitaba una imagen de ella sin cuello y con la frente monstruosamente interminable. Todo el atractivo que Sveta tenía como mujer infeliz se desvanecía en el momento en el que manifestaba alegría.

Propuse dar un paseo para airearnos antes de entrar en casa. Ella no dijo ni que sí ni que no. En ese punto su cabeza bailoteaba sobre su cuello sin parar. La brisa se había enfriado y la noche parecía un escenario de *El gabinete del doctor Caligari*, distorsionada y puntiaguda, llena de sombras. Yo también estaba borracho. La guie por Myrtle Avenue hacia Flushing. Era medianoche, pero en Bed-Stuy ni los más pequeños se iban a dormir a una hora prudente. Frente a la puerta de un colmado abierto se encontraba un grupo de quince personas charlando en voz alta, fumando cigarrillos y bebiendo refrescos energéticos. Cuatro niños se perseguían corriendo entre las piernas de los adultos. En la otra acera de la calle reconocí a la mujer obesa en silla de ruedas que merodeaba a todas horas alrededor del barrio. Esta vez estaba detenida bajo las ramas de un árbol muy grueso. La saludé con confianza, me había acostumbrado a ella y a su colección de pelucas. No me devolvió el saludo. Su cuerpo, su silla y su rostro parecían relieves que sobresalían de la corteza del tronco del árbol. Giramos por Bedford Avenue. Me parecía recordar cómo llegar al centro del barrio judío.

Observé que el rostro de Sveta había pasado del color rojo a un amarillo azulado. Le pregunté si se encontraba mal y ella se limitó a soltar un hipo. Estreché su brazo. Deseaba mostrarle la barriada que tanto me había impresionado en mi primer paseo y comprobar si a ella también le causaba la misma cadena de sentimientos contrapuestos. Giramos a la derecha en Penn Street. Las ventanas de los edificios de esta calle ya estaban recubiertas por jaulas de hierro. Reinaba un silencio solitario, incluso las ráfagas de viento azotaban sin resonancia las ramas sin hojas. Pensé en el desierto. Sveta y yo lo atravesábamos cogidos del brazo. No había ni un gato callejero. Solo escuchaba los resoplidos de mi acompañante y los latidos de mi corazón, desbocados en el lado equivocado del pecho. La luna era una pestaña sobre nuestras cabezas que proyectaba una iluminación endeble. Sveta miró a nuestro alrededor, extrañada de que todavía no hubiéramos llegado a casa.

—¿Por qué estamos en el barrio judío? —preguntó.

Había supuesto que iba a ser su primera incursión por la burbuja hermética y anacrónica ubicada al este de nuestro vecindario, y que sus piernas flaquearían por el asombro. Con su pregunta caí en la cuenta de que Sveta llevaba tres años siendo vecina de la comunidad jasídica más grande de Brooklyn, a tres manzanas, a escasos quince minutos a pie de nuestra casa, y que era lógico que estuviera acostumbrada a lo que para mí seguía siendo el clímax de un relato de fantasía.

—No lo sé —contesté.

Al fondo de Penn Street divisé un grupo de cinco barbas, cinco sombreros y cinco levitas largas que abandonaba un establecimiento radiante de luz eléctrica. Nos estábamos aproximando a la luz.

Sveta y yo nos asomamos entre los barrotes de la ventana que quedaba al nivel de la calle. Era una amplia sala de parqué. Dentro había dos corros de una quincena de personas cada uno, uno formado por hombres y el otro por mujeres. Se cogían de los brazos estirados hacia los lados e iban dando vueltas al ritmo de unos animados cantos. Todos exhibían sonrisas amplias en sus caras. A los lados de la sala había sillas desde donde los mayores observaban el jolgorio con los más pequeños adormecidos entre sus brazos. La estrella de David estaba presente en la mesa ceremonial revestida de telas blancas. El espacio quedaba en perfecto equilibrio entre lo festivo y lo sagrado. Las personas, con sus idénticas vestimentas y su parranda, también.

—Es una boda —susurró Sveta sin apenas voz, como si tuviera miedo de que alguien nos pudiera oír.

Solo tras su aclaración me fijé en la única persona que iba de blanco. Era una adolescente. Llevaba un velo de gasa semitransparente a través del cual brillaba su pelo oscuro recogido en un moño alto. Me pregunté en qué momento exacto de la noche, o del día siguiente, mostrar su cabello en público se convertiría en un pecado. De pronto los corros se desintegraron y la multitud se mezcló. Formaban parejas de hombres con hombres, mujeres con mujeres y hombres con mujeres que giraban con los brazos derechos entrelazados y los izquierdos hacia el techo. Otros daban palmas y saltos.

—¿Tú y Dogan os vais a casar? —yo también temía que alguien nos escuchara.

—Claro. Estamos enamorados. Pero no lo haremos en una sinagoga, si es a lo que te refieres.

Seguimos caminando cogidos del brazo. Atravesábamos una Hewes Street deshabitada, como si acabaran de evacuar la zona por amenaza de tempestad. Había triciclos y bicicletas infantiles encadenados a la balaustrada de cada patio. Los únicos puntos de color eran las luces parpadeantes de los semáforos.

Una idea atravesó mi cabeza con la misma fugacidad que un relámpago en el cielo oscuro: me había dedicado a buscar las respuestas en Fabio de un modo parecido a como los judíos las buscan en la Torá.

Abracé con fuerza a Sveta por los hombros y ella me miró extrañada.

—¿Seguiremos siendo amigos cuando llegue Dog? —pregunté.

—Vale, pero vámonos a casa ya.

Dimos media vuelta en dirección a Marcy.

La solución para no volver a desviarme de mí mismo no podía ser una condena a la soledad. No quería envejecer en una casa tan desordenada como la de Eve por miedo a las relaciones en las que te abres el pecho como si fuera una puerta corredera e invitas al otro a entrar. Si no se posee la suficiente entereza, la personita que anda por ahí dentro, cada vez más adentro, puede cambiarte los órganos de lugar, hasta desplazarte el corazón al lado equivocado del pecho. Y la recuperación tras haber sufrido un tornado interior no está garantizada.

Sveta se despegó de mis brazos al entrar en casa y corrió al baño. Yo la seguí y le sostuve la frente mientras vomitaba. Antes de que tirara de la cadena del retrete decidí que no haría esperar más tiempo a Fabio. Al día siguiente le daría la respuesta que todavía no había sido capaz de ofrecerle.

Le limpié los contornos de la boca, le quité los zapatos, le puse el pijama, la arropé en su cama y le deseé las buenas noches. También le di un beso en la mejilla tras apagar la luz. Cuando despegué mis labios de su piel anhelé tener un amigo verdadero.

Día 8

A eso de las ocho de la mañana me senté en la posición del loto sobre el suelo y traté de ordenar las reflexiones que me habían golpeado la cabeza en plena Hewes Street. Sveta todavía no se había despertado y prefería salir hacia casa de Fabio antes de que lo hiciera. Justo antes de emprender mi marcha a Greenpoint recibí una llamada de mi madre.

—He hablado con tu padre. Hemos decidido hacer un esfuerzo y mandarte un dinero extra para que así puedas dejar de vivir con esa arpía que te está haciendo la vida imposible.

—¿De qué arpía hablas?

—De Fungi, ¿de quién si no?

—Su nombre es Juhui. Fungi significa hongo en inglés.

—¡¡Ja!! ¡Le va como anillo al dedo!

—Os lo agradezco mucho pero no necesito vuestra ayuda. He empezado a trabajar en una compañía de *catering*. En cuanto reúna el dinero suficiente buscaré un estudio para mí solo. Todo está bajo control. Además, no tengo ni un minuto libre. Aparte del nuevo trabajo, he empezado a escribir un guion que tiene muy buena pinta. El título es provisional. *Ada en el aeropuerto* —fue lo primero que se me ocurrió—, ¿qué te parece?

—¿De verdad has empezado a trabajar?

No supe identificar por el tono de voz si su sorpresa era positiva o negativa. Bien podía ser que estuviera feliz por mi iniciativa o decepcionada ante la decisión laboral de su hijo, el que pomposamente se trasladó a Nueva York para convertirse en guionista. Lo que estaba claro es que *Ada en el aeropuerto* le traía sin cuidado.

—Sí. En un *catering* de comida italiana. —Mi madre no decía nada—. Il Passatore. Las oficinas están en el corazón de Manhattan. —Su silencio me estaba inquietando—. De momento he servido en dos eventos y han sido un éxito… Me hacen vestir de negro… ¿Mamá? ¿Sigues ahí?

Pegó un grito para llamar a mi padre, probablemente ubicado en el otro extremo de la casa. Él no tardó en acudir a donde ella.

—¡Que Jorge ha empezado a trabajar!

—¿¡Qué!?

Todos esos alaridos hubieran tenido sentido si les estuviera llamando desde la cárcel.

—En El Pescador, una pizzería italiana… ¡En pleno corazón de Manhattan! Va todo de negro, dice. Imagínatelo… ¡¡Qué elegante!!

—Pregúntale si le pagan.

—Cariño-cariño-cariño —hizo una pausa para tragar saliva—, y… fíjate que no tiene ninguna importancia, solo es pura curiosidad… ¿Te pagan por hacer eso que haces?

—Claro que me pagan. Es un trabajo.

Estaban tan acostumbrados a que todo lo que yo llamaba trabajo fueran vocaciones no remuneradas (desde mis guiones hasta las prácticas que hice durante tres veranos en una productora de cine en Barcelona) que el hecho de que ahora recibiera un estipendio a cambio de mi labor les sonaba a cuento de hadas.

—¡¡Le pagan!!

Incluso mi padre, que rehuía el teléfono siempre que podía, se lo arrancó a mi madre de las manos para felicitarme.

—¡Caray! Te nos has hecho todo un hombre de la noche a la mañana.

Al colgar no pude sentirme más patético. Había estado tan distraído con mis sueños y frustraciones que ni me había dado cuenta del retraso descomunal que llevaba. A mi edad, mi padre ya había recibido tres ascensos en su profesión y mi madre tenía los pechos a reventar de leche. Yo, por el contrario, engrosaba tristemente las estadísticas que sitúan a los jóvenes españoles en la cima mundial de los comodones que tardan más en independizarse por completo de sus padres. Un gorrón, un aprovechado y un chupagrifos, eso es lo que era. Salí de casa con un rebote de mil pares de narices.

Para colmo El Tren Fantasma llegó al cabo de treinta y ocho minutos abarrotado de gente elegante. Era hora punta y tuve que deslizarme entre una muchedumbre madrugadora y perfumada hasta encontrar un hueco. Todos a mi alrededor tenían un trabajo de verdad, de lunes a viernes, de nueve a seis, aproximadamente, y hacían ruidos insoportables al sorber sus cafés en vasos desechables. Yo había trabajado dos días en toda mi vida, en unos eventos de menos de cuatro horas, y mis padres daban palmas ante la proeza de su niño. No tenía ni idea de cuándo me iban a llamar para otro evento y sabía que aquello de ahorrar hasta poder trasladarme a un estudio para mí solo era más ficticio que la existencia de Juhui.

Cuando me bajé en Nassau Avenue el sol era tórrido, cegador, y yo seguía dándole vueltas al asunto de mi gandulería. Desde que había colgado el teléfono y conforme iba acercándome a mi antigua vivienda, mi estado de irritación había adquirido las dimensiones de un melón dentro de mi cabeza.

Fabio no estaba en casa. Lo esperé por más de una hora y media, pero nada. No me había planteado esta posibilidad.

A una calle de distancia había un bar llamado Capri Social Club. La desencantada fachada de ladrillo rojo parecía más apropiada para un bareto de carretera en algún paraje remoto de Texas que para uno de los barrios más populares de Brooklyn. A pesar de la proximidad, ni a Fabio ni a mí se nos había pasado jamás por la cabeza entrar para consumir un trago a un precio más asequible que en cualquier otra taberna de la zona. Con frecuencia se reunían frente a la entrada borrachos que inhalaban el humo de sus cigarrillos con aspecto de haber nacido ya con resaca. No obstante, esta vez empujé la pesada puerta metálica y entré.

Del techo colgaba una bandera americana enorme y en las paredes se sucedía una serie de reproducciones de águilas con sus alas contorsionadas acrobáticamente. Ya había cuatro clientes, tres acodados en el mostrador y otra cuarta en un rincón. La *bartender* cortaba rodajas de limón con guantes de látex. Le pedí un gin-tonic. Era una polaca de unos cincuenta años que tenía aspecto de madre de familia numerosa y de no haber probado una gota de alcohol en toda su vida. Tardó casi diez minutos en preparar mi copa. Al servírmela, se inclinó en una reverencia amedrentada.

Tomé asiento junto a las de la barra, tres mujeres de mediana edad y aspecto macilento. Una de ellas vestía como un hombre y la piel de su cara parecía una servilleta arrugada con manchas de café. La de su derecha tenía aspecto de haberse equivocado de puerta cuando iba de camino al trabajo. Llevaba pantalones de pinza y una camisa mal abrochada que dejaba al aire un ombligo tristón. Tenía un tic nervioso que le hacía levantar las cejas como si a cada momento encontrara algo que la sorprendiera. La tercera tenía tanta grasa en el pelo que su cabellera pelirroja se confundía con dos lonchas de jamón serrano.

A pesar de la facha de las mujeres, lo peor de todo eran sus voces.

—Ni siquiera me responde a las llamadas. Todo se ha ido a la mierda por culpa del niño gordo —se quejaba la tercera integrante, chupando el hielo derretido de su copa.

—¿Qué niño gordo? —preguntó la que arqueaba las cejas constantemente.

—Su hijo, esa bola de sebo que se pasea todo el día jugando con trenecitos. Lleva tres años repitiendo el mismo curso escolar y yo le sugerí que igual le había salido retrasado mental. Le dije: hey Josh, quizá tú también te follaste a tu hermana.

—¿Quién es la hermana de Josh?

—Una guarra. Lleva nueve años desaparecida, justo la edad del niño gordo. Sospechoso, ¿no creéis?

—¿Y qué te dijo Josh?

—Se puso como una furia. Michelle te lo puede decir, ¿verdad, Michelle?

—Como una auténtica furia —confirmó sin perder detalle del partido de béisbol que retransmitían en diferido por la televisión.

—Me cogió la cartera y la lanzó al tejado de un edificio. Le dije: hey Josh, ¿qué diablos haces? ¿Me puedes explicar cómo voy a recuperar mi cartera ahora?

—Ya te avisé de que no debías liarte con ese tipo. ¿Te acuerdas de que te avisé? Te avisé. ¿Y cómo recuperaste la cartera, Sam?

—Michelle te lo puede decir. Eran las tres de la mañana y tuvimos que tocar todos los timbres del edificio durante media hora hasta que un chaval salió a recibirnos. Casi nos cierra la puerta en las narices. Michelle tuvo que impedírselo.

—Era un maricón. Estaba cagado de miedo.

—Nos miraba como si fuéramos a rebanarle el cuello con una navaja, y eso que al principio estuvimos súper educadas. Yo me puse a llorar, le dije que mi novio me zurraba, pero ni por esas. Él tartamudeaba como un niño pequeño y eso que debía de tener más de treinta. Nos dijo que a esas horas de la noche no podía hacer nada por nosotras. Que los vecinos jamás lo consentirían. Yo le decía: ¿me estás pidiendo que vuelva mañana? Mi cartera está en tu tejado, ¿comprendes? ¡Las llaves de mi casa están en mi cartera!

—Ese chaval estaba acabando con mi paciencia —comentó Michelle mientras se lamía con la punta de la lengua las paletas sin desviar su mirada del televisor.

—¡Ya te digo!

—¿Qué le hicisteis?

No pude evitar imaginarme que el maricón del que hablaban fuera Fabio. La posibilidad de que esas alcohólicas le hubieran hecho algo me encolerizó. Pedí otro gin-tonic.

Me pregunté cuándo habría sido la primera vez que cada una de aquellas mujeres habría entrado en el Capri

Social Club con la garganta tan reseca como la tenía yo esa mañana. Una vez dentro probablemente se sentirían más cómodas que en ninguna otra parte porque, entre estas paredes llenas de águilas retorcidas, el tiempo se convertía en un elemento manejable que no hacía daño. Entre copas se dilataba, desaparecía, las arropaba, se hacía insignificante, el tiempo era una alfombra acolchada bajo la suela de sus zapatos. Y así se debieron hacer mayores, sin ser conscientes de cuántas horas, días o años habían pasado desde la primera vez que empujaron la puerta metálica. Y así se les deformó la cara, en el Capri Social Club. Y así sus voces empezaron a almacenar resentimiento, porque ya no encontraban la manera de salir del bar.

Quizá yo era igual que ellas y estaba empezando a transitar por el mismo camino.

Me giré hacia el lado izquierdo de la barra, donde se hallaba la muchacha apartada que también había visto al entrar. Me quedé embobado siguiendo el juego de su teléfono móvil: Súper Pingüinos. Cuando llegó a la cuarta fase apretó pausa y pidió una ronda más. La camarera sacó de la nevera una caja y le mostró el contenido: una colección de vasos diminutos de papel con una sustancia semisólida y translúcida de diferentes colores. La muchacha se mordía los labios mientras decidía cuáles sacar de la caja. Antes de que reiniciara el juego, arrimé mi taburete al de ella para preguntarle qué era eso.

—Chupitos de vodka y gelatina —respondió con un marcado acento extranjero.

A continuación se giró hacia mí y lanzó un grito. Se abalanzó para abrazarme con tanta fuerza que me colocó los hombros a la altura de las orejas. Yo permanecí aturdido incluso después de que se separara. Esa cara pálida y redonda me resultaba familiar, pero no era capaz de ubicarla. Sus dientes parecían de leche. En alguna ocasión ya había meditado sobre aquella mirada somnolienta e inocente.

—Mi hermoso hombre español... —dijo en mi idioma.

La miré de arriba abajo. No me lo podía creer. Llevaba botas de cuero hasta las rodillas, mini falda y una blusa tan apretada que parecía que sus enormes pechos la iban a hacer reventar.

—Mila... —susurré, fascinado.

Me había costado reconocerla porque era la primera vez que la veía peinada y maquillada, sin su kimono de seda ni su taza de café soluble. Tuve un primer impulso de devolverle el abrazo, de preguntarle dónde se había metido, de decirle que, joder, la había echado de menos, que me sentía solo... Pero pronto regresé a la realidad. Apenas la conocía y, además, se había burlado de Sveta y de mí.

—Eres un chico malo. Todavía no has venido a visitarme...

—¿Estás de broma? Me engañaste. ¡Sveta casi me echó de su casa por tu culpa!

—¡No me digas! ¿Por qué?

—Por lo del depósito. Nunca le mencionaste nada al respecto —le tuve que recordar.

—¿Hacía falta? No me irás a decir que te puso problemas por eso. ¿Sí?

—No tenía manera de contactar contigo, Mila. ¡Toda tu documentación es falsa!

Se apresuró a colocar el dedo índice sobre mis labios, rogándome discreción.

—Pero sabes donde vivo, mi amor —replicó en un susurro—. Has estado en mi casa, ¿ya no te acuerdas? Está justo enfrente del Central Park, en la vigésima planta.

La verdad es que ni en el momento de máxima urgencia se me habría ocurrido la posibilidad de presentarme en su apartamento.

—Te estuve llamando, Mila… —seguí protestando, taciturno—. ¿Pero qué estás haciendo? —le pregunté, mirando la colección de chupitos vacíos que tenía frente a ella—. Vas a dañar a tu hijo con tanta bebida.

Su carcajada se entremezcló con los alaridos de Michael Jackson. Cuando pudo calmarse, ladeó su cara y cubrió mis mejillas con las palmas de sus manos.

—Eres mucho más atractivo que Antonio Banderas. ¿Pero qué te ocurre hoy? Tienes los nervios a flor de piel.

Un poco avergonzado, repuse:

—No es apropiado que bebas en tu estado.

—No estoy embarazada, vida mía. ¿Por qué no te tomas uno? Están deliciosos.

Me ofreció un chupito de color rojo y ambos ingerimos el contenido gelatinoso al mismo tiempo. Mila tenía razón, aquello estaba delicioso, pero no era lo importante. ¿Cómo una mujer podía dejar de estar embarazada así, por las buenas? Seguramente su embarazo también era falso, como su número de teléfono y su dirección de email. Al parecer no había ninguna verdad en lo que me había dicho en nuestro primer encuentro.

—Sveta no es una perra enferma —defendí a mi compañera de piso.

Separó sus manos de las mías y se hizo con el último dado de gelatina que le quedaba. Cuando acabó de ingerirlo, sus ojos habían enrojecido, como si la gelatina le hubiera bloqueado la vía respiratoria. Hasta que al fin habló, realmente temía que Mila se hubiera quedado sin aire en los pulmones.

—Se tarda mucho tiempo en conocer a alguien —repuso con voz átona—. Años.

Giró su asiento hacia el mío con una amplia sonrisa de las suyas, pero lo que acababa de decir era tan cierto que ni siquiera su mueca bobalicona conseguía colorearlo de la intrascendencia en la que a Mila le gustaba transitar.

Su teléfono móvil sonó, un mensaje de texto. Tras leerlo, miró hacia una de las ventanas del local, a través de la cual se dibujaba una silueta masculina. Mila se levantó del taburete, se alisó la falda con las manos y me abrazó en un nuevo préstamo injustificado de afecto.

—Ven a vernos mañana a las ocho de la noche. Prepararé algo de cenar. Zhenia se muere de ganas por conocerte.

Entonces Zhenia no era como el niño desaparecido de su vientre. Zhenia existía.

En cuanto Mila abandonó el local no pude evitar ir hacia la ventana para descubrir al hombre que la esperaba fuera. Tenía la ilusión de que se tratara del que se moría de ganas por conocerme y tenía unos abdominales de infarto. No obstante, el que vi a través de las tablillas de las persianas fue un vejestorio de casi setenta años que la besaba con la boca abierta, restregando por el culo de Mila unas manos huesudas.

Haberme encontrado a Mila en el Capri Social Club era lo mejor que podía haberme pasado en el Capri Social Club. Al salir del bar inhalé una bocanada de aire fresco que barrió todo el carbón de mis venas. De camino a la estación de metro le di un billete de cinco dólares al vagabundo de la esquina de Manhattan Avenue con Calyer Street y me compré un cruasán de jamón y queso en el café Riviera, sin antes dejar de informar a las camareras polacas sobre lo mucho que añoraba su repostería desde que me había cambiado de barrio. Ahora me sentía en paz con cada una de las personas con las que me cruzaba. Todos teníamos nuestro propio ritmo y lo único importante era continuar la marcha. La noción del tiempo volvía a transformarse en aventura y yo en viajero. Ya no me interesaba diluir la existencia dentro de una estancia hermética para sorberla con hielo y pajita.

La inesperada aparición de Mila fue el mejor motivo para evitar mi desaparición.

Estaba claro que entre Mila y Sveta existía, al menos, una cierta rivalidad, si es que no se trataba de un odio profundo. Mientras devoraba el cruasán de camino a Bed-Stuy me debatía entre compartir con mi compañera de piso mi encuentro con su excompañera u omitir la información.

Sveta cerró el grifo de la ducha tan pronto escuchó el portazo. Esa inmediatez con la que concluyó su habitualmente interminable ritual de higiene me desasosegó. Desde la última gota que cayó sobre el platillo de la ducha hasta que ella apareció en el salón no transcurrió ni un minuto siquiera. Llevaba una toalla corta enrollada alrededor de su minúsculo cuerpo. Nunca me había parecido tan estrecha como en ese momento de semidesnudez. Se le pronunciaban tanto los huesos por debajo de la fina piel que podía servir como esqueleto en una clase de anatomía.

—¡¡No le han dado el trabajo!!

Su lamento me estremeció incluso cuando, al principio, no entendí de lo que hablaba. Su rostro estaba enflaquecido y con aspecto enfermizo debido a la resaca. Las ojeras le pesaban como si fueran bolsas de té. Juntó sus manos sobre su vientre, apretándolo y doblándose como si se dispusiera a vomitar, otra vez.

—¡¡Lo sentimos!!

El dobladillo que anudaba su toalla no iba a soportar esas contorsiones durante mucho más tiempo.

—¡¡Pero no eres el perfil que buscamos!!

Enderezó la espalda y volvió a mirarme exigiendo una réplica por mi parte. Yo todavía no había atado cabos y no entendía por qué diablos hablaba en plural. Que mi compañera de piso había enloquecido era la única y más lógica conclusión a la que, de momento, podía llegar. Esa y la de que su toalla estaba a punto de venirse abajo.

—¡¡Le deseamos suerte!! —gritó con los ojos húmedos.

Dio tres pasos al frente hasta detenerse muy cerca de mí.

—¿Suerte? —ahora susurraba, y a continuación hizo una elegante pausa que duró lo mismo que el recorrido de sus primeras lágrimas hasta alcanzarle el mentón—. ¿Y a mí qué me desean? ¿Suerte también?

La abracé por tercera noche consecutiva. Ahogó gemidos rotos en mi pecho. Le estuve acariciando el cabello mojado durante un tiempo, apartándole los restos de jabón al introducir las yemas de mis dedos entre sus mechones almidonados. Me sorprendió la rapidez con la que respondía al contacto. En cada nuevo recorrido que mi mano concluía por debajo de su nuca, sus sollozos se serenaban un poquito más. Cuando al fin se sosegó, cogí con fuerza sus hombros y Sveta retiró su rostro de mi camiseta.

—¿Por qué no te pones algo de ropa? —le propuse.

—De acuerdo.

En cuanto se encerró en su habitación fui capaz de recapacitar. De modo que el plan diseñado por ella y Dogan Harman se había ido al garete de cabo a rabo. La felicidad que irradiaba la noche anterior había quedado triturada entre las implacables mandíbulas del destino.

Decidí preparar té para los dos.

Sveta reapareció envuelta en un albornoz que le cubría hasta las rodillas. Parecía una náufraga recién rescatada. Tomó la taza de té con la ingratitud de una convaleciente que da por descontado la generosidad ajena.

Me senté frente a ella. Me daba miedo no saber consolarla.

—No le han dado el trabajo —repitió, pero como si ahora fuera una persona distinta.

—De veras que lo siento. ¿Cómo se ha tomado la noticia Dogan?

—Pues imagínate... fatal. La verdad es que no lo sé. Me ha reenviado el email antes de irse a dormir. Estará hecho polvo —estaba hablando como si no hubiera dado un grito en toda su vida—. Después de todo lo que se ha esforzado durante la carrera...

—Hay muchas empresas más. No os debéis rendir.

—No. Con esta crisis, no. Contacté con todas las empresas de ingeniería de Nueva York y solo una mostró interés. He jugado todas mis cartas. Me rindo.

—¿Qué quieres decir?

—Me voy a Turquía. —La histeria con la que poco antes gritaba volvió a asomarse a sus ojos, pero Sveta se dio prisa en cerrar los párpados.

—Eso no puede pasar. Tú misma dijiste que no tenías nada que hacer en Turquía.

—Pero le amo. Le amo de verdad.

—¿Vas a tirar tu vida por la borda?

—¿Qué vida? No tengo más que un mandil para tirar por la borda.

No me entraba en la cabeza que la misma persona que la noche anterior había afirmado que trasladarse a Turquía era el equivalente a desaparecer, ahora estuviera defendiendo su decisión de hacerlo.

—Eres la mejor camarera de Il Passatore, Anthony solo confía en ti para dejarte al mando de su negocio. Y tienes veinticinco años. Seguro que antes de los treinta habrás creado tu propia compañía de *catering*.

—¿Mi propia compañía de *catering*? —repitió.

Bebió con expresión meditabunda, como si se estuviera planteando aventurarse en tal empresa. La balanza debió inclinarse pesadamente hacia un extremo, pues no tardó en salir de dudas.

—Él ha trabajado muy duro para dedicarse a lo que le gusta.

—Tú también estás trabajando duro.

—Yo lo hago para sobrevivir. ¿No lo entiendes? Mi única ilusión es estar con él.

¿Única ilusión? ¿Era el ser humano incapaz de albergar más de una ilusión? Parecía que para entregarse a una quimera se requiere dar la espalda a las otras. La monogamia de las ilusiones. El miedo a la frustración nos limita a elegir un solo sueño por el que liderar una lucha a jornada completa durante el transcurso de la vida.

Esa noche me costó dormir. Los lloros de Sveta atravesaban la pared que compartíamos y mi almohada cada vez estaba más mojada.

Ella elegía el amor y yo no.

Día 9

El primer sonido fue el de la puerta principal, un portazo seco que me arrebató la somnolencia de un solo martillazo. Ya con los ojos abiertos, pude seguir en plena consciencia los crujidos de sus pasos. La tercera serie de sonidos venía directamente a por mí, me buscaba, amenazaba con tirar abajo la puerta de mi habitación.

—¡Jorge! ¡Despierta! ¡Vamos, ábreme ya!

Su insistencia al aporrear la puerta me recordó la primera mañana que me desperté en esa habitación. Entonces, cuando Sveta era una total desconocida que ejercía sin miramientos su poder sobre mí, aguardé un tiempo inmóvil sobre la cama antes de enfrentarme a ella, acongojado. Ahora ya no era una extraña, pero por algún motivo la seguía temiendo igual. Sospechaba que esa mujer que se columpiaba entre el amor y la soledad guardaba en su interior todo tipo de armamento bélico.

—¡Despierta, Jorge!

Atravesó el umbral de la puerta. Iba impecable, aunque como para asistir a un funeral. Lo que me espantó fue su cara al natural, sin ningún tipo de maquillaje. Si la noche anterior sus ojeras parecían bolsas de té, en ese momento se dibujaban en su piel como dos ballenatos que descendían de unos ojos hinchados como icebergs. Permaneció erguida y con los brazos pegados al cuerpo mientras esperaba a que me recuperase de mi vahído.

—Farsante —pronunció cuando mi respiración se había normalizado un poco.

—¿Por qué? —pregunté a la defensiva, cubriéndome con la sábana.

—Dogan es un farsante.

Avanzó con lentitud hasta sentarse sobre la cama. No tuve otro remedio que doblar las piernas para hacerle un hueco.

—Vengo del despacho de ingenieros. A primera hora de la mañana tuve la ocurrencia de ir a rogarles que volvieran a considerarlo.

Sveta me decía una o dos frases y luego se quedaba muda y con los ojos fijos sobre cualquier detalle de mi habitación.

—¿Y qué te han dicho?

—Me permitieron que leyera su carta de presentación.

—¿Cómo era? —No reaccionó. Tuve que chasquear los dedos frente a su cara.

—Solo le ha faltado escribirla con lápices de colores. Parecía de parvulario. Nunca había visto tantas faltas de ortografía juntas. Y Dogan escribe en inglés mejor que yo… —Se sujetó la frente con la palma de la mano. Sus ojos ceñudos parecían quejarse de una migraña insoportable—. Está claro que lo ha hecho adrede.

Al instante, resolví:

—Para que seas tú la que se tenga que ir.

Nunca la había visto tan descorazonada y falta de energías como en esos momentos. Su luto, su postura encorvada y sus manos llenas de huesecillos creaban una estampa afilada.

170

—¿Qué piensas hacer, Sveta? —utilicé un tono cauteloso, acariciándole la espalda febril. Era consciente de lo poco preparada que esa muchacha estaba para despachar al único habitante de sus pensamientos.

—No lo sé. Mandarle al cuerno, ¿no? Ha jugado sucio. No pienso ir a Turquía. Ni hablar —ratificó con movimientos horizontales de cabeza—. No tengo nada que hacer allí.

Unas horas antes lloraba ante la idea de iniciar una vida nueva en Turquía, pero ahora estaba paralizada ante la idea de haberse quedado sin propósitos ni destino.

—Estás tomando la decisión correcta. Además, déjame decirte algo… —añadí en tono confidencial—. Los turcos te hubieran tomado por prostituta.

Me miró con una mueca de desconcierto.

—¿Por qué?

—Apenas hay rubias en Turquía. ¿No habías pensado en eso?

—No… —bisbiseó, meditabunda—. Como Mila —añadió después.

Al principio dudé entre si había querido decir que Mila también era rubia o que también era prostituta. A pesar de que deseé que estuviera aludiendo a su color de pelo, me vino a la cabeza el hombre mayor que la recogió en el Capri Social Club.

—¿Mila es…?

—Prostituta.

—¿¡Que Mila es qué!?

—Prostituta.

En ese momento escuchamos el tañido de campanas que provenía de su habitación anunciando una llamada por

Skype. Sveta estrujó la tela de mis sábanas dentro de sus puños y anunció con ojos de infarto:

—¡Es él!

Se dirigió a la puerta sin soltar mis sábanas hasta después de dar el quinto paso. Se detuvo bajo el dintel y se giró hacia mí. Yo solo llevaba puesto un pantaloncillo de hilo fino y me sentía destemplado e incómodo. Mila era puta, Sveta se había quedado más sola que la una y mis sábanas yacían en el suelo. No era capaz de adivinar cuál de esos tres hechos era el que me estaba haciendo temblar.

—Jorge... Te quiero. —Y cerró la puerta que esa mañana había abierto sin permiso.

Alcancé las sábanas y regresé a la cama antes de que se iniciara la conversación al otro lado de la pared. Volví a cubrirme de los pies a la barbilla. Que Sveta me quisiera me traía sin cuidado, tal era su situación de desamparo que hubiera sido capaz de confesar su amor hasta al más macarra de nuestro barrio. Observé las pegatinas del techo. No brillaban con la luz del sol. Que Mila se dedicara a la prostitución sí que me había afectado, y mucho, pero aún no sabía de qué manera. Sus tetas eran la única parte de su anatomía que podía sugerirme a qué se dedicaba. El resto, sus dientes de leche, su cara mofletuda, su mirada atolondrada y la constelación estelar que en ese momento observaba, no me cuadraba con la idea que tenía de una prostituta.

—Desde que me alejé de mi familia y llegué a Estados Unidos he tenido mucha prisa por crecer, de otro modo no hubiera sido capaz de aguantar todo esto. Pero ¿sabes qué? No soy mayor, Dogan... Solo soy una niña que todavía no se ha enamorado. Lo siento, pero no quiero que me llames más. A partir de ahora voy a crecer por mi cuenta.

172

Dogan Harman perdió el habla. Yo, a pesar de que no tenía con quién hablar, también lo perdí. Sveta no había hecho mención a la carta. No le culpaba de embustero. Tampoco le concedía la oportunidad de justificar sus trampas. Había realizado algo mucho más determinante. Le acababa de eliminar de su vida de un solo plumazo.

El portero del edificio de la Calle 8 con Broadway estaba ocupado atendiendo a otra inquilina que tan solo debía de ser un poco menos vieja que Eve. Reclamaba un paquete que su hermano le había mandado desde Seattle. Le explicaba que era un regalo de cumpleaños y que ya había pasado más de tres semanas desde que lo envió. El otro le repetía una y otra vez que, lamentándolo mucho, esa mañana tampoco había aparecido en el cuartillo ningún paquete a su nombre. Aun así la anciana le exigía que lo inspeccionara de nuevo, por si las moscas. Cuando los ojos saltones del hombre repararon en mí, levantó uno de sus dedos para pedir un momento de silencio a su interlocutora.

—Eve Sternberg me está esperando —dije.

La otra se giró hacia mí en cuanto escuchó una voz desconocida. Su rostro antipático era propio de quien lleva ya muchos años reclamando un regalo.

—Miss Sternberg no está en su casa. Puede esperarla aquí —me informó el portero, señalando una banqueta apoyada contra la pared que quedaba frente al mostrador.

Tras sentarme, me encontré con los ojos de la anciana encendidos como faros. En cuanto nuestras miradas se cruzaron esbozó una sonrisa torcida. Sin parar de observarme ni de sonreír, hizo un discreto gesto al portero para que se acercara a ella.

—¿Quién es este joven?

Formuló la pregunta a un volumen igual de elevado que cuando reclamaba el paquete de su hermano. No pude escuchar la respuesta del portero.

—Pero ella no tiene familia —replicó, tajante.

Mi móvil volvió a vibrar y eso me estaba desquiciando. Desde que había salido de casa había recibido un total de ocho llamadas desde un número desconocido. Algo me decía que el departamento de inmigración había iniciado mi búsqueda y captura por falsificación de documentos, por ello me resistía a contestar. De pronto, levanté el rostro y encontré a la vecina de mi amiga aproximándose hacia mí. Cuando nos separaban menos de dos metros extendió su brazo hacia mi frente. Creo que se proponía colocarme el flequillo de lado.

El sonido de un repentino frenazo provocó que yo y las otras dos personas que estábamos en el recibidor miráramos hacia la calle que quedaba tras la puerta de vidrio de la entrada. El conductor que por poco acababa de llevarse por delante a Eve no pudo más que reprimir su cólera cuando vio a la temeraria, casi víctima, con sus zapatos de buceo y sus bolsas del supermercado Gristedes llegando a la acera sin resuello.

La otra anciana regresó al mostrador en cuanto reconoció a su vecina. El portero se precipitó al exterior para auxiliar a Eve.

—Miss Sternberg, debe ir con cuidado o la atropellarán una vez más —la cogió del brazo antes de subir juntos los tres peldaños de la entrada.

—Ese coche ha aparecido de la nada. ¿Tú lo habías visto? —preguntó, todavía jadeante.

—No, miss Sternberg, la verdad es que no lo había visto —la complació.

En cuanto me vio, Eve se deshizo del brazo del portero para juntarse conmigo. En ningún momento saludó a la vecina, que no perdía detalle de nuestro encuentro.

—Vamos, Jorge, o el pavo se enfriará.

—¿Qué pavo?

—¡El pavo está en el horno! —exclamó, tirando de mi camiseta.

Que Eve se hubiera aventurado a utilizar el horno de su cocina me hizo temer que la planta cuarta estuviera en llamas. Afortunadamente, cuando estábamos llegando a los ascensores me confesó que era mentira.

—Solo quería evitarla... —me explicó en cuanto las puertas del ascensor se cerraron—. Se llama Susan, vive en el segundo y está muy, pero que muy aburrida. Este edificio está lleno de gente así, y no dejan de meter la nariz en los asuntos de los demás. Yo nunca hablo más de la cuenta, Jorge. Es más sabio dejar a los indiscretos con la intriga. ¿Por qué la gente se cree con derecho a preguntarte sobre asuntos personales?

—Pero llevas mucho tiempo viviendo aquí —intervine.

—Más de cincuenta años. ¿Qué tiene que ver?

—Quizá Susan te considere como parte de su familia.

—¿Familia? —me miró como si hubiera escuchado un disparate—. Esa mujer solo sabe mi nombre y la puerta en la que vivo.

Al llegar a su piso nos dirigimos directamente a la cocina para ordenar los alimentos que traía en las bolsas. Parecía que Eve no había olvidado el cuscús con pollo y zanahorias que le había preparado hacía unos días. Todo lo que encontré dentro de las bolsas de plástico fue un paquete de cuscús, tres zanahorias y tiras de pollo envasadas al vacío. Mientras metía los ingredientes en la nevera, pude identificar la expectación con la que ella seguía mi actividad. No me cabía duda de que la imagen de otro plato rebosante de cuscús era lo que encendía el brillo de sus ojos. Hubiera estado encantado de proponerle volver a cocinar para los dos, si no fuera porque había hecho planes para cenar con Mila y Zhenia.

De nuevo, mi móvil vibró, esta vez con brevedad, anunciando un mensaje de texto. Lo saqué de mi bolsillo. Era del mismo número que me había estado acosando.

«Jorge, soy Sveta, ¿dónde estás? Llámame».

—No sabía que tú también tenías uno de esos... —identifiqué en la voz de Eve un inusual tono de disgusto.

Estaba de brazos cruzados frente a mí. Su semblante rebosaba indignación.

—¿Un móvil? —pregunté.

—No un móvil cualquiera, sino de esos que os tienen a todos los jóvenes tan entretenidos durante el día entero. Siempre que salgo a la calle todo el mundo a mi alrededor está con el dichoso aparatito en las manos. No os enteráis ni de por dónde vais.

Sospeché que la irritación que le estaba provocando mi teléfono Android estaba más fundamentada en mi silencio mientras sostenía el cuscús y las zanahorias que en el teléfono en sí.

—Necesito hacer una llamada rápida, Eve. Es urgente.

—Adelante, adelante —me permitió, como espantando moscas con la mano.

Salí de la cocina para quedar fuera del alcance de su mirada crítica.

—¿¡Dónde te has metido!? —la voz alterada de mi compañera de piso atravesó uno de mis tímpanos.

Le expliqué que estaba trabajando en una obra de teatro con alguien. Mi cita le debió de resultar interesante ya que me hizo múltiples preguntas al respecto. Era la primera vez que Sveta mostraba curiosidad sobre algo que no fuera ella y Dogan Harman. Acabó por anunciarme que había surgido otro *catering* y necesitaba saber si podía contar conmigo al día siguiente.

—¿Hablabas en serio cuando me dijiste que me veías capaz de crear mi propia empresa de *catering*? —me preguntó, con cierta modestia en su voz, en cuanto le hube confirmado mi disponibilidad para el evento.

—Sí.

—¿En qué tipo de comida habías pensado?

—Eso deberías decidirlo tú.

—Pero tú formarías parte de mi empresa, ¿no? Tendremos que pensar en un nombre.

Me di la vuelta y encontré a Eve atravesando el salón. Estaba retraída en un gesto meditabundo que me hacía desaparecer de su entorno. Solo ella y la burbuja en la que había penetrado. Accedió, de este modo, a su dormitorio.

—Podríamos hacer una fusión de tapas españolas y…

—Sveta, ahora estoy trabajando —la corté—. Lo podemos hablar esta noche, o mañana. No corre prisa. Tengo que colgar.

Cuando me asomé por la puerta de su habitación ella ya estaba en la butaca, frente a su escritorio. Abrazaba un archivador. Me senté a su lado.

—Verás, Jorge… Esta obra la escribí de una manera distinta a las otras. Lo que me propuse con esta era conseguir que fuera real. Lo más real posible. ¿Sabes a lo que me refiero con real?

—Sí, creo que sí.

—¿A qué? —quiso probarme.

No me detuve a pensar la respuesta.

—A que el texto se acerque mucho mucho mucho al ser humano.

Eve repitió para sí el adverbio mucho tres veces, igual que lo había hecho yo.

—Es muy difícil conseguir eso —no dejaba de mover la cabeza afirmativamente—. De veras te lo digo. La primera versión la escribí hace más de veinte años. Fue una obra terminada pero que preferí guardar en el cajón porque al cabo de un tiempo sabría aproximarla un poquito más a la naturaleza humana. Me daba la sensación de que como escritora mejoraba cada día y no quería dar por finalizada la obra que, unos años más tarde, tendría la oportunidad de retocar. Así que continué trabajando en otros proyectos mientras este iba generando frutos en el cajón. He hecho diferentes correcciones desde entonces y me daba la sensación de que con cada versión la historia cobraba más vida. La última fluííííííííííía —al decir fluííííííííííía, deslizó su mano de lado a lado, moviendo sus dedos como si apretaran las teclas de un piano— y era clara. Te voy a decir algo… La claridad es una de las metas más importantes en nuestra profesión. Hay que combinar la claridad con una sutileza inteligente para evitar, ante todo, caer en obviedades… O en las memeces que ahora hacen en los teatros de Broadway. —Eve detuvo en seco su discurso—. ¿Por qué pones esa cara?

—Estoy intentando retener lo que dices —me justifiqué, cerrando la mandíbula.

Comprobé que no se me hubiera escapado saliva de la boca.

—No es necesario que lo memorices. Seguramente tú acabarás imponiéndote unas reglas diferentes a las mías. La escritura es un viaje personal. Al fin y al cabo, cada uno tiene su estilo y sus puntos flacos a los que prestar más atención. Para muchos autores la claridad no es ni siquiera necesaria. Hacen un tipo de obra que puede tener millones de interpretaciones. No sé tú, pero a mí eso nunca me ha interesado, ni como espectadora ni como creadora.

—¿Cómo se titula? —le pregunté.

—*A Houseful of Steam* —leyó con solemnidad.

Mi teléfono volvió a temblar dentro de mis pantalones. Sabía que otra interrupción causada por el aparato que Eve había criticado con tanta vehemencia acabaría con su paciencia.

—¡Qué bonito! —alcé la voz—. ¡¡*A Houseful of Steam*!!

Por suerte se trataba de un mensaje de texto y solo fueron necesarios dos ligeros gritos para evitar que las vibraciones llegaran a sus oídos.

—¿Por qué te gusta tanto, Jorge? —me preguntó, echándose un poco hacia atrás por miedo a que la contestara con otro grito.

El temblor en el bolsillo de mi pantalón se reanudó.

—¡¡No lo sé!! —vociferé por encima de los sonidos ligeramente amortiguados por la tela vaquera. Esta vez no se detenían. Era una llamada—. ¡¡Me encanta!! ¡¡Me encanta!!

—Shhhh.

Eve giró el cuello y torció la cara. Había percibido el bisbiseo.

—¡¡*A Houseful of Steam*!! —chillé en un intento desesperado por regresar al texto.

Colocó su mano sobre mi boca para que no volviera a abrirla. No tuvimos otro remedio que mantenernos en el más absoluto silencio mientras las vibraciones intermitentes de mi móvil ronroneaban por la habitación.

—Hay ratones —su expresión no era de fastidio ni de asco. Me informaba de la situación sin padecimientos—. Ya han estado aquí otras veces.

Dobló la espalda hasta tener la cabeza entre los pies para mirar por debajo de la mesa. Se mantuvo durante un tiempo en esa compleja posición. En cada una de nuestras citas mi amiga hacía alarde de su flexibilidad.

—No son el tipo de ratones a los que les puedes encontrar un no sé qué simpático —me explicó tras levantar la cabeza—. Los que vienen a mi casa apenas tienen pelo y son raquíticos. Además corren muy rápido. A veces los oigo y no los veo. Aparecen y desaparecen en los rincones más inesperados. Sus cacas son como granitos de chocolate que no huelen. Al principio ni siquiera sabía lo que eran y los recogía con la mano. Tuvo que venir el portero para decirme que eran cacas de ratón.

Nos habíamos puesto de pie en busca de esas cacas. Pretendía apagar el móvil en cuanto Eve estuviera distraída, sin embargo no se despegaba de mi lado. Me ofrecí voluntario para bajar al Duane Reade que había en Broadway. Ella arqueó sus cejas al escuchar mi propuesta.

—Esas trampas son monstruosidades —opinó, muy afectada.

—Es la única solución.

Salí de su habitación decidido a bajar a la calle y apagar el dichoso móvil. Eve me perseguía por detrás. Aceleré el ritmo. Cuando atravesaba el recibidor me ordenó detenerme. Buscaba su monedero en el interior de un bolso. Yo sabía que si era Sveta la que me había llamado, no se rendiría tan fácilmente.

—No hace falta. —No me prestaba atención—. De verdad, Eve, invito yo. Estaré de vuelta antes de que encuentres la cartera.

Las vibraciones volvieron a masajear mi muslo izquierdo y esta vez mi acompañante no vaciló en mirar hacia un poco más abajo de mi cintura. Me cubrí los pantalones con las dos manos, desde el bolsillo tremolante hasta la braguta, como si tuviera un enorme cipote que esconder.

—¿Puedo ir al baño? —me retorcí un poco, fingiendo que necesitaba hacer pis.

—Claro que puedes —contestó.

El cuarto de baño me dejó igual de sorprendido que, en su momento, lo habían hecho su salón, su cocina y su dormitorio. Sobre el lavabo había, sin exagerar, una treintena de cepillos de dientes agrupados en tres vasos de plástico. Una diminuta estantería almacenaba montañas de productos en miniatura típicos de hoteles y de vuelos intercontinentales: cremas hidratantes, geles de baño, champús, bastoncillos para los oídos, antifaces... Sobre la tapa del retrete había un cepillo con tanto pelo blanco anudado a las púas que parecía un animal de compañía.

Me llegó otro mensaje de Sveta. Decía: «Llámame ya. Es urgente. ¡¡Urgenteeee!!».

Me aclaré la garganta para ser capaz de entonar un finísimo hilo de voz que solo pudiera percibir ella. Tiré de la cadena y abrí el grifo.

—Menos mal, me estaba poniendo de los nervios.

—Ya te he dicho que tengo el móvil en silencio —susurré.

—¿Por qué hablas tan bajo? No puedo oírte.

—Estoy en la biblioteca. ¿Qué quieres?

—Estoy pensando en comprar helado para esta noche. ¿Qué te parece?

No me podía creer que ese fuera el motivo de su llamada ¡¡urgenteeee!! Se me removieron las tripas de rabia.

—Bien —contesté.

—¿De qué sabor?

Juré que si me volvía a hacer otra pregunta estúpida la mandaría a tomar viento.

—De chocolate.

—Sabía que ibas a responder eso. A mí también me encanta el de chocolate, pero es mucho más calórico que el de yogurt de vainilla. Si fuera hombre no me lo pensaría dos veces, pero soy mujer, y estas cosas nos importan.

En cuanto nos pusimos de acuerdo con el sabor me apresuré a regresar a la habitación, pero ni Eve ni *A Houseful of Steam* seguían ya allí. Tenía la sensación de que esta segunda llamada había sido más breve que la primera, sin embargo, cuando fui al salón comprobé que había durado lo suficiente como para que Eve se colocara una bata por encima de su atuendo y ya estuviera sentada en el sofá. Reconocí en su rostro una expresión de abatimiento que no tenía nada en común con la de la dramaturga que un rato antes me aleccionaba. Ahora se asemejaba más a la anciana que también era.

Me acerqué al rincón en penumbra donde se encontraba y me senté a su lado. Me miró de cerca y sus ojos enrojecidos no me permitieron hacer otra cosa más que reconocer mi culpa.

—Lo siento. Mi compañera de piso está deprimida y no deja de llamarme.

Permaneció impasible, como si mi justificación careciera de importancia.

—Creía que querías ser guionista… —atacó sin más preámbulos.

—Así es.

—Pero, ¿cómo?

Eve abrió mucho los ojos, invitándome a navegar entre sus vasos sanguíneos dilatados. Era un interrogante salvaje que no me atrevía a responder.

Allí estaba ella, ochenta y tantos, rodeada de libros, polvo y silencio en un edificio en el que ningún inquilino la conocía. Y mientras me mostraba los secretos de su escritorio, yo discutía sobre helados poco calóricos con una muchacha con la que había empezado a convivir tan solo una semana atrás.

—Cuando me hablaste sobre tu ruptura con el peruano me di cuenta de que eres un joven maduro.

—Brasileño —la corregí.

—Tus palabras me convencieron de que sabes hacia dónde quieres ir y estás dispuesto a vivir del único modo que te llevará a ese lugar. —Tras estas alentadoras palabras, frunció el ceño—. Pero hoy te has comportado de un modo muy extraño… Es decir, de un modo normal. Normalísimo. Como lo haría cualquier chico de tu edad. —Y tras una pausa, Eve me remató añadiendo—: ¿De verdad quieres ser guionista?

183

—Sí —finalmente respondí cuando ya me había marchado de su piso.

La tarde había refrescado y yo recorría Broadway con paso taciturno. Entré en la estación de Union Square para coger la línea Q en dirección al norte de Manhattan. Una vez dentro del metro estuve contemplando los rostros agotados de los turistas que se incorporaron al vagón en la parada de Times Square. Dos andaluces que estaban a mi lado hablaban sobre lo gorda que había sido la hamburguesa que se acababan de comer en Hard Rock Café.

—Sí —contesté de nuevo a Eve en cuanto me apeé del tren.

—Sí —repetí cuando distinguí a través del escaparate de Cartier a dos mujeres arrobadas ante el muestrario de joyas.

Para cuando reconocí el lujoso portal de la Calle 58, Sveta me había mandado seis mensajes nuevos. Apagué el móvil de una vez por todas.

—Quiero ser guionista, Eve —concluí mientras la pantalla se oscurecía.

Mila me recibió entregándome un fajo de billetes doblados. Al encontrar mis manos vacías retiró el dinero y me miró a la cara con disgusto. Su expresión de desconcierto quedó suspendida en el aire, igual que mi mano que había acercado a la de ella para estrecharla.

—Así que Antonio Banderas ha regresado a mi humilde morada —de pronto esbozó una sonrisa de imprevista alegría.

En cuanto estuve dentro del palacete, su chihuahua se apresuró a restregarme las pezuñas en los bajos de mis vaqueros. Me agaché y fingí aprecio hacia esa escuálida criatura. Entre tanto, Mila se arreglaba el pelo frente al espejo de la entrada enmarcado aparatosamente con láminas de pan de oro. El timbre volvió a sonar y la bielorrusa abrió la puerta por segunda vez. Le preguntó al repartidor si, por casualidad, cargaba en su mochila con algo más de sushi que nos pudiera vender. El asiático no la entendió y se dio la vuelta.

Propuso que cenáramos en su habitación. Al atravesar el pasillo, las tachaduras enmarcadas que su novio había pintado crearon el mismo efecto en mí que la primera vez. Al mirarlas me parecía percibir en ellas un claro mensaje: borrón y cuenta nueva.

—¿Dónde está Zhenia? —pregunté.

—Estamos solos.

Mierda. Quería conocerlo. Quería comprobar cuánto medía, saber qué opinión tendría sobre el oficio de su novia y cómo el amor sobrevivía a una profesión tan exigente. Esa era la clase de cuestiones que me proponía indagar como guionista. Porque sí, sí, sí, tenía muy claro que quería ser guionista, miss Sternberg. Debía encontrar la manera de que Mila me contara su experiencia en Nueva York. Luego yo la convertiría en formato audiovisual, cambiando los nombres, por supuesto. *La ramera de la Quinta Avenida* podría ser el título.

Cuando abrió la puerta de su cuarto, echó a la perra de una patada.

—Quédate fuera, Putana.

Su habitación no había cambiado mucho desde la última vez que estuve allí. Ya no había cajas y maletas por en medio, pero conservaba el mismo aspecto desabrido de cuando estuvimos buscando las llaves de mi casa entre sus bártulos. Recordé cómo era mi habitación de Bed-Stuy la mañana que la vi por primera vez, todavía bajo el mandato de Mila. En aquel espacio de entonces su dueña habitaba en todos los rincones: en sus sábanas rosas, en sus recortes de revistas pegados a la pared y en su constelación estelar fluorescente. En cambio, en su nueva habitación no había huellas de ella ni de nadie.

Putana empezó a rascar la puerta desde el pasillo.

Nos quitamos los zapatos y nos acomodamos sobre la cama. Mila me entregó el único juego de palillos que había en la bolsa.

—Lo he pedido para ti. Yo casi nunca tengo hambre.

Vertí la salsa de soja sobre las piezas de la bandeja y empecé a ingerirlas una a una. Masticaba con cierta inseguridad, y no solo porque no creía que Mila hubiera hecho el pedido de comida japonesa solamente para mí, sino porque me miraba con ojos de loba. No sabía con qué palabras iniciar mi ejercicio de investigación. Su mirada, sumada al arroz y al salmón crudo dentro de mi boca, me impedía hablar. Le ofrecí los palillos.

—Cómetelo todo —rechazó mi oferta sin abandonar su sonrisa coqueta.

Moví mi primera ficha al comentar:

—Nueva York es una ciudad carísima.

Me pareció que plantear lo difícil que resultaba subsistir en una de las ciudades más caras del mundo era una buena forma para que me desvelara su secreto.

—Come, tonto. Invito yo —insistió con ánimo generoso.

Sonreí, fingiendo agradecimiento y disimulando decepción, e ingerí dos piezas más.

—Mi exnovio es arquitecto y, aun así, a menudo me pedía dinero prestado —probé de nuevo.

—¿Eres gay?

Cuando moví la cabeza afirmativamente, Mila relajó su estómago y cruzó las piernas, desplegando unos muslos bastante fofos. Me pidió sin vacilar que le prestara los palillos un momento.

—¿Hace mucho que rompisteis? —me preguntó, llenándose la boca con avidez.

—Muy poco.

—Lo siento, de veras… —expresó sus condolencias con auténtico pesar—. ¡¡Para de arañar la puerta, Putana!!

El chihuahua obedeció a su dueña. A partir de ese momento, en lugar de arañar la puerta, aullaba como un lobo.

—¿Estás triste? —me preguntó, como si los aullidos salieran de mi boca.

—Estoy sin blanca —respondí.

Sin dejar de masticar, movió la cabeza en dirección a la puerta a través de la que se filtraban los sollozos de su perra.

—Haciendo la *putana* una noche te puedes sacar quinientos dólares.

Me fue imposible reaccionar con la espontaneidad con la que ella me acababa de comunicar sus honorarios como puta.

—¿Y Zhenia no se pone celoso?

Hice cálculos. Si trabajaba cinco días a la semana durante un mes, se llevaría diez mil dólares mensuales.

—No lo creo —respondió mientras se limpiaba los contornos de la boca con una servilleta—. ¿Por qué se tendría que poner celoso? Él es *stripper* y chapero. Y gay, como tú. Sería el colmo, vamos.

Bueno. Bueno. Bueno. Eso sí que era una sorpresa. Ni abogados ni padres ni novios. Vaya teatrillo se habían montado estos dos… Me imaginé a Zhenia como *stripper* y me empalmé al momento.

—Qué hambre… Creo que me quedan cereales de chocolate en la cocina.

Tuve que ser rápido al sustituir en mi imaginación la visión del cuerpo desnudo de Zhenia colgando boca abajo de una barra metálica por la de un primer plano de mi amiga Eve. Cuando mi pene respondió al cambio de paisaje, pude seguir a Mila.

La cocina era una composición de blanco, negro y acero brillante. Reinaba un escrupuloso orden que estaba seguro de que no había sido impuesto por Mila. Llenó dos boles de muesli bañado en cacao y me entregó uno. Putana imitó a su dueña y se abalanzó sobre su cuenco lleno de pienso.

—¿Cuándo llegará Zhenia? —indagué.

Sacó su teléfono móvil de un bolsillo del kimono y le mandó un mensaje de texto. A continuación me miró. Pude reconocer en sus ojos la presencia de Sveta. Irradiaban una energía de la que carecían durante cualquier otro tema de conversación.

—¿Qué tal está Sveta?

—Desesperada —contesté.

La conmoción que le causó la noticia de la ruptura acabó con su apetito. Quiso saber hasta el último detalle, y no había ni pizca de regocijo en su curiosidad. Escuchaba mis palabras con expresión ceñuda y mordiéndose el labio inferior, como si estuviera frente a un reportero de guerra que relata las catástrofes que ha visto. Cuando acabé de narrarle los hechos que habían llevado a Sveta a tomar esa determinación, también quiso saber cómo se encontraba de ánimos. Si lloraba, si había hablado con su familia, si pensaba regresar a Bielorrusia o quitarse la vida.

—De momento no. —En realidad yo sabía muy poco.

Pensé que Mila debía de haber sufrido de amores en el pasado. Primero mostró cierta empatía cuando le mencioné mi ruptura y ahora parecía más afectada que la propia protagonista del nuevo final del que hablábamos. No dejaba de repetir «pobre mujer, pobre mujer, pobre mujer», y lo decía como si una tragedia devastadora hubiera arrasado la vida de esa pobre mujer. La verdad es que a mí me daba más pena ella, encerrada en un lujoso apartamento pagado a costa de su vagina. Por lo que había visto, Sveta estaba bien. Pesadísima con tanto mensaje y llamada, pero bien al fin y al cabo.

—Siento que tengo que hacer algo pero no sé el qué —murmuró.

A pesar de que una semana antes se dedicara a pegar la fotografía más ridícula de Sveta en farolas y semáforos, ahora se preocupaba por su bienestar como la amiga que a mí también me gustaría tener a mi lado.

—No sabía que erais tan buenas amigas.

—Ya no lo somos.

Tuve que morderme la lengua. Por muy guionista que deseara ser, debía poner límites a mi tendencia a husmear en las vidas ajenas.

—Deberíais hablar —sugerí—. Ella te necesita.

Su teléfono sonó y casi se le escapa de las manos al sacarlo del bolsillo, como si esperara que fuera Sveta la que estuviera contactando con ella para corroborar que la necesitaba. Se llevó un chasco al leer el mensaje.

—Zhenia está a la vuelta de la esquina.

Se me cerró la tráquea. Me estaba asfixiando. Debía marcharme lo antes posible. El motivo por el que la aparición del hombre (la confirmación de su existencia) me inquietaba tanto era algo que, una vez más, no alcanzaba a entender. Di una palmada que sonó más fuerte de lo que esperaba.

—¡Bueno! Ahora debo irme —me di la vuelta.

—¿Ya? —Mila me seguía por detrás, contrariada—. Iba a preparar café. Tómate uno.

Se debió de quedar mosqueada cuando salí del apartamento sin decir adiós. Estaba seguro de que en cuanto se abrieran las puertas del ascensor en el vestíbulo, la fortuna se ocuparía de que me encontrara cara a cara con el hombre de quien, por algún motivo desconocido, huía. La perspectiva de hallarme en esa tesitura me hacía sudar.

Las puertas se abrieron y allí no había nadie, salvo el portero. Le pedí que me dejara boli y papel y puse pies en polvorosa.

La ramera de la Quinta Avenida (que al principio de la historia aún no era ramera ni trabajaba en la Quinta Avenida) se hizo puta para acompasar la arritmia de los vasos sanguíneos de su corazón. Había oído decir a la gente que, después del primer desamor, el ser humano es incapaz de entregarse de la misma manera en sus siguientes relaciones. Había oído decir que la experiencia le enseña a uno a protegerse a sí mismo, a ir con pies de plomo para no caer en los mismos errores. Había oído decir que, conforme creces, muchos sueños románticos desaparecen. Pero a ella nada de eso le pasaba. Le habían roto el corazón innumerables veces y, aun así, este seguía latiendo al mismo ritmo desenfrenado que cuando tenía quince años. Durante mucho tiempo el único sueño de la ramera de la Quinta Avenida fue experimentar esa idea concreta de amor eterno que retenía en su cabeza sin apenas cambios a pesar de los años. Y lo intentaba. Y lo intentaba. Y lo intentaba de nuevo. Se entregó en cuerpo y alma a más de diez hombres. Pero, tarde o temprano, todos su romeos se convertían en villanos que la destrozaban. Al final la mujer empezó a odiar un poco su corazón masoquista.

Fue en un bar de mala muerte llamado Capri Social Club, mientras se ponía ciega a base de chupitos de vodka y gelatina, cuando escuchó la conversación de tres fulanas que estaban a su izquierda. Hablaban de los hombres con una frialdad que despertó de golpe su admiración por ellas. Se referían al género masculino como mercancía y no como caballeros junto a los que seguir abrazadas en la cama hasta los ochenta años. Decían cosas como: «Se corrió dos veces seguidas, así que le cobré el doble». O: «Le hice creer que era el rabo más grande que había visto en mi vida y me dejó cincuenta dólares de propina». Esa idea la fascinó. Quería aprender a hablar así. Sentir de ese modo. Ser como ellas.

En una sola semana ya estaba desnuda frente a un mediocre pintor que, aparte de pintar, regentaba un prostíbulo de lujo enfrente del Central Park. Al pintor, que tomaba notas en su libreta mientras la examinaba de arriba abajo detenidamente, le encantaron los pechos de la nueva chica, aunque le aconsejó que hiciera ejercicio para reducir grasas. La aceptó en su prostíbulo. Quiso saber su disponibilidad y calendario menstrual y también lo anotó en su libreta. Le dijo que podía empezar esa misma noche, viernes, el día de la semana con más ajetreo. Prepararía una de las habitaciones para ella.

La ramera de la Quinta Avenida (que en este punto de la historia seguía sin ser ramera ni trabajar en la Quinta Avenida, pero le faltaba muy poco) decidió dar un paseo antes de iniciar el tratamiento para curar su corazón. No se apartó mucho del barrio. Quería conocer su potencial clientela. Esa zona la frecuentaban hombres educados y nada violentos. Hombres del Upper East Side. Durante su paseo por el East Side River, mientras observaba los rostros de esos hombres por los que pronto no sentiría nada, sufrió una taquicardia en toda regla. Como un pez luchando por desengancharse del anzuelo que le saca del agua, su corazón aleteaba con la desesperación de quien pide socorro. Tuvo que sentarse en un banco y respirar hondo. La brisa era fresca y estaba atardeciendo. El reflejo de la luz sobre el río Hudson teñía el agua de fucsia. Aún le quedaban unos minutos antes de que anocheciera. Pensó que quizá su problema había sido obcecarse en buscar al hombre ideal y no permitir que fuera él quien la encontrara. Cerró los ojos y dijo en voz alta: «Te doy unos minutos más, amor mío. Encuéntrame». Escuchó las pisadas de los romeos que atravesaban el parque hacia el norte y hacia el sur, pero ninguno de ellos se detuvo a su lado para desenganchar el anzuelo que tiraba de su corazón. Cuando abrió los ojos ya había anochecido.

Desde esa última aceleración cardiaca han pasado ya muchos años, y la ramera de la Quinta Avenida (ya ramera profesional) ahora habla con frialdad de los hombres y cobra 10.000 dólares al mes. No se siente ni triste ni feliz, aunque se aburre con más frecuencia que cuando solo sufría. Bebe café soluble a todas horas para reanimar su corazón y no se quita su kimono de seda en casi ningún momento del día. Ahora, cuando se encuentra en medio de un debate sobre el amor, se posiciona a favor de los que dicen que, con el tiempo, aprendes a dejar de ser una víctima fácil.

A pesar de haber conseguido los resultados que buscaba, la ramera de la Quinta Avenida ha detectado un cierto margen de error en su cura. Le ocurre lo siguiente:

Siempre que, caminando por las calles, comprando en algún establecimiento o, incluso, a través de la pantalla del televisor, escucha el llanto de otra mujer, no puede evitar pensar que llora por un hombre. Y, en esos momentos, sin saber por qué, abre mucho los ojos y murmura:

—Siento que tengo que hacer algo pero no sé el qué.

No tenía más espacio donde escribir en la hoja de papel que el portero del edificio de Mila había arrancado de un calendario. En cuanto llegase a mi habitación transcribiría lo escrito en mi cuaderno. Si añadía detalles y describía con más precisión al personaje principal llegaría a rellenar hasta cinco páginas.

No me lo podía creer, ¡cinco páginas! ¡¡Cinco!!

—Siento que tengo que hacer algo pero no sé el qué —las imité al salir del metro, a Mila y a mi protagonista, ambas con acento bielorruso.

Yo sí que tenía claro lo que iba a hacer.

Abrí la puerta del piso y me asusté al encontrarme a Sveta sentada en la mesa del comedor. Sus ojeras habían adoptado un color cardenalicio. No se había desprendido de la ropa de por la mañana. Seguía de luto. Frente a sí tenía un envase Ben & Jerry's de litro y medio.

—¿De dónde vienes? —me preguntó, sacándose la cuchara que tenía en la boca.

—De la biblioteca.

Corroboró mi réplica con unos extraños movimientos afirmativos de cabeza, como si quisiera informarme de que había dicho justo lo que esperaba escuchar. Sus manos, que descansaban sobre su regazo, parecían dos palomas muertas.

—¿Por qué has apagado el móvil? —quiso saber.

—No lo he apagado. Se me acabó la batería.

Otra vez esos movimientos exagerados de cabeza: Sí. Sí. Sí. Sí. Sí. Yo, todavía en el umbral de la puerta principal, me decidí en ese momento a dar el primer paso hacia mi habitación.

—Ven —apartó la mano de su regazo para señalarme la otra silla—. Siéntate.

Su invitación me tranquilizó. Ahora Sveta sonreía con ganas. ¿Por qué iba a estar enfadada conmigo? Tonterías. Me senté y cogí el envase acentuando un gesto de glotonería. Cuando vi que no quedaba nada, que ella solita se había zampado el litro y medio de helado de vainilla con virutas de chocolate, supe que la situación no estaba bajo control... Sveta se desprendió de la máscara angelical de la que se había revestido por unos instantes y me enseñó, de nuevo, las garras.

—¿Has estado con Mila?

—No —me tembló la voz.

—¿Por qué mientes?

—No miento.

—Mila me lo ha dicho.

—¿Qué te ha dicho?

Tenía su teléfono móvil a mano. Lo desbloqueó.

—Me ha dicho... —buscaba el mensaje para leérmelo palabra por palabra—. Jorge dice que deberíamos hablar.

Puta Mila. Bocazas. Precisaba otra vez de la divina inspiración para inventarme alguna excusa, pero parecía que, después de *La ramera de la Quinta Avenida*, mi cabeza se había quedado tan vacía como el bote de helado.

—¿Y bien? —me exigió hablar.

La ansiedad por escuchar mi alegato de defensa le tensionaba su cara.

—Es que creo que deberíais hacer las paces. Mila se preocupa por ti.

—¿Has estado con ella, sí o no?

—Sí —me tembló la voz igual que cuando dije no.

Ahora que por fin le revelaba la verdad, su rostro y su cuerpo respondieron al unísono. Frunció el ceño y la boca, sus hombros se vinieron abajo, su espalda también, como si su columna vertebral fuera una torre de piedras desmoronándose.

—Otro mentiroso. ¿Todos los hombres sois iguales? No quiero vivir con un mentiroso.

Su voz era como una espada de hielo al compararme con el traidor de Dogan Harman. Me quedé callado, cabizbajo, el cuello atravesado por el filo congelado de su navaja.

—He dicho que no quiero vivir con un mentiroso. ¿Lo pillas? Tienes una hora para recoger tus cosas.

¿¡Qué!? Se le estaban fundiendo los plomos. Cuando hablaba con aquella voz cortante, incuestionable, de encargada de funeraria, sabía que iba en serio. Horas antes había decretado cambiar su vida bajo el mazo de esa particular voz. Apreté las mandíbulas para evitar que mis dientes siguieran castañeteando.

—No puedes hacer eso.

—Sí que puedo. No me pagaste el depósito, de modo que legalmente puedo hacer lo que me dé la gana.

Observé su vestimenta negra alejarse de mí, la viuda asesina abandonando a su víctima en el cementerio. Si permitía que llegase a su habitación sin retractarse de lo dicho, su amenaza se convertiría en un hecho cierto refrendado por un portazo. En tal caso, yo no sabría dónde dormir aquella noche. Tenía que rebelarme y acabar para siempre con la cobardía que me estaba condenando a no tener casa.

—¡Sveta! —Se detuvo y se giró, fingiendo que allí no pasaba nada fuera de lo normal—. Eres una zorra y mereces quedarte sola hasta el último de tus días.

Consiguió mantener su expresión imperturbable, pero atisbé su nerviosismo en cada uno de sus diez dedos. Temblaban como si aquellas dos palomas, antes muertas sobre su regazo, se esforzaran en mover las alas y salir volando de su cuerpo. Se llevó los brazos a la espalda para esconder la prueba de su vulnerabilidad y replicó:

—Tampoco te molestes en volver a Il Passatore. Estás despedido.

Ese es el último recuerdo que tengo de ella, sin expresión en la cara al borrarme a mí también de su vida e impidiendo que sus manos echaran a volar por el salón de casa.

Día 10

—Conmigo hizo lo mismo —me dijo en cuanto terminé de contarle lo ocurrido—. Absorbió toda mi sangre y, cuando ya no me necesitaba, me dejó de hablar.

Había pasado la medianoche. Volvía a estar en la cama de Mila, con Mila. Putana dormía a nuestros pies y emitía gruñidos somnolientos. Zhenia había vuelto a salir.

—Nosotras vinimos a un campamento de verano para aprender inglés. Allí todos se liaron con todos, como en cualquier campamento de verano. Sveta se echó su novio y yo el mío, y disfrutamos como niñas de nuestras vacaciones en América. Pero cuando el final se acercaba, a Sveta se le metió en la cabeza la idea de no volver a Bielorrusia. De que nos quedáramos las dos como ilegales en Nueva York. Estoy convencida de que jamás se hubiera atrevido a quedarse ella sola, así que insistió hasta que logró convencerme de que aquí nos esperaba una vida mucho mejor.

Al regresar a la Calle 58, la angustia por no tener un suelo sobre el que depositar mis maletas quedó nítidamente reflejada en mi rostro mientras explicaba a Mila la situación en la que me encontraba. Ella era la única persona a la que me atrevía a pedir auxilio, sin embargo me fue preciso disimular el miedo que me daba volver a entrar en esa casa ostentosa con vistas al Central Park.

197

—Nos mudamos al piso de Bed-Stuy y empezamos a trabajar como camareras siete días a la semana. Teníamos planes de ir a la universidad en cuanto hubiéramos reunido el dinero suficiente. A pesar de que fue un principio extenuante, lo recuerdo como una buena época. Nos habíamos convertido en mujeres independientes de la noche a la mañana, y aunque estábamos agotadas casi siempre, la emoción de tener tantas responsabilidades y objetivos nos daba fuerzas para continuar.

Giré mi cabeza hacia la ventana y observé el parque que nacía a partir de la Calle 59 y se extendía hasta la 110, en Harlem. Parecía una selva orillada por rectas montañas de cemento, cristal y piedra. Los vientos nocturnos sacudían su frondosa vegetación.

—Sveta siguió con su novio y yo corté con el mío. Al principio no me tomé en serio lo de Dogan, pensé que no tardaría en cansarse. Pero estaba equivocada. De una aventura de adolescentes, aquello se convirtió en una obsesión. Después de un año y medio, sus ojos no se despegaban de la pantalla de su móvil ni aunque le estuviera gritando al oído. Todos los que no éramos Dogan nos convertimos en prescindibles.

Deseaba que los loros y palmeras del kimono de seda de ese ser prescindible me arroparan. Su voz y su proximidad estaban librándome de la visión de Nueva York como un paisaje en el que deshidratarse a solas.

—Teníamos un pacto… estábamos juntas en todo esto… pero, a pesar de seguir compartiendo piso, me quedé sola en América. Mis padres no querían saber nada de mí y ya no les podría mostrar un título universitario con el que ganarme su perdón. Sin Sveta, tratar de convertirme en abogada no me parecía posible.

Hizo una pausa para colocar un cojín debajo de su cabeza. Se acomodó con los ojos fijos en su nuevo techo sin pegatinas fluorescentes.

—Cuando me junté con Zhenia empezó a mirarme con asco. Después de ignorarme durante más de un año, ahora fingía decepción, como si le importara algo lo que yo hiciera con mi vida. —A pesar de la intensidad con la que hablaba, bostezó como si ninguno de esos recuerdos le afectaran más de lo imprescindible—. Decidí ser puta, sí... Pero nunca me atrevería a ser la grandísima hija de puta en la que ella se convirtió.

Yo también tenía motivos de sobra para estar de acuerdo con lo de «grandísima hija de puta», pero esa misma mañana Sveta me había dicho que me quería y, por muy vacuas que fueran sus palabras, me impulsaban a construir una imagen más amable en mi cabeza. La de una muchacha cuyo mayor problema era no saber a quién decirle te quiero. La visualicé sola en el salón de su piso de Bed-Stuy, rodeada por mapamundis de papel arrugado, sin Mila, sin Dogan y sin mí, declarando su fiel amor eterno a todas las paredes contra las que chocaba.

Después de que cada uno hubo concluido la narración sobre nuestro desengaño experimentado entre los mismos muros de Bed-Stuy, Mila era incapaz de mantener los ojos abiertos. Antes de que el sueño la venciera me propuso dormir en la habitación contigua. Zhenia no regresaría a Manhattan hasta la mañana siguiente. Me encantó la idea de robarle el dormitorio al objeto bidimensional que se había hecho con un lugar privilegiado en mi cabeza. De habitarle sin necesidad de enfrentarme a él.

—Zhenia ni se enterará de que he pisado su habitación —prometí, excitado—. Saldré de vuestra casa a primera hora de la mañana.

—¿A dónde piensas ir tan temprano? —se interesó.

No podía permitir que mis mentiras cruzaran el puente de Brooklyn.

—No lo sé —me sinceré—. No tengo casa.

—Puedes quedarte en esta mientras lo necesites —me dijo con una vocecilla enredada en el sueño.

Abandoné su habitación cuando ya se había quedado dormida. Me quité los zapatos antes de pisar las alfombras persas que cubrían el pavimento del área este del piso. A pesar de que encontré tres colillas de cigarrillos en un cenicero con incrustaciones de nácar y conchas, el espacio olía a jacinto y a desodorante masculino. Busqué información a mi alrededor, detalles que me revelaran qué tipo de persona era Zhenia, pero me resultaba difícil encontrar algo útil en la decoración. Cada objeto que componía el espacio se empeñaba en esconder al propietario, en lugar de mostrarlo de alguna manera. El único lugar donde podía intuir a Zhenia era en las marcas de su lecho. Si me acercaba lo suficiente a sus sábanas podía detectar una discreta fragancia a sueños y pesadillas.

Me quedé en calzoncillos.

Antes de meterme en la cama abrí su armario. Lo primero que me llamó la atención fue un abrigo tres cuartos de visón negro. No dudé en descolgarlo de la percha y echármelo sobre los hombros. Me coloqué frente al espejo de cuerpo entero que colgaba de la puerta del armario. Mi aspecto blanquecino y escuchimizado contrastaba con el pelaje que me ensanchaba los hombros como a un cazador siberiano. El abrigo me estaba haciendo tiritar, como si para confeccionar esa prenda le hubieran arrancado la piel a un mamífero enfermo y friolero. Me mantuve escrutando mi reflejo apoquinado y movedizo hasta que escuché unos gruñidos que me sacaron de mi ensimismamiento. Me encogí al pensar que los emitía la prenda que me estaba (des)abrigando. Luego reconocí a Putana desde la otra habitación y me separé del espejo. Colgué la piel de Zhenia en la percha y resbalé entre sus sábanas de satén.

Escuché cómo la puerta principal se abría y se cerraba, pero yo fingí seguir durmiendo. Escuché a alguien entrar en la habitación, acercarse a mí, detenerse y luego salir. Putana se despertó primero, luego escuché la voz amodorrada de Mila. Entre las frases en bielorruso que intercambiaron, ella pronunció mi nombre siete veces y él tres. Escuché los muelles del somier, un ligero crujir de maderas, pasos y pezuñas recorriendo el pasillo. Entraron en la habitación donde yo seguía dormido. La voz de Mila volvió a sonar. Calculé que estaría a unos seis metros a mi derecha. La voz de él sonó a poca distancia de mí, muy poca. Era una voz corriente, sin más, juvenil, masculina, nada excepcional. La lengua en la que hablaban sonaba a noticiero. Dos manos, que al tacto me resultaron inmensas, me agarraron por los hombros y me zarandearon un poco.

—Hola Jorge —me saludó tras el encontronazo de nuestros ojos—. Lus'ka me ha dicho que tienes que madrugar para ir a no sé dónde. Son más de las diez... ¿Te da tiempo a desayunar?

El encanto de sus ojos negros y achinados no era mérito del fotógrafo. Eran suyos, reales, exactamente los mismos que en las fotografías. La única diferencia que me confundió fue todo ese relieve que componía su fisonomía. Las curvas recobradas al natural que entraban y salían de su cara no cabían en ningún marco. Ese joven había dejado de ser una impresión sobre papel plano. Ahí lo tenía, enfrente de mí, a lo largo, a lo ancho y en toda su profundidad.

—Hola Zhenia —logré articular con voz queda.

—Tienes que desayunar —insistió, soltándome los hombros para salir de la habitación.

Mila estaba sentada sobre el alféizar de la ventana. Observaba el parque con mirada legañosa y una taza entre las manos. La luz solar incidía perpendicularmente en su cuerpo, coloreando una de sus piernas y la mitad de su cara del color opuesto al resto de su figura ensombrecida. Mi parte de la habitación seguía en penumbra. Enderecé la espalda sobre las almohadas y ella se giró hacia mí, haciendo que la luz se desplazara a su perfil opuesto.

—A mí por las mañanas solo me entra café —me informó—. Soy incapaz de tragar algo sólido hasta una hora y media después de despertarme. Por lo menos.

No me quitaba el ojo de encima mientras yo recogía la ropa que la noche anterior había amontonado sobre el respaldo de una de las sillas. Evaluaba cada centímetro de mi cuerpo. Después de taparme con mi camiseta y mis vaqueros hizo una mueca de aprobación carente de euforia, como si me concediera un seis sobre diez.

—Yo siempre me despierto muerto de hambre —comenté, consciente como nunca de la flacidez de mi estómago.

—No paro de decirle a Lus'ka que se tiene que esforzar más —dijo Zhenia sin detener la actividad que se traía entre manos—. Seguro que si desayunara por la mañana, luego no se pasaría el resto del día comiendo como una vaca.

Desde la mesa de cristal, alcanzaba a ver cómo se desenvolvía con soltura en la cocina. Iba vestido con pantalones cortos de deporte y una camiseta súper escotada y sin mangas. Su tórax quedaba casi al descubierto, un tórax lampiño del que sobresalía un pezón marrón como una castaña. No me extrañaba que Mila, al convivir al lado de este torreón atlético, no le hubiera dado una nota más generosa a mi aspecto en calzoncillos. Sus músculos sobresalían en diferentes formas voluptuosas al abrir y cerrar estantes, cajones, la nevera... Incluso percibí una tremenda contracción pectoral cuando volcó el contenido del cartón de cereales sobre un cuenco.

—¿Quién es Lus'ka? —pregunté.

—Yo —me contestó quien parecía dormitar junto a la ventana—. Él me llama así. —Aunque Zhenia también había dicho que comía como una vaca, rebosaba orgullo al reconocerse merecedora de ese diminutivo.

—¿Sabes qué, Jorge? Solo los que nos despertamos con hambre nos comeremos el mundo. Detecto de inmediato a la gente que no desayuna. Arrastran de un sitio a otro su mal humor. No desayunar provoca depresión y falta de concentración, ¿lo sabías? La gente no se toma en serio el desayuno y luego se corta las venas. Hay que empezar el día con una buena dosis de azúcar y vitamina C. ¿Te gustan los arándanos?

—Sí.

—Eso es ¡perfecto!

El bol de cereales que Zhenia depositó frente a mí me proporcionó una información más válida sobre su personalidad que la que había obtenido en su habitación. Había diseñado el aspecto de mi desayuno con un mérito superior al de sus cuadros. El muesli y las nueces estaban repartidos alrededor de una bola de yogurt cremoso moteado por semillas de sémola. El color rojo de las fresas y el azul de los arándanos se alternaba creando un bonito anillo meridiano. Las finas líneas de miel parecían esbozar la firma del autor. El conjunto servía para centro de mesa.

Se sentó enfrente de mí, deseando verme ingerir el azúcar y la vitamina C que, aparentemente, eran imprescindibles para no cortarse las venas. Me relamí los labios en un gesto de satisfacción mientras masticaba aquello tan crujiente y sabroso, pero el bielorruso seguía atento a lo que yo fuera a decir, como si tuviera algo que decir. ¿Acaso quería una evaluación del desayuno?

—Y bien… ¿Cuál es tu historia? —me preguntó.

No sabía desde dónde empezar. El inicio es arbitrario cuando uno no tiene historia.

—Ha terminado con su novio —contestó Mila por mí.

A contraluz parecía que se había quedado dormida contra el cristal de la ventana, pero acababa de quedar claro que no. Le lancé una mirada furibunda. No era muy respetuoso por su parte proclamar en voz alta las confidencias de la noche anterior.

—Eso es ¡perfecto! —celebró Zhenia.

Desconocía el motivo por el que los arándanos y mi ruptura se le antojaban asuntos igualmente ¡perfectos!, aun así estreché la mano que él alargó hacia mí a modo de felicitación. Mila daba palmadas desde el marco de la ventana. Estaban la mar de contentos. La luz del sol se expandía ahora por la amplitud del salón-dormitorio, iluminando

204

cada uno de los detalles que la noche anterior investigaba a tientas. Me sorprendió identificar una pieza colgada de la pared sobre el cabezal de la cama que hasta ese momento me había pasado desapercibida. Consistía en un tríptico de madera con una representación religiosa. Me planteé haberme despertado en un mundo al revés: un prostíbulo de fieles y devotos donde los infortunios amorosos eran motivo de celebración.

—Nueva York no es una ciudad para enamorarse. Ya tendrás ocasión cuando decidas mudarte a otro sitio. Estoy seguro de que no viniste aquí para echarte novio. ¿Para qué viniste? —quiso saber.

—Para ser guionista.

—Normal —intervino Mila—, con esa cara...

Zhenia miró a su compañera de piso con ánimo burlón.

—Lus'ka... ha dicho guionista, no actor. ¿Eres tonta?

Era obvio que a esa chica nadie le había explicado la diferencia que existe entre ambas profesiones. Me miró muy confundida, como si de pronto me hubiera convertido en un absoluto extraño.

—Puedo ver que has nacido para guionista, Jorge —dijo él con ojos entornados.

—¿Cómo puedes verlo? —le probé, escéptico.

—En tus párpados. La inteligencia se refleja en la forma en la que el párpado cae sobre el ojo. Apuesto a que tienes mucho que decir. Eres un tipo inteligente. —Se detuvo tras esta afirmación para escrutar mis párpados con la cabeza ladeada, como si necesitara corroborar su enunciado desde un ángulo distinto—. Pero ahora estás en la jungla y aquí, aparte de inteligente, se necesita ser más inteligente que los demás —enderezó el cuello—. Hay que luchar para ir hacia arriba, como los árboles cuando nacen apretujados los unos contra los otros. No tienes por qué vivir en un gueto como en el que vivías con esa loca que te ha echado de casa.

—Con Sveta —especificó Mila, esta vez segura de acertar.

—Nadie se merece vivir en un lugar así, y menos un guionista tan brillante como tú, Jorge. ¿Sabes quién es Dostoievski?

—Sí.

—¿Sabes lo que decía Dostoievski acerca de la vivienda?

—No.

—Solo en casas grandes se labran ideas grandes.

Esa voz que al escucharla desde la cama me sonó vulgar, ahora me estaba provocando una sensación diferente. Con los ojos abiertos, la voz tenía forma y temperatura, como si fuera algo que se pudiera recoger con las manos. Después de la primera bielorrusa, a la que le importaba un comino todo lo mío, y después de la segunda, que tenía la picha hecha un lío, aparecía Zhenia, el tercer bielorruso en la historia de mi vida, el bielorruso por antonomasia, con su voz cálida, redonda y tan persuasiva como una flauta mágica.

—Mira dónde estás —extendió los brazos, inclinando la silla hacia atrás al retreparse contra el respaldo—. Es mejor que ese cuchitril de Brooklyn, ¿no crees?

Se mantuvo balanceándose sobre las patas traseras hasta que yo le respondí.

—Sí.

—Yo también soy artista, como tú. ¿Sabes qué es lo peor que puede hacer un artista?

—No.

—Convertirse en camarero. Los que eligen esa profesión para mantenerse no se dan cuenta de que están renunciando a su tiempo. Y los artistas dependemos del tiempo como del aire. Los restaurantes de Nueva York son cementerios de talentos perdidos. ¿Quieres que te cuente mi historia?

—Sí —respondí.

—Llegué a Nueva York hace cuatro años con menos de dos mil dólares ahorrados… —Aguardó en silencio seis segundos cronometrados antes de desvelar el final de su historia—. Ahora pago cuatro mil de alquiler al mes —dio un golpe seco sobre la mesa, tras el que se puso de pie y se dio la vuelta, como si con eso lo hubiera dicho todo—. ¿Quieres saber lo que me ha hecho llegar hasta aquí?

Empezaba a sospechar que a Zhenia le producía un placer inmenso recibir respuestas monosilábicas.

—Ya lo sabe —se adelantó Mila—. Se lo dije anoche.

Le mandó callar con la mano. Por lo visto no se refería a su profesión.

—Este libro —me informó tras alcanzar uno de los dos libros en bielorruso apilados en su mesilla de noche.

Extendió su cuerpo de lado a lado de la cama, con el vientre contra el centro y las piernas bailoteando en el aire. Me tradujo al inglés el título del volumen, me deletreó el nombre completo del autor y me facilitó la dirección de la librería donde podría hacerme con un ejemplar, como si en lugar de una cuchara y un tazón de cereales tuviera bolígrafo y papel.

—Este libro es todo lo que necesitas para encontrar lo que estás buscando, Jorge.

Introdujo sus dedos entre las páginas y lo abrió por un punto subrayado con rotulador amarillo. Leyó parte del pasaje a ritmo lento, traduciendo las palabras con precaución.

—Talento, perseverancia y un deseo inquebrantable de triunfar son los ingredientes necesarios para alcanzar el éxito. Y esta es la receta que utilizaron los grandes hombres y mujeres que no se conformaron con lo que hace la mayoría de las personas, seguir a la manada. Ellos y ellas lucharon sin tregua para materializar sus sueños. Lo que diferencia a estos seres de la multitud es que tuvieron el valor de comenzar y, una vez en marcha, no se rindieron ante nada.

Me daba la sensación de que ese recién conocido sabía más sobre mí de lo que yo había tenido ocasión de contarle. Le miré con una mezcla de admiración y pasmo.

—¿Cuántos años tienes? —investigó al poco de finalizar su lectura.

—Veinticuatro.

—No te queda mucho tiempo por delante —adoptó un semblante definitivo tras rodar hacia los pies de la cama—. Nadie quiere una polla de veinticuatro si pueden tener una de veintitrés. Después de los veinticinco, olvídate. Demasiado tarde para empezar.

Me quedé callado. ¿Había dicho polla?

—Solo tienes que ir a los lugares que frecuentan viejos verdes con dinero y decirles que echas de menos a papá y a mamá —me explicó—. Hay cantidad que estarían dispuestos a pagarte un alquiler en Midtown a cambio de que les des un poco de pena y mucho morbo.

—Les encanta que me vista de Pocahontas —participó Mila.

—El secreto está aquí —concluyó él, repiqueteando con el dedo índice contra la sien—. Hay que ser más inteligente que el resto. No todos pueden llegar hasta arriba.

Me estaba haciendo un lío. Entreveía en sus palabras una estrategia para prosperar basada en pautas severas que sería conveniente que empezara a aplicarme yo también. Zhenia no estaba dispuesto a perder el tiempo y yo ya lo había perdido demasiado. Sin embargo, él hablaba sobre prostitución y hacerse con una vivienda en Manhattan, mientras que yo pensaba en guiones de películas y forjarme una vida en torno a la escritura. Él hablaba sobre realidad y yo sobre ficción. Él me estaba dando argumentos para que me hiciera chapero y a mí me estaba sonando todo de maravilla.

—¿Y si uno de esos viejos verdes resulta ser violento? —planteé.

—Estamos constantemente rodeados de gente que nos puede sorprender. ¿Y si Sveta hubiera sido asesina en serie? ¿Y si Lus'ka y yo estamos locos?

Precisamente estaba pensando en eso.

—¿No os da miedo acabar… locos?

Reconocí complicidad en su instinto de buscarse con la mirada, de reafirmarse en su subjetiva prudencia, de estar juntos en todo ese tinglado de vida que se habían montado en las alturas de la Calle 58.

—¿Por qué íbamos a acabar locos? —se defendió él—. ¿Acaso crees que tú no te prostituyes, Jorge? Nos prostituimos a diario. Nos empezamos a prostituir desde el momento en el que aceptamos las reglas de este mundo de mierda. ¿Qué te ocurre? —me preguntó, adivinando mis prejuicios—. Nosotros no vendemos armas ni drogas. Nos limitamos a ofrecer belleza y juventud. ¿Qué hay de malo en eso? Créeme… La mitad de los ciudadanos de Nueva York ha hecho lo mismo que Lus'ka y yo hacemos. Y la otra mitad no lo ha hecho porque son feos.

La oscuridad de sus ojos creaba en mí un efecto hipnótico.

—Son las once menos veinte, cariño —Mila me avisó—. ¿A dónde decías que tenías que ir tan temprano?

No sabía adónde tenía que ir pero, en su intervención, reconocí a mi madre y a la Virgen María que colgaba del techo recomendándome al unísono poner pies en polvorosa. El pezón que esquivaba la tela suelta de la camiseta de Zhenia y su voz agridulce estaban tragándose hasta el último resquicio de mi cordura.

—¡Mierda! ¡No voy a llegar! ¡Tengo que estar allí a las once!

Al incorporarme, Mila me siguió hasta el recibidor. Putana reapareció, llenándolo todo de ladridos. Tenía el presentimiento de que los bielorrusos no me permitirían huir hasta que accediera a formar parte de su «gabinete de abogados». Cuando sentí la palma de la mano de Mila aterrizar sobre mi espalda, el corazón me dio un vuelco.

—Llévate estas llaves —me ofreció—. Puede que no estemos en casa por la tarde.

Me hice con el llavero sin disimular mi suspicacia.

—¿Estáis intentando convencerme de que me haga chapero? —le pregunté en voz baja para que el otro no me escuchara.

—Haz lo que te parezca mejor.

Me dirigí hacia el Village, donde el cielo está más cerca del suelo y uno no pierde la cabeza con tanta facilidad. Recorrí seis calles a pie, de la 58 a la 52, pero el entorno me resultaba insoportable. Había demasiada ciudad en esta parte de la ciudad. Subí a un autobús que se dirigía al Downtown y me senté de espaldas a la ventana para evitar la urbe.

Cuando la aguja marcó la hora en punto me apeé del bus. Transité el Madison Square Park tan rápido como pude. En mi cabeza escuchaba la marcha constante de los segundos y los minutos adelantándome por todas partes. Me detuve en la esquina de la Quinta Avenida con la Calle 12 y observé la cima del torreón gótico compuesto por columnas que trepaban la fachada hasta acabar en punta. Había llegado tarde, con los pelos revueltos y sudando a mares, pero al fin había llegado a un lugar seguro. Me calmé tan pronto di el primer paso por el camino de piedra que daba acceso a la iglesia presbiteriana del Village.

—La ceremonia ya ha empezado —me susurró uno de los tres señores que vigilaban la puerta principal y acompañaban a los visitantes a sentarse dentro del templo—. Si no le importa, acceda al mezanine por estas escaleras.

Era capaz de reconocer los rizos de Fabio entre millares de peinados, especialmente en un entorno donde predominaban canas y calvicies. Me senté en el banco más cercano a la barandilla desde el que conseguía una perspectiva de ave. Tras el primer vistazo no me pareció ver ni un pelo suyo. Atisbé a mi derecha y a mi izquierda, por si acaso estaba en el altillo junto a los que habíamos llegado tarde, pero no. A pesar de su reciente afición a leer la Biblia, estaba claro que los rizos tropicales de Fabio no habían acudido a la iglesia ese domingo por la mañana.

El órgano se estrenó con tres notas graves y un tremendo coro formado por al menos veinticinco personas irrumpió de la nada. No había reparado en el conjunto de túnicas blancas que ocupaban los tres niveles de las gradas ubicadas en el ábside poligonal de la cabecera. Había integrantes de todas las edades, desde jóvenes sin pizca de sexo bajo sus mantos, a ancianos que sujetaban los cancioneros con pulso tremulante. Me dejé llevar por las voces que, aunque manaban claramente de las veinticinco bocas que se abrían y se cerraban a la vez, las sentía palpitar dentro de mí, como si ese sonido carente de edad, o fruto de todas las edades juntas, fuera también mi voz.

Cuando la música cesó y el pastor subió al púlpito, me hundí en el asiento de madera y me crucé de brazos. Desde mi nave lateral tenía la sensación de poder entrever el denominador común de cada una de las mentes ahí reunidas: andaban a la caza de alivio a través de los dogmas de la fe. Éramos mentes débiles y románticas. Aquí estábamos reunidos los que, de una u otra manera, buscábamos la seguridad de un amor eterno. Pero Fabio no estaba y hacía años que Dios tampoco.

Los compartimentos donde se amontonaban las Biblias y los cancioneros también disponían de lápices cortos y un montón de sobres para las ofrendas. Utilicé la tapa dura de una Biblia como soporte donde apoyar el sobre que tenía en la mano. Mis palabras estaban deseosas por lanzarse de bruces contra el papel.

Hay una avioneta suspendida en el cielo. Ni sube ni baja, ni va ni viene. Se queda en el mismo lugar, como clavada con una chincheta.

Una de las pocas personas que estaban conmigo en la nave lateral se acercó a mí por la espalda y me tocó el hombro. Me giré, ansioso por volver cuanto antes al papel. Un negro cuadrado como un armario me ofrecía su mano para que la estrechara.

—Jorge —me presenté, convencido de que se había confundido de persona.

—La paz sea contigo.

En cuanto dejó mi mano libre, la volví a utilizar para llenar el sobre de palabras.

Dentro de la avioneta hay un piloto y dos aventureros. Digo aventureros porque se retaron a hacer paracaidismo y han llegado a un punto sin retorno. El piloto lleva minutos aguardando el salto. Ambos se colocan cerca del borde. Están algo nerviosos. A decir verdad nunca se les ha visto tan histéricos.

Son pareja. Ahora no se les puede distinguir porque llevan el mismo mono y el mismo casco, los dos son delgados y más o menos de la misma talla. Uno de ellos soy yo, por cierto. El de la derecha o el de la izquierda. No hay forma de saberlo.

—Una... Dos... y...

Saltan antes de pronunciar el tres. Se han adelantado un número.

Incluso en la inmensidad del cielo eligen estar juntos. Disfrutan adoptando poses ingrávidas. Se ríen de sus bocas infladas por el aire. Gritan «¡Jerónimo!» y se lo pasan pipa haciendo las típicas tonterías que la gente hace cuando está en el aire y todo parece fácil, ligero, eterno... Sienten la velocidad en la cara. Adrenalina. Son pájaros. Se miran. Se cogen de las manos. Están enamorados. Son pájaros enamorados: Periquitos. Palomas de la paz. Pavos reales. Pura vida. Libertad y diversión. Pero ahora fíjate bien... se creen que vuelan y no vuelan, en realidad caen. Están cayendo en picado. Un suelo de cemento, piedra y cristal se aproxima. El gozo se desvanece en un instante y ahora tienen

213

que preparar el aterrizaje. Deberían separar las manos y espabilarse.

No tienen opción: las separan y se espabilan.

El procedimiento no puede ser más sencillo, además el piloto lo ha explicado hasta tres veces antes del despegue. Cada mochila contiene dos paracaídas. Las anillas pegadas a la pechera del arnés son las que abren el paracaídas principal. También cuentan con uno de emergencias, por si las moscas. Ese se activa con las anillas ubicadas cerca de las axilas. Se tira de ellas, el paracaídas sale de la mochila y se infla. Eso es todo.

Uno de ellos —de nosotros, él o yo— se ha quedado colapsado. Ya ha tirado de las anillas, de las del arnés y de las del sobaco, y su mochila no ha soltado ningún paracaídas. Cuando termina de asimilar aquello tan increíble que le está pasando, entra en pánico. Un pánico irremediablemente discreto, porque estando en los aires y con esos cascos que casi cubren la cara entera no se pueden vislumbrar las emociones de nadie. El individuo del paracaídas averiado se lanza sobre la espalda del otro. Lo abraza fuerte. Quiere pedirle ayuda, pero es complicado articular palabra cuando uno está en shock. También quiere decirle que le ama, que se quiere casar con él, que ha sido feliz a su lado y que está a punto de morir en un accidente brutal y absurdo. El individuo del paracaídas no averiado no entiende nada y tan solo trata de quitarse al otro de encima. Quiere decirle que deje de jugar, que se aparte, que qué diablos está haciendo, cabrón, hijo de puta. Con su pareja pegada a la espalda no puede desplegar sus paracaídas. Los está bloqueando con la presión de su cuerpo. Le está arrastrando a la tumba con él.

Imposible esquivar el golpe. Distinguen los colores y las formas de las piedras.

214

De este modo, unidos en un abrazo maldito, la pareja reco-
rre el tramo más contaminado del cielo. Desde las montañas, o
incluso desde los rascacielos más altos de la ciudad, se escucha en
el aire el último deseo de cada uno de ellos:
    —¡Sálvameeeee!
    —¡Suéltameeeee!

Arrugué el sobre y lo escondí en el bolsillo de mi pantalón. Le había visto por el rabillo del ojo. Era él. Como si le
hubiese invocado con mis palabras. Caminaba sin hacer
ruido para que ni el mismo Dios se enterara de que llegaba más de media hora tarde. Las marcas de almohada
grabadas en su mejilla dejaban claro el motivo del retraso.
Estaba a escaso medio metro de mí. Todavía no me había
visto. Yo había corrido despavorido desde la Calle 58
hasta la 12 para encontrarme con él, pero ahora que lo
tenía enfrente solo pensaba en esconderme. Antes de que
pasara de largo, estiré de su chaqueta para que se diera la
vuelta.
    —Hola Fabio.
    —Jorge... —susurró, lleno de asombro.
    Me desplacé hacia un lado para hacerle sitio en el banco.
Fabio se sentó, todavía incrédulo de verme en su iglesia.
En cuanto se hubo acomodado abrió la palma de su mano
sin acercarla a mi cuerpo, decidido pero reservado. Solté
el lápiz y enredé mis dedos entre los suyos. Mientras nuestras manos se agarraban entre sí con fuerza, escuché el
cilindro de madera rodar hacia el borde del banco y caer al
suelo, rebotando tres veces contra las baldosas. Entonces,
cuando el lápiz desapareció en el silencio del pavimento,
Fabio esbozó una sonrisa limpia, garantizándome un final

más esperanzador que el que acababa de escribir con esa mina.

Nos giramos hacia el presbítero. De la mano de Fabio ya no existían fantasías dentro de mi cabeza. Mi mano en su mano y el pastor hablando.

—Hoy en día la sociedad busca más que nunca establecer un sentido, un objetivo y una dirección a su vida. La gente está necesitada de consuelo para el alma y esperanza para el espíritu. Jesús es la respuesta, pero el hombre contemporáneo ya no se plantea la pregunta. Y la pregunta es... ¿Por qué?

También dijo:

—La Iglesia está en una época de entre tiempos. Partimos de lo que fuimos y nos hallamos a mitad de camino de lo que seremos. Todos los que hoy estáis aquí conmigo formáis parte del cambio. Sentíos orgullosos porque sois diferentes a los demás. Toda transición es ardua y durante la que estamos sufriendo no os habéis dejado llevar por lo fácil. No lo hagáis, ¡nunca!, porque Dios se deleita con la diferencia.

Y concluyó su reflexión proclamando que:

—La misión principal de la Iglesia siempre ha sido ser la casa del hombre.

Estaba ofreciendo vivienda en el momento en el que más necesitado estaba yo de una. Formulaba su sermón con enunciados incuestionables en el momento en el que yo me lo cuestionaba todo. Sus palabras se dirigían sin miedo a la audiencia en el momento en el que las mías se escondían, arrugadas, en el bolsillo de mi pantalón. El hombre erguido sobre el púlpito representaba todo lo que a mí me faltaba y me parecía motivo de sobra para querer creerle.

Después de la ceremonia, Fabio propuso ir al jardín trasero de la iglesia, donde había un banco a la sombra de un ciprés. Ese patio me recordó al de Eve, al que la anciana me había invitado el día en que nuestros caminos se cruzaron por primera vez. A pesar de estar ubicados en Manhattan, eran parcelas que servían de cobijo para pájaros hastiados del ruido y el hormigón. Atravesamos el césped recién cortado hasta sentarnos en el banco. No había nadie más que nosotros dos en el jardín.

—Todavía tienes las marcas de las sábanas —le dije.

Fabio resopló con reconocimiento de culpa y restregó las palmas de sus manos contra sus mejillas. Amasaba sus facciones igual que si amasara pan. Cuando su rostro todavía estaba atrapado por sus manos dejó escapar un anuncio:

—Mañana me voy a São Paulo... para siempre.

Inmediatamente después de que se descubriera la cara me pareció verla desfigurada. Los párpados arrugados, una ceja mucho más alta que la otra, la boca torcida, como si se lo hubiese descuajeringado todo a base de frotar. Ese efecto visual solo duró unos segundos. Pestañeé, y al abrir los ojos las facciones de Fabio habían recuperado su ser habitual.

—¿¡Para siempre!?

Desde que me había reunido con él en la iglesia consideraba que por fin estaba haciendo algo acertado. Me había atrevido a vivir con independencia y tenía razones de sobra para deducir que no había funcionado. Estando solo me convertía en un imán que atraía a los desesperados y solitarios, a las almas desencantadas de Nueva York, y yo no oponía resistencia alguna a que ellos me arrastraran hacia su pozo de lágrimas.

—Vente conmigo —me dijo, como si adivinara mis pensamientos.

Levanté la barbilla para mirar hacia la copa del árbol que desplegaba su sombra sobre nosotros, como si tramara la manera de trepar hasta el pico más alto. Imaginé el aspecto desaliñado de los rizos de Fabio llenos de arena y sal en la playa de Ipanema, y todo a mi alrededor sufrió un temblor. Irme a Brasil era una locura, pero más disparatado era quedarme con Zhenia, Mila e incluso con Eve Sternberg.

De todos modos, ya era demasiado tarde para alterar la respuesta que le debía:

—Los dos sabemos que necesito estar a solas.

Paseé por el West Side Highway igual que lo hizo en mi relato la ramera de la Quinta Avenida por el River East Side Park, con la vida en un punto de giro definitivo. La calzada para peatones estaba entre una vía reservada a ciclistas y una avenida de ocho carriles. Pasé de largo el muelle número ochenta y tres, ubicado frente a una parada con media docena de autobuses vacíos. Los transbordadores que iban y venían de New Jersey cruzaban el río Hudson trazando líneas paralelas en la llanura de agua. Las nubes se tiñeron de rosa y el sol se escondió entre los edificios del Financial District. Las ráfagas de aire empezaron a azotar con fuerza.

Tenía tanta consciencia de mi fragilidad que hasta el «haz lo que te parezca mejor» que me aconsejó Mila me daba miedo. Estaba claro que algo debía de estar fallando en mi cerebro si las palabras de un cura y las de un chapero se me antojaban igual de convincentes y al final lo único que deseaba hacer era volver al punto de partida: Fabio.

Para decidir si debía dirigirme a la Calle 58 o borrar para siempre esa dirección del mapa me urgía una segunda opinión. Me movía entre aguas movedizas y Nueva York es una ciudad peligrosa para dejarse llevar. Necesitaba llamar a alguien.

—¡Jorge! ¡Jorge! —gritó mi madre—. Cuelga que te llamo yo.

Di la espalda al río y me apoyé sobre la balaustrada del malecón. La Avenida Doce ofrecía el ángulo trasero de un Manhattan lleno de grúas y edificios a medias.

—¡Jorge! ¡Jorge! —la dejé gritar—. ¡Jorge!

—Esta ciudad me da náuseas —escupí en un arrebato de cólera—. Me hace sentir que el fin del mundo está a la vuelta de la esquina. En todas las estaciones de metro anuncian enfermedades horribles: gonorrea, sida, Alzheimer, cáncer, hepatitis… Cada mañana me despierto con síntomas de una enfermedad distinta. ¿Y sabes cuánto cuesta una visita al doctor? ¡Dos mil dólares!

—Qué barbaridad…

—Creo que ha llegado el momento de volver, mamá.

Necesitaba el Mediterráneo. Tomarme un vermut con hielo y una rodaja de naranja. Ser joven e irresponsable. Fumar porros. Tener resacas y amigos españoles. Los amigos de aquí eran unos proxenetas.

—¿De volver a dónde? ¿A Valencia? —me preguntó, perpleja—. Qué tonterías dices. Si acabas de empezar a trabajar.

Era muy típico de mi madre suplicarme algo hasta el momento en el que yo accedía. Entonces me suplicaba lo contrario.

—De camarero —me pareció preciso recordarle—. He empezado un trabajo de mierda como camarero.

No le pensaba decir que me habían despedido. Ella y mi padre se iban a llevar un chasco si descubrían lo poco que me había durado mi primer empleo.

—Te equivocas. Has empezado a ser un adulto. Ahora no te puedes echar atrás.

—Pero lo que yo quiero ser es guionista.

—Y lo serás, cariño. Sigue escribiendo. En la vida las pretensiones no se consiguen de golpe.

La sirena de uno de los ferries atracados en el muelle número ochenta y cinco rugió tan alto que logró enmudecer el ajetreo del tráfico tras mi espalda. Un grupo de cinco personas corría hacia el transbordador que pronto zarparía en dirección a la otra orilla.

—¡Quiero hacer cine europeo, mamá!

—Europa no está como para que te vengas a hacer películas. Al menos quédate hasta que el panorama mejore un poco. —Se mantuvo en silencio a la espera de que yo replicara, pero no sabía cómo hacerle entender que la situación económica del continente no afectaba para nada a mi urgencia de regresar—. Tu padre y yo te admiramos por lo que estás haciendo, Jorge —continuó con voz cálida—. Eres un valiente.

El barco abandonó el muelle y se desplazó sobre la superficie del Hudson con una calma anestesiada. Yo no había elegido ser valiente, lo que quería era ser pasajero de una embarcación que cruzara el Atlántico y me llevara a casa.

Dejé atrás el muelle número ochenta y seis y seguí adelante con paso inseguro.

—Adiós, mamá.

El apartamento estaba ahogado en oscuridad y silencio. No fui capaz de localizar el interruptor del vestíbulo. Avancé a tientas, con miedo a darme de bruces contra la primera esquina. Deseé que el chihuahua apareciera por algún rincón, pero Putana tampoco estaba.

—Joder —pronunció una voz avinagrada en la oscuridad—. He dormido todo el día.

Me giré hacia la habitación de Zhenia y, a primera vista, no fui capaz de distinguir nada más allá del marco de la puerta. Cuando mis pupilas se dilataron hasta alcanzar su máximo diámetro, una figura agazapada se perfiló en mitad de la habitación. Alargó un brazo y prendió la luz de una lámpara de pie. Zhenia estaba atándose los cordones de sus deportivas de espaldas a mí. Iba vestido con ropa de deporte, pero su voz había sonado a resaca de las malas. Al girarse hacia mí confirmé su malestar. Sus ojos estaban enrojecidos, subrayados por unas ojeras que no tenía por la mañana, y su tono de piel era cetrino. Se sirvió un vaso de agua en la cocina y se tragó un analgésico y un puñado de nueces.

—¿Qué hora es? —me preguntó.

—Casi las ocho y media de la noche.

En un arrebato, lanzó al suelo la última nuez que le quedaba en la mano. A continuación, se mantuvo examinando el fruto del nogal que rompía la pulcritud de su cocina. Estaba ceñudo y apretaba las mandíbulas.

—¿Quieres venir a correr?

—No tengo deportivas.

Me dejó elegir entre seis pares. Cuando me probé unas Reebok de modelo clásico, mis pies se sintieron más cómodos que dentro de mis propios zapatos. Me apremió a que me pusiera el chándal de inmediato. Ya había perdido demasiado tiempo durante ese domingo inútil, me dijo. Tenía la sensación de que cualquier desobediencia por mi parte desataría el mal humor con el que se había despertado.

Dejamos atrás el Hotel Plaza a marcha relajada e hicimos estiramientos contra el escalón de piedra que rodeaba la Pulitzer Fountain, al sur de la Grand Army Plaza. Pomona, diosa de la abundancia, coronaba la fuente a siete metros de altura, con su imperturbable mirada de bronce clavada en Zhenia y en mí, que estirábamos las pantorrillas y calentábamos los tobillos con movimientos circulares sobre las puntas de nuestras deportivas relucientes. Tan pronto entramos en el Central Park por el sudeste del parque, Zhenia marcó el ritmo de la carrera.

—¿Por cuánto tiempo piensas quedarte en mi casa? A partir de la segunda semana tendrás que contribuir con los gastos de electricidad. Si decides quedarte más tiempo, dividiremos el alquiler entre tres.

Le bastó un par de zancadas para dejarme atrás. El tejido de poliéster de sus pantalones deportivos se le metía por la raja del culo. Me resultaba imposible alcanzarle. Lo único que podía hacer era esforzarme por no perderle de vista, cada vez más lejano. La vereda serpenteante por la que corríamos apenas estaba iluminada. No había nadie más haciendo ejercicio, a excepción de un par de figuras solitarias que paseaban a sus mascotas. Empezaba a tener flato. Los cachetes turgentes de su trasero ya eran dos puntos minúsculos que se escapaban de mi visión. Tuve que detenerme. Me apoyé sobre una roca descomunal y escupí. Cuando se me pasaron las arcadas miré al frente. Zhenia ya no estaba.

Subí a paso lento una cuesta empinada masajeándome el área abdominal. Cuando llegué a la cima de la pendiente reconocí la silueta de Zhenia en el centro de un puente de piedra que cruzaba un estanque de aguas grises. La estampa no podía ser más apaciguadora, con todos esos patos que flotaban en grupo y el bielorruso dando saltitos muy seguidos, como si saltara a la comba. En cuanto miró hacia donde yo estaba volví a correr, simulando que en ningún momento había reducido el ritmo.

—Yo soy muy generoso, Jorge —ahora hablaba con un tono mucho más amable que el que había utilizado al mencionar las facturas—. Soy capaz de prestar dos mil dólares a un amigo en apuros, pero que a nadie se le ocurra recoger la nuez que hoy he dejado tirada en el suelo de mi cocina. ¿Entiendes a lo que me refiero? No soporto que toquen lo mío.

Decidí que si eso lo decía por su abrigo de visón, negaría rotundamente los hechos.

—A mí no se me puede ocultar nada —continuó—, y si no te lo crees, pregúntaselo a Lus'ka. Hace dos días descubrí que había hecho pis en la bañera. No me preguntes cómo, pero lo supe en cuanto entré en el cuarto de baño... Me faltó poco para echarla de casa. Tengo el instinto. Soy curioso. Atento. Estoy todo el día haciéndome preguntas. Por qué esto. Por qué aquello. Por qué. Por qué. Me encanta la investigación. La ciencia. Estoy pensando en tatuarme la cara de Einstein aquí, en el antebrazo. ¿Qué te parece?

—Yo soy más de letras —comenté sin aliento.

—También me gustan las letras. Me he leído dos veces *El Quijote.* —Tras decir esto se miró el otro antebrazo, como si se estuviera planteando tatuarse también la cabeza de Cervantes—. Me gusta casi todo.

Zhenia no tenía pinta de ser un chapero exclusivamente gay. Era polifacético y muy poco amanerado. Podía imaginármelo vestido con esmoquin en un restaurante de primera categoría al que le hubiera invitado una sesentona con la piel estirada. Él sabría comportarse como un caballero. Comería con los modales más refinados y no diría nada fuera de lugar. Su palique sobre Einstein, *El Quijote* y Dostoievski complacería a quien le estuviera retribuyendo su compañía a quinientos dólares la hora.

—Vamos a echar una carrera hasta esa caseta —me propuso, señalando una construcción en el centro de una glorieta, a cincuenta metros de distancia—. Quien llegue el último hace la cena.

No me permitió poner ninguna excusa con la que evitar una derrota garantizada. Marcó la línea de inicio con una rama y se colocó en posición de arranque, con la cadera levantada y el cuerpo inclinado hacia el frente.

—Uno, dos y... ¡tres!

El impulso con el que estaba siendo capaz de lanzar mi cuerpo al aire debía de ser cosa de las deportivas Reebok de Zhenia. Nunca había brincado de ese modo. El aire frío del parque me entraba a ráfagas por la boca y la nariz y yo lo expulsaba de mis pulmones como un toro bravo. Notaba mis uñas clavadas en las palmas de mis manos. Zhenia vitoreaba al lado mío, gritaba mi nombre como si yo fuera un futbolista a punto de marcar un gol. Su clamor cada vez sonaba desde más atrás y yo cada vez estaba más cerca de la meta. Llegué al pabellón y necesité correr alrededor de este hasta conseguir frenar por completo.

Sus aplausos y silbidos estimularon mi sensación de triunfo, sin embargo, no tardé en darme cuenta de que él no estaba corriendo. Avanzaba al ritmo de los que paseaban a sus mascotas.

—¿Por qué te has dejado ganar? —le interpelé en cuanto llegó a la plazoleta.

—¿Creías que te iba a hacer cocinar? ¡Eres mi invitado, Jorge! Te vas a chupar los dedos con mi machanka.

—¿Con tu qué?

—Mi especialidad. ¿No serás vegetariano?

Hicimos el recorrido de vuelta a paso lento. El cielo estaba regado de estrellas y la mayoría de las ventanas de los rascacielos que flanqueaban el parque estaban iluminadas. Por primera vez reparé en lo bonita que era la noche de Manhattan. También existían hogares tranquilos y sensación de descanso en esta ciudad frenética. Atajamos a través de un túnel corto que atravesaba un montículo cubierto de hierba. A mitad de la oscuridad del conducto, Zhenia habló, transformando su voz en un bisbiseo.

—Lus'ka me preocupa.

Me explicó que era una amiga fiel, pero una vaga rematada. Podía pasarse hasta cuatro días seguidos sin salir de la cama ni para ducharse, pidiendo comida a domicilio y durmiendo. Le pregunté si creía que estaba deprimida y me contestó que lo que estaba era mimada. Que seguramente sus padres le habrían consentido ese comportamiento, pero que él no estaba dispuesto a verla tirar su talento por la borda.

—¿Qué talento?

—Verás… —se dispuso a aclararme con tono de confidencia—. Lus'ka en Bielorrusia es fea, del montón. Ojos pequeños, dientes torcidos, sin apenas labios, gorda como un botijo... Es la imagen típica de una campesina cualquiera. Sin embargo, a los americanos les encantan sus tetas y su cara de lela. No he visto nada igual. Todos se enganchan a ella. Cuadruplicaría el dinero que saca si no fuera tan holgazana. Necesito que me ayudes a espabilarla antes de que sea demasiado tarde.

—¿Demasiado tarde para qué?

—Para despertarla.

Zhenia se detuvo en el portal de su edificio y me presentó al portero, que estrechó mi mano con desconfianza. Estaba claro que a ese anciano de uniforme impecable no le gustaba el inquilino del piso 2001 ni sus compañías, pero el bielorruso no se daba por enterado. Por algún motivo, se inventó que él y yo éramos hermanastros y que me alojaría con ellos unos días. Se cercioró de dejar claro que autorizaba mi libre acceso a la vigésima planta.

Al entrar en casa me propuso que me duchara mientras él empezaba a cocinar. Me acompañó al baño. Me entregó una toalla limpia. Me indicó hacia dónde girar la llave del grifo para que el agua saliera caliente. Podía elegir entre un champú francés y uno americano, los dos de primera calidad, y también me regaló una pastilla de jabón lavanda envuelta en plástico. Antes de cerrar la puerta, Zhenia me sonrió como si me fuera a echar de menos durante los próximos minutos.

No pude evitar reír con el contacto del agua sobre mis músculos fatigados.

El cuarto de baño se había llenado de vapor cuando Zhenia irrumpió en la humareda. La mampara que nos separaba era una hoja de vidrio semitransparente a través de la que el otro tenía libertad de indagar hasta lo más profundo de mi ombligo. El intenso aroma de su colonia se zampó al del champú afrancesado que me cubría la cabeza.

—Tengo que irme, Jorge. Ha surgido un imprevisto. Te he dejado un poco de tocino en la cocina. Te puedes acabar la tarta de calabaza. Caliéntala en el horno si quieres, pero fría está mucho mejor. Todos los ingredientes son orgánicos, confía en mí. Duerme en la cama que quieras. Imagino que Lus'ka tampoco pasará la noche aquí, aunque si eliges su cama te recomiendo que cambies las sábanas.

Cerré el grifo como si la presión del agua no me hubiera permitido escuchar ni una palabra. La neblina permaneció inmóvil entre nuestros cuerpos hasta que el otro cerró la puerta, barriendo con una rápida corriente de aire frío todo el vaho que me envolvía y me daba calor.

Esa noche elegí la cama de Zhenia.

Día 11

Lo que más me incomodaba de volver a las oficinas de Il Passatore era la posibilidad de encontrarme con mi antigua compañera de piso. Ahora yo estaba del lado de Mila, en el bando de las víctimas resentidas que no querían ver a Sveta ni en pintura, pero necesitaba mi dinero para empezar a buscar una nueva residencia. Pasé por delante de la sala de eventos y no escuché ningún ruido. Deseé que Anthony tampoco estuviera en su despacho. En tal caso, deslizaría una nota por debajo de la puerta con la dirección a la que remitir mi cheque.

Golpeé la puerta y maldije mi suerte al escucharle levantarse de la silla.

Ignoraba qué se habría inventado Sveta para justificar mi despido pero, a juzgar por la expresión crispada en el rostro de él al reconocerme, era probable que me hubiera dejado en muy mala posición.

—¿Qué quieres? —me espetó con voz bronca.

—Hola Anthony.

—¿Pretendes que te dé tu dinero? —atajó.

—Sí.

Su cabeza calva prendió como la punta de una cerilla.

—¡Anda y vete a tomar viento! —gritó, encolerizado.

Cerró de un portazo que resonó de punta a punta de la

sexta planta. No entendía nada. Cuando escuché el pestillo de la puerta que se volvía a abrir pensé en renunciar al dinero y salir corriendo.

—Aprende a asumir las consecuencias de tus actos, señor Bergman —estaba dominando su furia, ahora hablaba con un tono contundente pero diplomático—. Si desapareces de un día para otro sin previo aviso, no vuelvas a aparecer. —Hizo una pausa para comprobar si tenía algo que decir—. Contaba contigo y con Sveta para el último *catering*. Fue un desastre. Todo salió mal. Me habéis causado muchos problemas.

Me despistó que incluyera a Sveta en su reprimenda.

—¿Sveta no te dijo nada? —pregunté, desorientado.

—Ella al menos tuvo el detalle de darme la noticia con tres horas de antelación.

—¿Qué noticia?

—Que dejaba el trabajo.

—¿Yo?

—No, ella.

—¿Sveta ha dejado el trabajo?

El italiano puso los brazos en jarras y frunció el ceño. No estaba al corriente de que ella me había despedido. A su entender, sencillamente yo no me había presentado al *catering* en el que me había comprometido a trabajar. Le pedí que, por favor, me permitiera contarle lo que había pasado.

Se hizo a un lado para dejarme entrar en su minúsculo despacho sin ventanas. No había necesidad de mentir, los acontecimientos tal como sucedieron me redimían de toda culpa. No obstante, en cuanto tomé asiento la ficción nubló de golpe cada una de mis elucubraciones.

—Seguí tu consejo, Anthony... —El sonido adulador de mis primeras palabras le había desconcertado—. Hace unos días vi una película de Ingmar Bergman.

Mantuvo su mirada enfurruñada por unos segundos más, sin reaccionar a mi anuncio. Mi estrategia solo iba a funcionar si su admiración por el difunto cineasta era sincera.

—¿Cuál? —me preguntó con un tono carente de emociones.

—*Persona.*

Un brillo en sus ojos me transmitió que estaba yendo por buen camino.

Se rascó la barba, todavía indeciso sobre si querer o no iniciar esa conversación que no tenía nada que ver con los negocios que nos atañían aquella mañana.

—Buena elección... —cedió finalmente—. ¿Qué te ha parecido?

—Fascinante —respondí con los ojos muy abiertos—. No he visto nada igual.

Mi entusiasmo por la película aniquiló al Anthony empresario de un solo golpe, quedándome a solas con el otro Anthony. Colocó sus dos manos sobre su abultado vientre e inclinó el respaldo del asiento hacia atrás. De pronto parecía encontrarse muy lejos de su despacho.

—Ingmar Bergman padecía de unas diarreas crónicas que le deshidrataban y le causaban fiebres espantosas —me informó al rato—. Se le ocurrió la idea de la película en medio de una de esas noches delirantes que pasaba en el hospital. La primera imagen que le vino a la cabeza fue la de las dos mujeres con gorros de paja que comparan las palmas de sus manos en un paisaje exterior. A partir de ahí —y en este momento chascó los dedos— surgió la magia.

Me pregunté si realmente sería posible que una historia se forjara así, con un chasquido de dedos.

—La película es como un sueño un poco delirante, ¿no te parece? —comenté.

—¿La has entendido?

—Eso creo. —La había visto más de quince veces y cada visionado me había hecho llegar a conclusiones distintas. Me llevó un par de minutos decidirme por una de ellas—. Trata sobre la dualidad en todo ser humano. El abismo que se interpone entre ser y parecer. Las dos protagonistas representan cada uno de los polos opuestos que se chocan entre sí en una crisis de identidad.

—¿Quieres decir que Alma y Elisabeth son la misma persona?

Anthony había acercado su silla a la mía.

—Exacto —respondí—. La enfermera es la versión cotidiana y habitual, la que nos cruzamos a diario por las calles, vulnerable a una bofetada o a tres copas de vino. La actriz es la revolucionaria.

—Elisabeth Vogler —precisó imitando las consonantes suecas.

—Elisabeth Vogler abandona los escenarios de la vida vulgar en un intento de interpretar una versión más auténtica de sí misma. Decide no hablar para no arriesgarse a mentir.

—Por eso la mitad de sus caras se yuxtaponen en diferentes escenas de la película, porque son la misma persona. —Corroboré su comentario moviendo afirmativamente la cabeza. Acto seguido Anthony aplaudió, satisfecho con mi explicación—. Muy interesante interpretación, pequeño Bergman.

Me había sorprendido la pasión con la que había seguido mi razonamiento. Su relación con el cine era mucho más intensa que la de un aficionado cualquiera.

— Si no hubiera sido por ti nunca la habría visto. Gracias, Anthony.

Detecté que mi agradecimiento le turbaba. Apartó su silla de mi lado, como si en ese momento se percatara de haberse dejado llevar de forma inadecuada.

El teléfono del despacho sonó y a Anthony ni se le pasó por la cabeza atenderlo. Sin embargo, a cada tono que ignoraba su semblante iba recuperando, rasgo a rasgo, el rictus de un jefe de negocios. Ese ruido ajeno a nuestra conversación nos estaba volviendo a colocar en un mundo fuera de la pantalla.

—¿Qué tiene que ver *Persona* con que no te presentaras al *catering*? —me interrogó en cuanto cesaron los timbrazos, de nuevo airado.

Era el momento de que mi excusa se apoyara sobre fundamentos reales. De la mentira a la verdad. De la ficción a la vida misma. De Manuel Bergman a Jorge Lazcano.

—Yo también quiero hacer cine.

Tras mi declaración todo se hizo verdad. Yo. Mi sueño. Anthony. Su frustración. Estábamos en una habitación claustrofóbica que no tenía nada que ver con nosotros, ni con *Persona*, ni con el cine. Este despacho existía para él como consecuencia directa al pago del alquiler de un piso y otras facturas, a la pretensión de reemplazar los calcetines agujereados por calcetines nuevos, al paso de las quimeras adolescentes a una vida adulta y con cierta seguridad. Este despacho existía porque no todos los aspirantes a cineastas se despiertan de noches delirantes con una obra maestra entre las manos. Il Passatore se inauguró el día en el que Anthony tiró la toalla. En su mirada había nostalgia, como si acabara de repetir las palabras que él ya había proclamado quince años atrás. Sus ojos también contenían una gran dosis de resignación.

Abrió un cajón de su escritorio y sacó el talonario. Mientras lo rellenaba murmuró:

—Está difícil, chico. Muy difícil.

A pesar de que llevaba en mi cartera el carnet con mi identificación falsa, prefería retrasar mi visita al Pay-O-Matic unas horas. En su lugar me estaba dirigiendo hacia la Calle 8. El encuentro con Anthony me había hecho pensar en Eve desde la más absoluta admiración. Anthony representaba la claudicación y Eve el triunfo. Empezó a lloviznar, pero eso no detuvo mi marcha hacia su casa. Apagué el móvil a mitad de camino. No iba a permitir que esta vez nada ni nadie del mundo exterior me distrajera de mi comunicación con la dramaturga que siguió luchando incluso después de llegar a la meta.

Llamé al timbre de su casa pero no hubo respuesta. Si Eve hubiera salido, el portero me lo habría dicho. Lo apreté ininterrumpidamente hasta escuchar crujir los tablones del suelo de su dormitorio. Esperé a que el sonido de sus pisadas se dirigiera hacia mí pero, al cabo de unos instantes, empecé a sospechar que nunca me abriría la puerta. Se estaba desplazando en todas las direcciones de su apartamento menos hacia la correcta. Grité: «¡La puerta está en el recibidor! ¡Enfrente de la cocina!». Hubo unos momentos de silencio, como si buscara en un mapa la ruta que le acababa de dictar. A continuación los crujidos de sus pies sobre el pavimento se volvieron a reproducir. Esta vez venían hacia mí.

Eve abrió la puerta enfundada en un chubasquero rosa con capucha.

—Creía que te habías ido para siempre —dijo sin resuello.

Ella me reconoció antes de que yo reconociera a mi amiga en esa mirada extraviada en su propia vivienda. Parecía que tuviera diez años más.

—¿A dónde? —le pregunté, también sin resuello.

—A tu país.

Su barbilla y el contorno de sus labios estaban poblados de hirsutos pelos blancos que en ninguna otra ocasión se había dejado crecer tanto. La mandíbula le castañeteaba. Se había ajustado la capucha del impermeable y entrelazado los cordones laterales bajo su barbilla. Me preocupé por la indefensa criatura que tenía enfrente. No podía vivir expuesta a la posibilidad de no saber encontrar la puerta principal de su casa nunca más.

—No tengo planes de irme a ninguna parte —le informé, acercándome para darle un beso en la mejilla.

Por mucho lujo que hubiera en la casa de Zhenia y Mila, el piso de Eve me seguía pareciendo mil veces más atractivo. Ninguna pieza u ornamento estaba colocado para complacer al visitante. El desorden de los objetos era el reflejo cristalino de un cerebro superpoblado. Una persona acostumbrada a ese ambiente (museo de su talento) no podía acabar enclaustrada en una impoluta residencia de ancianos.

Hundimos nuestros traseros en los cojines mullidos del sofá del salón.

—¿Pensabas salir de casa? —le pregunté.

—No. Estaba tumbada en la cama. Me alegro mucho de que hayas venido.

—¿Por qué llevas puesto el chubasquero?

Eve deslizó sus manos sobre la funda rosa que la envolvía.

—He oído por la radio que va a llover.

Estaba, sin lugar a dudas, en peor forma que nunca. Me dispuse a bajarle la capucha pero ella se opuso. Apretaba mis muñecas a la defensiva, temiendo que le fuera a causar un resfriado. Yo había llegado para seguir ejerciendo el papel de aprendiz, pero la situación me exigía actuar como su tutor.

—No necesitas la capucha dentro de tu casa —le expliqué, señalando el techo.

La fuerza con la que oprimía mis muñecas desapareció. Miró hacia arriba y se puso colorada.

—Qué tonta... —murmuró. Le aparté la capucha y le ordené algunos mechones sin dar más importancia a su despiste—. Quizá sí que iba a salir —se excusó—. No sé... Tengo que hacer algo con este pelo. ¿Te importaría lavármelo?

Aparté rápidamente mis manos de su cabello acartonado.

—Deberíamos continuar con la obra —propuse.

—¿Qué obra?

—*A Houseful of Steam.*

Repitió el título al menos cinco veces.

—Dime... ¿Es algo que estamos escribiendo juntos?

Se me puso la piel de gallina. ¿Estaría perdiendo la cabeza?

236

—Ojalá. La has escrito toda tú, Eve, hasta la última palabra. Yo solo te voy a ayudar a pasarla al ordenador.

Reparé en que el chubasquero rosa que llevaba puesto era el mismo que lucía el día en el que la conocí en la Avenida Broadway, cuando solo era una anciana que necesitaba ayuda.

—Tienes unos detalles de caballero exquisito... Tu madre debe de ser un encanto y tu padre, todo un señor. Pero siento decirte que no tengo ningún ordenador en casa.

—Tienes un ordenador estupendo fabricado en Japón —la corregí.

—¿En Japón? —no daba crédito.

Me incorporé y le ofrecí ayuda para que ella hiciera lo mismo. Ahora era yo el que la guiaba por su propia casa. Entramos en su dormitorio. Los estores estaban bajados y el ambiente cargado de insomnio. Uno de los cinco aparatos de radio repartidos sobre sus sábanas emitía música clásica, otro daba las noticias y los tres restantes contribuían al coro con interferencias. En cuanto llegamos al escritorio subí las cortinas. Seguía lloviendo pero hacía sol. Saqué de debajo de su mesa plegable la caja de cartón que contenía su ordenador a estrenar. Lo coloqué sobre la mesa.

—¿Toshiba está en Japón? —me preguntó al leer la marca.

—Eso creo.

Reconocí el cartapacio sobre una pila que hacía esquina en la estantería. Se lo entregué y la invité a sentarse junto a mí, frente al escritorio. Mientras ella inspeccionaba las hojas sobre las que se había dedicado a añadir anotaciones durante los últimos veinte años, yo descargué en su ordenador un programa para escribir en formato profesional.

—¿Sabes? Esta es una obra muy especial, Jorge. Me empeñé en que fuera lo más real posible… ¿Sabes a lo que me refiero con real?

La rapidez con la que el papel le hacía volver a sonar igual que Eve Sternberg me alivió hasta hacerme sonreír. Había repetido la misma pregunta que me hizo la vez anterior y yo estaba dispuesto a repetir mi respuesta con tal de recuperarla.

Nos pusimos a trabajar a eso de las doce y acabamos a las cinco de la tarde sin concedernos ni un solo descanso. Con frecuencia tenía que pedirle que redujera el ritmo, de lo contrario ella se embalaba en su actuación sin ni siquiera indicarme quién decía qué. Además, yo solo sé mecanografiar utilizando el dedo índice de cada mano, y eso no ayudaba. Ni exigiéndome el máximo era capaz de seguir el ritmo de la lectora.

```
FONTANERO: Están muy viejas, señoras.
FAYGELA: ¡Pero si todavía no hemos cumplido los
ochenta!
FONTANERO: Me refiero a las cañerías de la cale-
facción central. No sirven. Hay que cambiar la
instalación de todo el edificio.
FAYGELA: No será para tanto…
FONTANERO: Lo es. No hay forma de detener la
fuga. Si no se sustituye todo el sistema, el edi-
ficio se les llenará de humo en cuestión de días.
TAIBELA: Nos costará una fortuna. Ahora mismo no
nos podemos permitir…
```

FONTANERO: Si no lo arreglan, este edificio será inhabitable.

Conforme ella leía, su aliento cargado de personajes recorría mi oído y barría mis pensamientos. Todo mi cerebro se llenaba de su respiración. A través de los diálogos, Eve me estaba prestando un consuelo. Yo, que en esos momentos no era nada más que dos dedos sobre su teclado, no dejaba de sorprenderme ante el descubrimiento de que escribir una obra consistía exactamente en hacer esto que estábamos haciendo.

FAYGELA (al teléfono): Sí, señor Avidad, también he notado que cada vez sale más vapor de los calefactores. Lo sé, es muy incómodo. Lo sé, apenas se puede respirar. Sé que su hija tiene asma, sí, la pobre, con lo mona que es… Bueno, tampoco exagere que solo es vapor de agua, no gas. Créame, mi hermana y yo nos preocupamos por ustedes. Ya nos hemos reunido con un fontanero que no tardará en arreglarlo. No, usted no puede hacer eso. No. No. No. Tiene que pagar el alquiler de este mes. Tranquilícese, señor Avi… ¿Oiga? ¿Hola?
TAIBELA: Perfecto. El señor y la señora Pulik son los únicos inquilinos que todavía no nos han amenazado.
FAYGELA: No te preocupes por ellos. Están de vacaciones en París.
TAIBELA: No nos salen las cuentas, Fay. Tenemos que pedir otro préstamo para empezar la renovación. ¿Qué te pasa? ¿Por qué me miras así?

FAYGELA: Dejémoslo.

TAIBELA: ¿Dejar el qué?

FAYGELA: El edificio. Este trabajo… Esta vida…
Nosotras no elegimos nada de esto, era el negocio de papá y mamá. Nos merecemos decidir no
morir en el mismo edificio en el que nacimos.

TAIBELA: Estás delirando. Tómate una tila o te
volverá a entrar diarrea.

FAYGELA: Estoy convencidíííísima de estar
haciendo lo correcto. Somos chatarra vieja, Tai.
Es ahora o nunca.

TAIBELA: ¿Pero a dónde iríamos?

FAYGELA: A dónde iríamos, no. A dónde irías tú.
Llevamos setenta y tres años sin separarnos. ¿No
crees que ha llegado la hora de pensar por nosotras mismas?

Hubo un momento en el que los huesecillos de mis dedos
índice empezaron a resentirse. Cuando acabamos la
escena le propuse dejarlo por hoy, pero ella pasó la página
haciendo oídos sordos a mi sugerencia. Las energías de mi
amiga no menguaban. Ni siquiera era consciente de que llevábamos casi cinco horas sin parar.

—¿Quieres que te lave el pelo? —propuse en un intento
desesperado.

Eve dejó caer el archivador sobre su regazo. Hundió las
yemas de sus dedos en su cráneo y se rascó la cabeza en toda
su extensión.

—¡Sí! ¡¡Por favor!! ¡Me pica!

Me resultaba muy difícil intuir cómo íbamos a llevar a
cabo aquella actividad. ¿Pensaba desnudarse por completo

y meterse dentro de la bañera? Temí que su cabello fuera tan débil que se lo arrancara todo sin querer. Las posibilidades que se me pasaron por la cabeza me estremecieron.

Me cogió de la mano y salimos de la habitación. Caminaba deprisa por delante de mí, como si temiera que me fuera a echar atrás de un momento a otro.

—Creo que aquí estaremos cómodos —dijo en la cocina, detenida frente al fregadero, haciendo a un lado los platos y vasos sucios de la pileta.

Le abotoné el impermeable que no se había llegado a quitar a lo largo de nuestra reunión. Ella apoyó los codos sobre la esquina de la encimera y yo le ayudé a inclinarse hasta colocar su cabeza debajo del grifo. Me aseguró que estaba cómoda. Vertí el champú en el cuenco de mis manos y empecé a masajear su cráneo.

—Se te da muy bien, Jorge. ¿Por qué no te haces peluquero?

La escena de lavar el pelo a una anciana me había resultado, *a priori*, violenta, como si su ancianidad fuera a clavarme los colmillos a tan poca distancia. Sin embargo, ahora que tenía en mis manos su cabeza redonda y pequeña llena de espuma, me parecía una actividad de lo más natural. Le aclaré el pelo y la envolví con la toalla.

—¿Quieres que ahora te lo lave yo a ti? —se ofreció al enderezar la espalda. Tenía la cara toda arrebolada.

—No hace falta. Gracias.

Le indiqué que se sentara en la única silla que había en la cocina. Yo permanecí de pie frente a ella, frotando la toalla contra su cabello húmedo.

—Nunca nadie había hecho algo así por mí —me confesó llena de gratitud.

—Estoy convencidííííísimo de estar haciendo lo correcto —imité la voz que ella le había adjudicado al personaje de Faygela.

No tardó en reconocer esa frase de su obra y se rio con ganas. Yo creo que se reía porque se trataba de la prueba de que su texto, escondido del mundo durante veinte años, al fin había cobrado vida en la cabeza del primer lector.

—Tengo la intuición de que somos muy parecidos —comentó con tono espontáneo en cuanto su carcajada hubo amainado—. Algo nos une, pero todavía no sé el qué.

Nos unía la ficción. Su manera de escribir me había confirmado que Eve y yo teníamos más en común de lo que jamás hubiera sospechado.

—Nuestras meditaciones —opiné sin parar de frotar la toalla contra su cabello.

—¿¡Qué medicaciones tomas tú!? —se preocupó.

—Meditaciones —repetí, apartándole la toalla de las orejas—. La manera que tenemos de observar el mundo.

Entrecerró los ojos en un gesto reconcentrado. Los dientes del maxilar inferior golpetearon los del superior una sola vez, un sonido seco y contundente.

—Nunca he creído en Dios ni en el destino, pero me cuesta pensar que conocerte fuera cosa del azar.

En lugar de sentirme halagado ante su declaración, una polvareda de duda acorraló mis pensamientos. Me planteé si Eve hubiera repetido estas mismas palabras a cualquier otro joven dispuesto a lavarle el pelo. También me planteé si yo estaría pasando las horas con una anciana en el caso de que ella jamás hubiera escrito nada. De cualquier forma, y al margen de los intereses personales de cada uno, la cuestión era que Eve y yo estábamos empezando a querernos de un modo genuino.

Cuando le quité la toalla me llevé la mano a la boca, asombrado. Tenía unos rizos de cuidado. Los tirabuzones le caían en ondas completamente definidas y su frente estaba cubierta de caracoles. Desde que la conocí su cabello se le pegaba a la cabeza como si estuviera untado de mantequilla, pero tras el lavado había adquirido volumen y un color de un blanco deslumbrante.

—¿Algo ha ido mal? —me preguntó al ser testigo de mi sobresalto.

—Estás guapísima.

Me agarró de los brazos para incorporarse de la silla. Se desplazó hacia el salón tan rápido que me dejó atrás. Cuando aparecí donde ella estaba la encontré frente al espejo de cuerpo entero. Se miraba a muy poca distancia, con un solo ojo abierto para enfocar mejor. Desplazó su flequillo con las manos a uno y otro lado, y seguía con deleite el movimiento de su cabello al balancear la cabeza.

—Siempre he sido así —me explicó, abriendo el otro ojo—. Desde pequeña. Los amigos de mis padres me llamaban Ricitos de oro. Solían rodearme en corro cuando yo era una renacuaja y me pedían que les cantara. Me divertía ser la estrella.

—¿Qué les cantabas?

Se giró hacia mí para dejar de mirarme a través del cristal. Eve se relamió los labios y, una vez más, cambió su flequillo de lado.

Show me the way to go home
I'm tired and I want to go to bed

I had a little drink about an hour ago
And it's gone right to my head.

Al verla mover las caderas y cantar con voz aniñada me parecía estar viendo a la mismísima Ricitos de oro, una niña a la que le chifla estar en el centro del corro pero que sin embargo pasará la mayor parte de su vida a solas. El rostro de Eve conservaba un halo de esa niña presumida. A pesar de que su piel estaba estropeada, seguía trazando muecas llenas de vida y de ganas de vivir. ¿Era su soledad elegida la que la hacía inmune a la pena y el tedio? ¿Era su eterna soledad productiva la que le daba motivos para superar todos los obstáculos? Eve era del tipo de personas que no se dejan atrapar por la vejez hasta el ultimísimo momento. La perseguía, como nos persigue a todos los demás, pero por mucho que se asomara en sus ojos de vez en cuando, por mucho que la senectud le anquilosara las articulaciones y le espesase la cabeza sin permitirle encontrar la puerta principal de su casa, Ricitos de oro le negaría el acceso mientras conservara algún texto que poder mejorar.

Aplaudí cuando terminó su actuación, sintiéndome afortunado de tener la oportunidad de acercarme a una persona tan peculiar como Eve Sternberg.

El Pay-O-Matic que quedaba más cerca de la casa de Mila y Zhenia estaba en Hell's Kitchen, en la Avenida Nueve entre la Calle 52 y la 51. A diferencia de los coloridos rótulos trabajados en detalle de los establecimientos circundantes, el lugar al que me dirigía estaba anunciado con sencilla tipografía blanca: Servicios Financieros. El toldo se había descolorido por el sol y las lluvias.

Entré con una capucha de pana puesta arrancada de alguna chaqueta que Eve me había prestado para protegerme de la lluvia. No me la quité hasta mitad del corredor. Me llamó la atención la cara de la empleada. En un principio me pareció un rostro de una hermosura gráfica, como si fuera un retrato al carboncillo y la ventana que la enmarcaba delimitara el lienzo. Al detenerme frente al mostrador me di cuenta de que a tan poca distancia no era ni siquiera un poco guapa. Le sonreí e hice un comentario sobre lo cerca que había estado de no encontrar el establecimiento abierto. Ella torció la boca. En cuanto se hizo con mis documentos desvié la mirada. Tras ella había un dibujo infantil pegado a la pared con celo. Me costó reconocer a la persona que aparecía en el centro de la hoja cuadriculada. *Mom went to Dominican Republic and arrived with big boobs. Love you, mom.* El hijo o hija de quien tenía enfrente la había dibujado con pelo corto, muy rizado, de mulata.

Cuando la miré de soslayo para observar con más detalle su peluca vi que estaba analizando mi carnet de identidad. Su espalda inclinada hacia adelante. La punta de su nariz a escasos diez centímetros de Manuel Bergman. Frunció el ceño. Me sequé el sudor de las manos en mis pantalones.

—Este carnet no tiene buena pinta —dijo, negando con la cabeza.

Miré el carnet que ella sostenía con sus dedos índice y pulgar, y luego la miré a ella, sus tetas operadas, su mata de pelo sintético, sus cejas pintadas, su base gruesa de maquillaje... Nadie me había avisado de este peligro, ni Sveta ni Rafael. Ni siquiera se me había pasado a mí mismo por la cabeza. Evité que la angustia que me abrasaba reflejara sus llamas rojas en mi cara.

245

—¿Cuál es el problema? —pregunté con un finísimo hilo de voz.

—Es raro.

Me limité a volver a mirar el carnet y encogerme de hombros, dándole a entender que yo no le encontraba ninguna anomalía. Tras mi gesto, ella alargó el brazo y deslizó el carnet por la ranura de una máquina del tamaño de un reproductor de DVD. Tampoco me habían avisado de la existencia de este tipo de artefactos. Notaba mis piernas tan oscilantes como dos cañas de pescar. Se encendió una lucecita roja a un lado de la máquina. Parpadeaba.

—Es falso —corroboró, apática.

—¡¡Pero bueno!!

—¿Tienes el pasaporte?

Elevé mis manos para enseñarle por la ventana el pedazo de chaqueta que Eve me había prestado. La capucha goteaba lluvia.

—Esto es todo lo que tengo…

Aparte de miedo a ser detenido, sentí mucha vergüenza, una vergüenza que me aplastaba contra el suelo a golpes de mazo. Ahora estaba sometido a esa mujer de aspecto mucho más falso que mis papeles. Se rascó la barbilla con sus larguísimas uñas centelleantes hasta que, al cabo de un minuto, deslizó el cheque y el carnet hacia mi lado de la ventana.

—Necesito que vuelvas con una identificación válida.

Asentí repetidas veces, todavía sin estar muy seguro de si me estaba dando permiso para partir. Hice un amago de reverencia antes de ponerme la capucha y dar la media vuelta.

Atravesé el pasillo con celeridad, casi corriendo.

Alcé el brazo en cuanto vi un taxi disponible. Entré y no fui capaz de mirar a los ojos del conductor a través del espejo retrovisor. Sentía la necesidad de esconderme, de evitar la calle y el contacto directo con la gente. No me quité la capucha.

—¿A dónde vamos?

Me costaba pensar con claridad. La lluvia golpeaba el parabrisas a martillazos. Tenía la palabra aeropuerto en la punta de la lengua. No sabía a qué hora era el vuelo de Fabio ni desde qué terminal partía. Era probable que para entonces ya estuviera por los aires, más cerca de São Paulo que de Nueva York.

—Calle 58 con la Quinta Avenida, por favor.

Necesitaba ayuda para saber cómo salir del embrollo en el que me encontraba. La única persona que me venía a la cabeza era Sveta, lo cual era un sinsentido. Por lo que Anthony me había dicho, había dimitido el mismo día en que me despidió. Eso era extraño. Me pregunté qué habría sido de ella...

El portero del edificio me hizo un gesto para que me detuviera frente al mostrador, acompañándolo de una especie de silbido. Me pidió que me identificara: nombre, apellido y el piso al que me dirigía. No podía creerme que ese anciano se hubiera olvidado de que la noche anterior Zhenia había autorizado claramente mi acceso. Tenía ganas de molestar y yo ya había tenido bastante por hoy.

—Soy el primo de Zhenia, ¿recuerdas?

—¿No eras el hermanastro? —replicó.

Mi despiste, subrayado con un matiz sarcástico por su parte, volvió a colocarme en una situación de desventaja.

Me planteé que quizá estuviera compinchado con la del Pay-O-Matic. Quizá toda la ciudad ya estuviera al tanto de mis mentiras y había acordado echarme del país a patadas.

—Eso —balbuceé.

Abandonó su impasibilidad previa para dedicarme un gesto desaprobatorio. Pasó la mano a lo largo de la doble botonadura de su chaqueta, como si el tacto de su uniforme le ayudara a no perder la compostura.

—No sé qué trapicheos os traéis entre manos tú y los rusos, pero este edificio siempre ha sido un hogar de gente decente y mi intención es que siga siendo así.

—Entendido —volví a balbucear, afirmando con la cabeza.

Se giró para coger la escoba y yo avancé hacia los ascensores.

Quería que mis compañeros de piso estuvieran en casa. Me sentía perdido entre mi colección de identidades falsas.

Al abrir la puerta principal supe de inmediato que allí estaban, ellos y la perra. Fue un alivio encontrarme la puerta del salón-habitación de Zhenia entreabierta. Divisé los cambios de color en la luz artificial que proyectaba el televisor. Me quité la capucha con la seguridad de que entre esas paredes no necesitaba esconderme de nadie.

Apenas hice ruido al entrar donde estaban. No es que me lo propusiera, sucedió así porque las bisagras de la puerta articularon con tanta discreción que ni siquiera Putana se dio cuenta de que estaba tras sus espaldas. Eso fue lo primero que vi, sus espaldas juntas en el sofá en posturas relajadas. Recordé la mentira con la que se presentó Mila la primera vez que la conocí. El embarazo, la relación amorosa con Zhenia, toda esa milonga. La escena que tenía delante parecía formar parte de su invención. Todo lo que ella llevaba era una camiseta ancha. Estaba recostada de lado sobre el torso desnudo de Zhenia, que la rodeaba con uno de sus brazos, descansando la palma de su mano sobre el voluminoso trasero de ella. Los dos tenían el pelo mojado, probablemente recién salidos de la ducha. Putana dormía en la esquina con la cabeza apoyada en el brazo del sofá. Cualquiera les hubiera tomado por familia.

El acoplamiento natural de sus cuerpos sobre el asiento provocó que, en ese preciso instante, me hiciera la pregunta: ¿se habrán acostado alguna vez juntos, estos dos? Un segundo después de cerrar el interrogante, Zhenia rebotó sobre el sofá. Señaló el televisor y gritó: «¡Esta es la cara que quiero, Lus'ka! ¡¡Esta!!». La perra ladró tres veces seguidas, exigiendo que respetaran su descanso. Miré hacia el televisor y encontré la cara de Mila allí, enorme en su desfavorecedora bidimensionalidad. Parecía acalorada y tenía la expresión de que le estuvieran arrancando las uñas de los pies. Estaba a cuatro patas, desnuda. Por detrás de ella, un Zhenia envuelto en sudor y un chaleco de cuero la embestía dándole continuos azotes en la misma nalga donde ahora, en el sofá, descansaba su mano.

Desconozco cuánto tiempo me quedé allí, siguiendo con ojos perplejos esa obscenidad sin que ninguno se percatara de mi presencia. Y por obscenidad no estoy aludiendo a la película pornográfica que estaba siendo reproducida, sino a la escena de los dos acurrucados en el sofá de su casa con el iris de sus ojos iluminado por imágenes de plano fijo de ellos dos fornicando con brutalidad. Los protagonistas del vídeo cambiaron de postura. Ahora las piernas de ella estaban colocadas sobre los hombros anchos de él, permitiendo de este modo una penetración frontal. De pronto él escupió un gargajo blanco y denso que aterrizó entre los ojos de Mila. En ese momento Mila y Zhenia sonrieron a la vez desde el sofá, como si hubiera aparecido un delfín en el vídeo de sus últimas vacaciones en el mar.

Abandoné la habitación procurando conseguir la discreción de antes.

Tenía un nudo en el estómago. Deseaba hacer las maletas y salir esa misma noche del piso. ¿Pero a dónde iría? Al acceder al cuarto de Mila comprendí que la filmación había tenido lugar allí ese mismo día. A los pies de la cama había un trípode que sujetaba una cámara casera. También había un foco de luz incandescente a cada lado de la cama. La habitación se había convertido en un plató que olía a sudor y sexo.

Me tumbé en la cama, enfrente de la cámara y rodeado por los focos. Nadie se había enterado de que había llegado a casa. Me hice un ovillo entre las sábanas sin importarme que pudieran estar sucias. La lluvia resonaba en mis oídos como si me encontrara a la sombra de un almendro que estuviera perdiendo sus frutos. Sentía una pena tan profunda que me veía capaz de no despertar hasta al cabo de una semana, cuando las ramas del árbol se hubieran quedado vacías.

Día 12

A través del ventanal aparecía un nuevo día, soleado y sin lluvia. El Central Park estaba precioso. Unos brazos me rodeaban el vientre y casi me cortaban la respiración. La fuerza con la que me atrapaban por la espalda era más propia de un hombre. Volví a cerrar los ojos, convenciéndome de que los brazos eran de Zhenia. Aunque no tuviera prisa por separarme de su piel, me resultó imposible prolongar el sueño ni un minuto más. Los perturbadores recuerdos de la noche anterior me desvelaron por completo. Moví mi cuerpo hasta que la persona pegada a mí no tuvo más remedio que apartarse. Entonces me giré hacia el otro lado del colchón y encontré a Mila. La sábana le cubría el cogote y parte de la cara, dejando al descubierto un solo ojo y unos labios torcidos a través de los que discurría un hilo de baba. Su moflete estaba aplastado contra la almohada, provocando el desplazamiento de su nariz. Me pregunté si se quedaría alguna que otra vez a dormir en casa de sus clientes. Imaginé la reacción de estos, en el caso de que así fuera, al visualizar de buena mañana la imagen que yo tenía ahora frente a mí.

Abrió el ojo, como si hubiera escuchado mi último pensamiento.

—Una mujer ha descubierto mi identidad falsa —dije.

Puso en blanco el único ojo a la vista y, a continuación, el párpado cayó sobre él como una persiana rota. Se entregó en un santiamén al sueño de antes, ajena a lo que le había confesado.

—¡Mila! ¡Una mujer ha descubierto mi identidad falsa!

Le narré lo acontecido en orden cronológico, desde la excursión con Sveta a Jackson Heights hasta el capítulo reciente en el Pay-O-Matic. A pesar de que me miraba, no tenía claro si la que estaba frente a mí paralizada bajo la sábana como una momia me estaba escuchando o tenía la capacidad de seguir durmiendo con los ojos abiertos.

—¿Qué debo hacer? —pregunté para romper el silencio que se había creado tras el final de mi historia.

—Las cajeras de Manhattan son más espabiladas que las de Brooklyn. —Su boca seguía torcida y empapada en saliva—. Te puedo llevar al lugar donde yo cobraba mis cheques cuando era camarera.

—¿Dónde es eso?

—En Bed-Stuy. Al lado de casa.

Le pedí que, ¡por favor!, fuéramos esa misma mañana. Estaba dispuesto a suplicárselo. Zhenia me había prevenido de la tendencia de Mila a pasar días enteros en la cama, por eso temía que su proposición no significara nada. Sin embargo, estaba equivocado. Salió de la cama antes que yo. Estaba desnuda y depilada como un bebé.

—Está bien. Vamos —dijo, secándose la boca con el dorso de la mano.

Ni siquiera se preparó un café soluble antes de que saliéramos de casa, razón por la que estuvo amodorrada durante el trayecto. Nos bajamos en la parada de Myrtle and Willoughby. En la boca del metro nos topamos de frente con tres policías. Agarré a Mila por el brazo y la forcé a cruzar la calle para esquivarlos. Desde la otra acera pude ver la fachada de mi (nuestro) antiguo edificio. Busqué la ventana de la tercera planta, pero Sveta no estaba asomada. Cuando me giré hacia Mila la encontré con la palma de la mano sobre sus ojos a modo de visera. También oteaba hacia esa ventana.

—¿Qué crees que estará haciendo? —preguntó sin esperar respuesta.

Mila caminaba dos metros por delante de mí, ejerciendo su posición de liderazgo. Iba vestida como para hacer senderismo: deportivas, mallas negras y un chaleco lleno de cremalleras rojas. El lugar al que nos dirigíamos se encontraba a una sola manzana de distancia, en Tompkins Avenue. El cartel que anunciaba *Check Cashed* se veía igual de torcido y deteriorado que el que ponía *Baptist Church* a uno de sus lados y *Liquors* al otro. Mila entró primero y luego yo. Había tres personas por delante de nosotros.

—¿Te gusta el pollo frito? —preguntó mi acompañante.

—No mucho —me temblaba la voz.

—Crown Fried Chicken está aquí al lado. Te va a encantar.

La cajera dio un largo sorbo a su taza del Dunkin' Donuts antes de recoger los documentos que yo había depositado sobre la bandeja. Perdí lo poco que me quedaba de templanza cuando sacó de una funda unas gruesas gafas para inspeccionar el carnet de identidad. Mientras mecanografiaba mis datos en el ordenador busqué en su escritorio algún artefacto similar al que utilizaron en Hell's Kitchen para desenmascararme. Si esa tecnología había llegado a las oficinas de Bed-Stuy estaba perdido.

De pronto un rugido cerca de mí resonó en el aire por segundos.

—Perdone, ha sido mi estómago —Mila se disculpó ante la trabajadora sin sombra de rubor. Acto seguido se giró hacia mí y me habló del tema que la inquietaba—. En Manhattan es imposible encontrar un Crown Fried Chicken. ¡Imposible!

La cajera, una mujer de apariencia tan prudente como una señal de tráfico, se quitó las gafas y se mantuvo mirándonos a través del cristal rallado de la ventanilla, como si la intervención de mi compañera de piso hubiera despertado sus sospechas. Se relamió los labios antes de hablar.

—¿Te has enterado del especial de esta semana? —le preguntó a Mila.

—¿Cómo dice?

—Quince alitas de pollo extra crujientes por siete dólares, cariño.

La bielorrusa se llevó las manos a la cara. Me miró, esperando que celebrara la noticia con ella, pero yo estaba pálido, a un tris de caerme al suelo. Volvió a mirar a la mujer.

—¿Quince?

La caja registradora se abrió y la encargada se puso a contar el dinero. Utilizó billetes de cien, por lo que solo tuvo que recopilar tres.

—Uno, dos, tres, aquí tiene, señor Bergman. Buen provecho.

Abracé a Mila en cuanto salimos a la calle.

—¡Lo hemos conseguido! —celebré.

—Prométeme que no me dejarás comer las quince alitas yo sola, Jorge —me rogó, estirándome del brazo.

Crown Fried Chicken era una cueva de tres metros cuadrados que apestaba a fritura. Tras recoger nuestro cubo repleto de alitas de pollo extra crujientes nos sentamos en los únicos dos taburetes que había en la barra empotrada contra una pared de baldosas sucias. Mila echó salsa barbacoa y pimienta sobre todas las piezas. Yo me había pedido un café. Solo un café. Ese pollo me daba asco. Incluso mi café me daba asco.

Cogió la primera alita con elegancia, sosteniéndola por los extremos con las puntas de sus dedos para procurar no mancharse. A partir de la segunda, Mila perdió los modales. Agarraba una pieza con cada mano y se chupaba los dedos todo el rato.

—No le digas a Zhenia lo que estamos desayunando —me pidió, alcanzando el servilletero—. Ni siquiera le menciones que hemos desayunado.

Sin ella nunca hubiera sido capaz de cobrar el cheque. Tenía intención de expresarle mi agradecimiento, pero en vez de palabras me vinieron a la cabeza las imágenes del vídeo. Por algún motivo, el recuerdo de sus cuerpos sudados restregándose entre sí me entristecía. Cada fotograma que mi memoria había retenido me parecía una prueba evidente de que, por mucho que me empeñara, ellos nunca serían mis amigos. Vivían la vida como protagonistas de una película para adultos de dos personajes, y nadie estaba invitado a participar gratuitamente.

Cuando el montón de huesos limpios era mayor que el de alitas sin tocar, Mila empujó el cubo hacia mí para que me sirviera.

—Anoche os vi en el salón de casa… —confesé, sin meter la mano en el cubo—. Mientras veíais el vídeo.

—Qué vergüenza —comentó con la misma falta de vergüenza que cuando se disculpó a la cajera por el sonido de sus tripas.

—¿También hacéis porno?

—¿Estás de broma? No estoy lo suficientemente delgada.

Me explicó que, de entre los clientes más preciados que compartía con Zhenia, destacaba un grupo de ejecutivos bancarios, más o menos jóvenes y no del todo feos, que se reunían una vez al mes. Se juntaban en la vivienda de alguno de ellos y bebían y esnifaban cocaína hasta no poder articular palabra. El punto álgido de sus fiestas era cuando mis compañeros de piso ejecutaban su número. En principio era una tarea fácil. Tenían que echar un polvo sobreactuado delante de todos, me explicó. Pero tanto Mila como Zhenia eran muy exigentes con ellos mismos y les gustaba ensayar hasta tener la pieza bien programada. Nunca improvisaban, era por eso que se filmaban y luego analizaban el resultado en detalle, tratando de corregir alguna que otra postura, gemido o expresión facial. Por nada del mundo querían que aquellos hombres adinerados dejaran de llamarles. «En nuestra profesión, la originalidad lo es todo». Le pagaban dos mil quinientos dólares a cada uno por *show*.

Los tres billetes de cien dólares por los que había luchado tanto se rieron de mí desde el bolsillo de mi pantalón.

—Vamos a decir hola a Sveta —propuso de pronto.

—¿Qué dices?

—Estamos al lado. Sería una estupidez no pasar a saludarla.

—¿Pero por qué quieres saludarla?

Se ajustó la coleta con expresión concentrada.

—Porque nos viene de paso —respondió, señalando la calle de enfrente.

Quizá Sveta era el único motivo por el que, cuando esa mañana le pedí que me acompañara a Bed-Stuy, Mila se levantó de la cama sin pensárselo dos veces. Quizá, por lo cerca que estábamos de ella, había devorado las alitas de pollo con ansiedad. El resentimiento que Mila guardaba hacia la que fue su mejor amiga no disminuía su anhelo de recuperarla. Se levantó del taburete y se sacudió los restos de comida adheridos a sus mallas antes de salir del Crown Fried Chicken.

—¡Vamos! —me apremió con ojos centelleantes.

La verdad es que lo último que me apetecía era reencontrarme con quien me dejó sin casa ni trabajo de la noche a la mañana. Sin embargo, Mila me había ayudado a cobrar mi cheque y ahora mi deber era acompañarla a donde ella me pidiese.

Alguien había puesto un ladrillo en el suelo para dejar abierta la puerta de entrada al edificio. En la acera había un montón de bolsas de basura y trastos apilados. Entre los desperdicios me pareció reconocer el cabezal de cama que había en el salón a modo de estantería. Mila accedió al portal sin percatarse de nada. Yo me acerqué y confirmé que era el mismo. También identifiqué el colchón desinflado y las cortinas. Moví las bolsas con la punta de mi zapato, temiendo encontrar la cabeza de Sveta entre sus pertenencias.

En las escaleras nos cruzamos con dos hombres que bajaban una mesa. Mila, que iba por delante de mí, se mantuvo mirando la mesa que transportaban manteniéndola por encima de sus cabezas. Desde mi ángulo visual, el mueble parecía estar bajando los peldaños con sus propias patas. Era nuestra antigua mesa del comedor. Mila me miró, perpleja, antes de subir el último tramo hasta la tercera planta.

La puerta del piso también estaba abierta de par en par. El salón se encontraba vacío y, no obstante, tenía el mismo aspecto que cuando estaba amueblado. Un judío, con kipá y los dos rulos consabidos, estaba frente al único mapamundi que quedaba en las paredes. Arrancó el papel y lo arrugó entre sus manos antes de esconder en una bolsa de plástico la última huella que quedaba de los inquilinos anteriores.

Mila avanzó hacia el hombre y yo me detuve en el umbral.

—¿Qué está pasando aquí, Isaac?

Isaac, que debía de ser el propietario del piso o miembro de una agencia inmobiliaria, reconoció a la joven.

—Había escuchado que ya no estabas por el barrio, Mila —dijo con un tono amable.

—¿Dónde está Sveta?

—Se ha ido.

—¿A dónde?

—Se ha ido del país.

—¿¡A dónde!?

El judío se encogió de hombros, sonriente.

Desde el marco de la puerta solo lograba ver la cara alargada del tal Isaac. Mila me daba la espalda, por lo que tuve que deducir su reacción a partir de las muecas que esbozaba el hombre detrás de sus gafas y su poblada barba oscura. Tardó un minuto entero en borrar su cordial sonrisa de la cara. De pronto frunció el ceño, detectando algo extraño en quien tenía enfrente, callada. Movió los brazos hacia la muchacha sin llegar a tocarla, como si temiera un posible desmayo. Al cabo de unos segundos enderezó la espalda, se llevó las manos a la barba y, acto seguido, las escondió en los bolsillos de su pantalón. Se le notaba inquieto y carente de recursos con los que consolar a la otra, todavía allí, dándome la espalda.

Al darse la vuelta no encontré nada extraño en la cara de Mila, ni siquiera la huella húmeda de una lágrima. No obstante, Isaac se había quedado sobrecogido por lo que él había visto y yo no. Imaginé las facciones de Mila disolviéndose como pintura en agua y, al poco, volviéndose a dibujar sobre su piel blanca.

Caminamos hacia la estación subterránea del metro con los ojos entornados bajo un sol puntiagudo. Íbamos uno pegado al otro y nuestros brazos se balanceaban acompasadamente, como si fueran extremidades de un mismo cuerpo derrengado. Antes de bajar los escalones de la boca del metro quise echar un último vistazo al barrio, escenario compartido por negros, judíos ortodoxos y bielorrusas tristes.

Bed-Stuy había sido para mí una cama individual, las estrellitas fluorescentes en el techo, las conversaciones transatlánticas de Sveta, la meada de Fabio y las primeras palabras escritas en mi cuaderno. Acertado o fallido, Bed-Stuy había sido el resultado de una decisión personal.

El andén se encontraba vacío, señal de que el tren había pasado hacía poco. Nos sentamos en el banco de madera. La temperatura baja del subsuelo se nos metió en los huesos. Yo coloqué las manos bajo mis muslos para darles calor y Mila se frotaba los brazos. Al mirarnos nos sonreíamos con la amabilidad que a veces se da entre desconocidos. Disimulábamos nuestra tristeza por no saber explicarla. Me pregunté si luego ella compartiría sus sentimientos con Zhenia o si no había lugar para ese tipo de intimidades en su salvaje película de dos. A pesar de que *The Ghost Train* no llegaba, no me irrité con él. Esta vez me pareció más acertado considerar que el fantasma no era el tren, sino nosotros, los que seguíamos esperándolo con el pecho cada vez más frío.

—¿Bielorrusia o Turquía? —me preguntó, fingiendo la indiferencia de quien está opinando sobre un partido de fútbol que ni le va ni le viene.

—¿Tú qué crees? —estaba convencido de que Sveta se había ido en busca de Dogan Harman, pero prefería escuchar su respuesta.

Miró la pared del otro lado de la estación. En el centro quedaba anunciado con letras mayúsculas el nombre de la que había sido nuestra parada por un tiempo que acababa de convertirse en pasado.

—Que se sorprenderá mucho al darse cuenta de que, donde sea que se haya ido, sigue igual de deprimida.

Zhenia estaba en la cocina cuando llegamos a casa. No nos preguntó de dónde veníamos. En su lugar, nos hizo una señal para que nos acercáramos a la encimera.

—Zanahorias orgánicas, naranjas orgánicas, jengibre, espinaca orgánica, apio orgánico y pepino orgánico. —Todos los ingredientes estaban troceados y agrupados en montoncitos alrededor de la licuadora. Él los fue señalando con su dedo conforme citaba sus nombres, como si fueran frutos exóticos de los que jamás hubiéramos oído hablar—. Poneos cómodos. —Nos sacó de la cocina y nos condujo a la mesa de cristal, tomándonos a cada uno del codo—. El desayuno será servido inmediatamente.

Obedecimos sin haber tenido la posibilidad de abrir la boca ni para saludar. Los ojos de Mila no tenían ni pizca del brillo que, desde el día en que la conocí, desprendían cada vez que mencionaba a Sveta. Me pregunté si ya nadie ni nada los encendería nunca más. Yo me había empezado a sentir algo mejor en cuanto Zhenia nos recibió en paños menores. Desde donde estábamos sentados podía seguir el balanceo de su pene tras la tela holgada de sus calzoncillos. Metió todos los ingredientes en la licuadora y, antes de activarla, se desplazó a la nevera. Sacó una jarra llena de agua y un envase de litro con agua de coco. Se giró hacia nosotros con tanto ímpetu que el pene se quedó columpiando hasta recuperar su centro.

—Chicos, ¿agua natural o agua de coco? —Antes de darnos tiempo a contestar, aunque no creo que Mila y yo tuviéramos intención de hacerlo, Zhenia ya estaba vertiendo el agua de coco en la licuadora—. El agua de coco tiene propiedades anticancerígenas.

Mientras los alimentos se trituraban, creando una escandalera de cuidado, me fijé de nuevo en la que tenía sentada al lado, envuelta en sus mallas y su chaleco plagado de cremalleras. Su expresión se abstraía más a cada segundo, perdiendo viveza. Parecía que estuviera invocando el sueño, la pereza, el atolondramiento mental y el entumecimiento del cuerpo hasta autodeclararse incapacitada de puro cansancio. Si un rato antes me había cuestionado si Mila y Zhenia compartirían sus penas, ahora veía la respuesta con total nitidez. Compartían nacionalidad, piso, profesión y de vez en cuando cama, pero Mila disimulaba los sentimientos delante de él, del mismo modo que le escondía lo del pollo frito.

Zhenia repartió el jugo en tres vasos y nos los trajo en una bandeja.

—Está bueno, ¿eh? —anticipó tras mi primer sorbo—. Pues lo he improvisado. Cada día me preparo algo distinto, dependiendo de lo que tenga a mano. Eso sí, todo lo que compro es de primera calidad. Siempre. Me niego en rotundo a tragar pesticidas.

Mila anunció que iba a escuchar música en su habitación. Se llevó su zumo, que todavía no había probado. A mitad del pasillo, Zhenia la llamó. Utilizó el diminutivo de siempre pero esta vez alargó tanto la ese que sonó a animal de compañía.

—¡Lusssss'ka! No te metas en la cama —le ordenó en inglés para que yo también lo entendiera.

Tras el sonido de la puerta al cerrarse, él me dedicó una mueca de burla, como si Mila acabara de hacer algo ridículo. Tenía un brazo apoyado en el respaldo de la silla y las piernas extendidas, orgulloso de cada uno de los vellos de sus muslos. Nos mantuvimos en silencio mientras bebíamos el jugo orgánico. Zhenia era tan de marcar las pautas de las situaciones que le envolvían que yo ni siquiera hice el esfuerzo de pensar en un tema de conversación. Quiero decir que no era un silencio incómodo. Si existía era porque él lo quería así y duraría hasta su siguiente intervención.

—¿Qué prefieres que hagamos hoy, otra carrera por el Central Park o que levantemos pesas?

Tenía planes de encontrarme con Eve, pero no voy a negar que se me pasó por la cabeza cancelarlos. Tartamudeé sin articular palabra, como si estuviera debatiéndome entre el Central Park o el gimnasio. Lo bueno es que no me llevó apenas tiempo decidirme. Las arrugas de Eve tenían más valor que los músculos de Zhenia.

—Hoy no puedo hacer ejercicio. Estoy trabajando en un texto teatral con alguien. De hecho, debería estar ya de camino a su casa.

Apoyó sobre la mesa el brazo que colgaba del respaldo y flexionó sus piernas, haciéndose menos largo.

—¿Quién es?

Le resumí quién era Eve Sternberg: una dramaturga de cierta edad que, en su época, había tenido una de sus obras en Broadway. Él me hizo un gesto con la mano para que continuara hablando. Me explayé en los detalles: que tenía cinco aparatos de radio en su cama y una treintena de cepillos de dientes en su cuarto de baño, que la habían atropellado un montón de veces, que cuando nos reuníamos hablábamos durante horas sobre escritura, que se había pasado toda su vida sola y parecía feliz. Zhenia escuchaba con suma atención. Su interés por mis palabras estaba resultando una fuerza inspiradora para mí. Conforme continuaba perfilando a Eve a través de pinceladas de diferente color, me daba cuenta de que por primera vez estaba ejecutando el papel de narrador que llevaba tiempo persiguiendo: exponía una historia, definía un personaje y mi único oyente parecía tan entretenido como si estuviera delante de un éxito de taquilla. Acabé mi discurso afirmando que entre nosotros dos se había producido una conexión fuera de lo común.

Yo estaba muy pendiente de sus reacciones. Zhenia representaba un importante objeto de experimentación. Si mostraba entusiasmo por mi historia escribiría un guion sobre mi relación con Eve. Decidido.

—¿Te paga por la colaboración? —quiso saber.

—No.

—Si ha tenido un *show* en Broadway debe de tener dinero... ¿Dónde vive?

—En el Village.

—¿Sola?

—Sí.

—Entonces está forrada —infirió.

Su casa era muy grande, considerando los estándares de Manhattan, pero una persona forrada contrataría a alguien para que la limpiara. La ropa que llevaba parecía de buena calidad, pero la mayoría tenía lamparones y hasta manchas de lejía. Una persona con mucho dinero pediría comida a domicilio en vez de alimentarse a base de conservas enlatadas que le provocaban gases. Iría a una peluquería antes de perder sus rizos. Sería más generosa con sus cacahuetes.

—¿Cuántos años tiene?

—Más de ochenta.

Los ojos de Zhenia bizquearon un poco.

—¿No lo estás viendo? —por algún motivo, bajó mucho el volumen de voz al hacerme la pregunta.

Eché el cuerpo hacia adelante para acercarme a él.

—¿El qué? —susurré yo también.

—Dios te ha puesto una misión encima de la mesa —anunció, repiqueteando en la superficie de cristal con todos y cada uno de sus dedos.

Testamento. Repitió esa palabra al menos quince veces. Para Zhenia, una anciana soltera, con éxito profesional e indicios de demencia senil no era una figura mentora, sino un blanco fácil. Me dijo que tenía que ir ganando terreno en su vida hasta que no fuera capaz de hacer nada sin mí. Se sirvió del salero y el pimentero para escenificar su plan. Yo era el pimentero y me aproximaba a pasos cortos al salero hasta tumbarle, saltar encima de él (de ella, de Eve) y vaciar su contenido.

Eché un vistazo al tríptico religioso que colgaba sobre el cabezal de la cama y me pregunté qué clase de canalla era el dios que le habían presentado a Zhenia.

—Pronto ya no podrá caminar. Lo tienes todo a tu favor —continuó mientras barría con las manos la sal derramada sobre la mesa—. Lo primero de todo es que le cobres por la colaboración.

—Ella tiene más experiencia que yo —salí en su defensa—. Yo soy el que está aprendiendo.

—Tonterías. Apréndete de memoria lo que te voy a decir, Jorge, porque es la regla más básica: nadie te valora si antes no te valoras tú mismo. Tienes que ponerte un precio. Si ella tiene más experiencia proponle algo razonable. Sesenta por hora y una copia de las llaves de su casa. Ya irás subiendo la tarifa.

Estaba empleando el mismo tono mesiánico que cuando hablaba con Mila. Zhenia era un dominador de almas despistadas. Deseé rebatir sus consejos, pero me quedé callado, regalándole el placer de creerse sabio. Estaba claro que cada persona de su entorno respondía a una utilidad en su beneficio. Yo, sin embargo, no tenía nada que ofrecerle. ¿Por qué me preparaba el desayuno? ¿Por qué me prestaba su casa? ¿Por qué me decía lo que debía hacer para prosperar, según su criterio? Sus atenciones eran un misterio que me generaban tanta sensación de rechazo como de atracción.

—Bueno —me puse de pie—. Ahora tengo que irme a su casa o se me hará tarde.

—Bien hecho. Tómate esta relación como un trabajo a jornada completa —dijo, subrayando el eco de sus estúpidas palabras con una mueca de enteradillo.

Zhenia convirtió mi plan inicial en la consecuencia lógica de sus instrucciones. Quise machacarle la cabeza, pellizcarle los pezones y plantarle un morreo.

El cabello de Eve conservaba cada uno de los tirabuzones recuperados tras el lavado del día anterior. Su semblante era despejado, con mirada lúcida y sin bigote. Tenía buen aspecto. Al abrazarme me clavó en la espalda la punta de un lápiz.

—¿Has empezado sin mí?

—Al contrario, querido mío. Me he estado preparando para ti. Empecemos a trabajar ahora mismo.

Tomamos asiento y, mientras el ordenador se iniciaba, me fijé en que Eve se mordía las uñas. Le pregunté por el motivo de su agobio. Dudó antes de responderme. Esa misma mañana había recibido en su buzón algo que podía resultar muy beneficioso tanto para ella como para mí. Al pronunciar la palabra «algo», abrió mucho los ojos, arqueó las cejas y torció la boca, sin darme más pistas que la dislocación de sus facciones. Le pregunté de qué se trataba. Añadió que ese «algo» dejaría de ser beneficioso si seguíamos de cháchara. Insistí en que me desvelara el secreto. Ella señaló la pantalla encendida del ordenador.

—Te lo enseñaré cuando acabemos —determinó.

De este modo urgente y misterioso, Eve me apremió para que nos dedicáramos al texto que, después de haberse desarrollado con toda parsimonia a lo largo de los años, ahora no podía esperar para verlo concluido.

Antes de llenar su voz de personajes, aspiró una fuerte bocanada de aire, como si estuviera a punto de sumergirse en aguas profundas.

El vapor es cada vez más espeso. Los vecinos aporrean la puerta de su casa y llaman al teléfono, pero las hermanas ignoran las quejas.

FAYGELA: ¿Qué estás haciendo?

TAIBELA: Las maletas. He pensado en lo que me dijiste. Tienes razón, Fay. Ha llegado el momento de que lo dejemos.

FAYGELA: Me alegro de que nos pongamos de acuerdo. Y ahora dime… ¿Dónde se te antoja? ¿Upper East? ¿Upper West?

TAIBELA: Las Bahamas.

FAYGELA: ¿¡Qué!?

TAIBELA: ¿Cuál es el problema?

FAYGELA: Está lejísimos.

TAIBELA: Es nuestra oportunidad para ser libres. Me lo dijiste.

FAYGELA: ¿Te has visto el culo?

TAIBELA: ¿Te has visto tú el tuyo?

FAYGELA: Sí. Me lo veo cada día. Es tremendo… Horroroso. No tenemos edad para ir en bikini. Eso se acabó para nosotras. Debemos buscar algo por aquí cerca. En el barrio.

TAIBELA: Te mandaré postales en cuanto me des tu nueva dirección.

FAYGELA: Vaya disparate. Voy a llamar al fontanero ahora mismo. (Al teléfono) Buenas tardes, soy la señora Kreindel, la propietaria del edificio que echa humo. Me gustaría que empezara las obras hoy mismo.

FONTANERO (OFF): Iré inmediatamente…

Taibela descuelga el otro teléfono que hay en el salón.

TAIBELA: ¡¡De eso nada!! Quédese quietecito donde está. Este edificio está acabado. ¿De qué tienes miedo, Faygela?

FAYGELA: Nosotras estamos tan acabadas como el edificio.

FONTANERO (OFF): No se preocupen por eso. Lo dejaré como nuevo.

LAS DOS: ¡Cállese!

TAIBELA: Ayer se te ocurrió una idea brillante. Tendrías que haberte visto mientras hablabas… Estabas tan guapa… (Faygela se emociona) ¿Cuándo perdimos el coraje de la vida, Fay?

FAYGELA: Nunca lo tuvimos.

(Silencio)

FONTANERO (OFF): Me caen bien. Les haré descuento.

Faygela cuelga el teléfono.

FAYGELA: Te echaré de menos, Tai.

Taibela cuelga el teléfono.

TAIBELA: Y yo a ti, Fay.

Como si la indicación del final del primer acto fuera, en realidad, una tela de terciopelo rojo, Eve cerró el archivador, obediente al intermedio. Me crují los huesecillos de cada dedo índice y mi amiga se frotó los párpados. Regresar a la realidad conllevaba reparar en las limitaciones de nuestros cuerpos. Consulté la hora, eran más de las diez de la noche. Me sorprendió que en todo este tiempo ninguno de los dos hubiera pedido una pausa para beber un vaso de agua o ir al baño.

—Vamos a dejarlo por hoy —sugirió con esa voz extraña que se le enredaba en la garganta después de sus interpretaciones—. Necesitamos reservar fuerzas para el final.

El final era algo que no me interesaba, en absoluto. Quería permanecer por mucho tiempo en el único escritorio que existía en mi vida. Me daba miedo pensar que mi relación con Eve duraría lo que nuestro proyecto, y que ya luego nos quedaríamos sin motivos para continuar viéndonos. Si no fuera porque a mi amiga le corría prisa, le hubiese pedido que transcribiéramos una frase al día. Muy despacio. Disfrutando de todas las páginas que nos quedaban por delante.

—¿Qué es lo que has encontrado esta mañana en tu buzón? —Frunció el ceño, sin tener la menor idea de lo que le estaba hablando—. Algo muy beneficioso para los dos… —le recordé, imitando la cara que ella había puesto al referirse a ese algo.

—Ah, sí —afirmó, incorporándose con esfuerzo de la silla—. Sígueme.

Abandonamos el cuarto y fuimos al recibidor. Encendió la lámpara de la mesa alta ubicada a la entrada. Nuestros rostros quedaron alumbrados por una luz mortecina que la pantalla de tela teñía de rojo. Mientras Eve removía sobres y papeles, yo seguía su actividad desde muy cerca. Tenía grandes expectativas. Cuando hubo repasado el remitente de todos los envoltorios se cubrió las sienes con las palmas de sus manos, como si le hubiera entrado jaqueca.

—Estoy segura de que lo dejé aquí... —musitó, contrariada.

—Si me dices de una vez lo que es, podré ayudarte a buscarlo —repliqué sin disimular mi impaciencia.

Sus labios se despegaron. Estaba dispuesta a responderme pero no lo hizo. Algo la paró. Esquivó mi mirada inquisitiva.

—Hay pan, mayonesa y lonchas de pavo en la nevera. ¿Por qué no preparas unos sándwiches mientras yo me ocupo de esto? No puede haberse ido muy lejos... —murmuró, girando sobre sus talones.

De camino a la cocina encendí todas las luces para facilitarle la búsqueda. Antes de dejarla sola la miré con discreción. Eve daba dos pasos a la izquierda, luego retrocedía, se giraba, se volvía a girar. A pesar de que no se decidía por dónde empezar a rastrear, yo tenía plena confianza en que iba a encontrar «aquello», y que a partir de entonces las cosas cambiarían de rumbo para los dos.

Tardé un minuto en montar los sándwiches, quizás dos. Decidí hacer un poco más de tiempo para no agobiar a Eve en su búsqueda. Me serví un vaso de agua y, mientras bebía, atisbé el patio interior del edificio a través de la ventana. No había ni un punto de luz que iluminara el jardín. Ni siquiera distinguía el banco en el que nos sentamos juntos la primera tarde que compartí con mi amiga. Intenté recordar de qué hablamos durante el tiempo que pasamos allí, pero me quedé en blanco. Aquella terrible oscuridad que eliminaba ese espacio de la faz de la Tierra, también había arramplado con las palabras y gestos que compartimos durante nuestro primer encuentro. Imaginé que el cerebro de Eve funcionaba de un modo parecido: en un momento un recuerdo estaba iluminado por un espléndido sol de mediodía y al momento siguiente había desaparecido entre tinieblas.

Cuando fui a su encuentro vi que permanecía en el mismo lugar del recibidor. Se miraba sus zapatos de neopreno sin pestañear. Sus manos seguían vacías y ella estaba inmóvil. La búsqueda había concluido. Le ofrecí uno de los emparedados que había envuelto en servilletas de papel. Lo recibió sin desviar la atención de sus zapatos de buceo y se dispuso a dar el primer mordisco antes de quitarle el envoltorio. Tuve que propiciarle un pequeño empujón para impedir que masticara papel. El sándwich se le escurrió entre sus dedos hasta chocar contra el suelo sin hacer ruido.

—No lo encuentro —lamentó con ojos de víctima.

—¿El qué? —intenté descubrir una vez más—. ¿Qué era?

Se cubrió la cara con manos temblorosas y dejó de mirarme. Su vergüenza se podía ver, palpar, oler. Su vergüenza se quedó suspendida entre nosotros. Su vergüenza tenía arrugas e indicios de amnesia.

—No me acuerdo... —admitió, muerta de vergüenza.

Putana vino a recibirme. Le di unos golpes suaves en la cabeza a modo de saludo. Ella me lamió las puntas de los dedos y me acompañó a la habitación de su dueña sin ser capaz de suavizar el repiqueteo de sus pezuñas contra el parqué. Se escabulló por la estrecha rendija abierta de la puerta. La escuché acomodarse sobre la cama. Yo abrí la puerta con suavidad, sin querer despertar a Mila en el caso de que estuviera durmiendo.

El cuarto había adquirido un intenso olor a ternera, tortillas de harina y guacamole. Distinguí las curvas de su cuerpo extendido a un lado de la cama. Me sentía intruso allí dentro. A pesar de que la noche anterior Mila y yo dormimos juntos (ella abrazándome con la fuerza de un hombre), el panorama actual era muy distinto. Desde la visita a nuestra antigua casa, esa muchacha se había quedado sola, o en mala compañía. Estaba triste. Se había encerrado en una nueva independencia, un callejón sin salida, una madurez sin esperanza.

Encontré sobre la mesita de noche el zumo que Zhenia había preparado horas atrás. No le había dado ni un sorbo. Al sentarme al otro lado de la cama, Mila se protegió los ojos con su brazo, como si mi presencia la molestara igual que un foco de luz directo.

—¿Te importa dormir en la otra habitación? —su voz quedaba muy lejos del sueño.

Putana se trasladó a la almohada que yo me disponía a ocupar, secundando la demanda de su ama. Le confesé que prefería dormir en el suelo de la cocina antes que con Zhenia.

—No me gusta ni un pelo.

Mila podría salir en su defensa y exigirme que, en tal caso, me buscara otro techo bajo el que cobijarme gratis. O peor aún, podría trasladarle mi comentario a Zhenia, el cual seguramente me haría papilla.

—No está aquí —me informó con neutralidad—. Se ha ido de caza.

—¿De caza?

—Al Dimitri's Duplex. No vendrá a dormir.

—¿Qué es eso?

—Una especie de bar lleno de viejos y chaperos. Está aquí al lado.

La imagen que iba forjándome de Zhenia se deformaba más y más cada día. Cazador de viejos... ¡Con razón le bizquearon los ojos cuando le revelé la edad de Eve! Crucé el pasillo y accedí a la otra habitación sin separar del parqué las plantas de mis pies, como si el pavimento de esa estancia estuviera empapado y temiese resbalar. Me cubrí con las sábanas hasta la barbilla y llené mis pulmones del aroma floral que emanaba de la tela. El olor de su detergente era exquisito. Eso sí, había que reconocérselo. Un detergente bien escogido, a pesar de todo.

¿Qué pasaría si esa noche Zhenia no tenía éxito en el Dimitri's Duplex y volvía a casa?

Se encontraría conmigo en la cama. Si eso ocurría, prefería estar dormido en el momento en el que se tumbara a mi lado. Imaginé la temperatura de su cuerpo... el olor de su sudor... el sonido de su respiración... quizá un ronquido leve que no importunaba. Cabía la posibilidad de que Zhenia estuviese acostumbrado a utilizar el lado del colchón que yo estaba ocupando y nos despertásemos muy juntos, compartiendo la misma estrecha fracción de la cama. Me entraron cosquillas al imaginarlo.

¡Basta!, ordené. No quería pensar en él.

Me dolía la cabeza. Me daba la sensación de que no me hallaba solo en la habitación. Como si alguien me sujetara por las sienes y me trepanara el cráneo con un berbiquí. Sacaba mi cerebro. Lo mazaba como si fuera un pulpo fresco al que hay que ablandar a golpes. Tras los azotes, quedaba reducido a una pieza con forma de dado que el agresor devolvía a su sitio. Notaba mi cerebro, diminuto y cuadrado, bailotear dentro de mi cabeza como si mis pensamientos fueran consecuencia de una partida de Monopoly que otros jugaban.

—Tienes que ponerte un precio —escuché la voz de Zhenia dentro de mí.

Me giré al otro lado del colchón de un brinco. Él no se hallaba en la cama. No se hallaba en la habitación. No se hallaba en la casa. Estaba fuera, en el Dimitri's Duplex. Di un golpe al espacio desocupado de la cama, como si con eso pretendiera defenderme del vacío. Respiré hondo. Una vez, dos veces, tres, a la espera de caer dormido antes de volver a oír su voz.

—Nadie te valora si, antes, no te valoras tú mismo —esta vez incluso noté su cálido aliento en mi cara—. Tienes que ponerte un precio.

Rodé hasta detenerme en el borde opuesto. Me quedé mirando el suelo. Si me lanzaba hacia abajo sería el final. Yo nunca tuve un paracaídas que funcionara.

Día 13

Juraría que solo cerré los ojos cinco minutos, no obstante, cuando los abrí la habitación estaba bañada de luz natural. Mila gritaba desde el cuarto vecino como si la estuvieran breando a palos. Me puse en pie de un brinco. ¿Habría entrado un intruso en el apartamento mientras yo dormía? Podría tratarse de un cliente tarado que estuviera dispuesto a acabar con ella. Estaba pidiendo ayuda.

Crucé el pasillo casi desnudo. El corazón se me estaba acelerando a cada paso que daba. La puerta estaba entreabierta y de dentro salía una luz distinta, como rayos ultravioletas para atraer insectos. A medida que me acercaba percibí la respiración del asaltante, tan dura como si se desgarrara la garganta al exhalar aire. Tuve que armarme de valor para asomarme por la puerta.

Encontrarme en vivo y en directo con uno de los ensayos de mis compañeros de piso me dejó paralizado bajo el marco de la puerta. No sentí repugnancia alguna ante la escena que filmaban, tampoco ningún agrado... Así como con las imágenes del vídeo no supe identificar el sentimiento que me embargó, esta vez percibí claramente que lo que me corroía por dentro eran celos. Yo también necesitaba estar tan cerca de alguien como ellos lo estaban entre sí. Sus apareamientos venían a ser señales inequívocas que me indicaban que en esa casa solo cabían dos personas. Había cruzado el pasillo para auxiliar a Mila, pero el único que necesitaba ser rescatado era yo. Deseé unirme a ellos. Proponerles ser un equipo. Rogarles que no me dejaran aparte.

Mientras Mila se acomodaba boca abajo con el culo en pompa, un Zhenia cubierto de sudor y sin resuello torció el cuello en dirección a donde yo me hallaba. Nuestros ojos se cruzaron y yo no retrocedí. Me quedé plantado en el umbral de la habitación con el corazón encogido, a la espera de que hablara, que me dijera algo. Cualquier cosa.

—¡¡Cierra la puerta!!

Cerré la puerta y me cubrí los ojos con las manos.

Mi móvil estaba sonando desde la otra habitación. Aunque temía no llegar a tiempo para responder la llamada, no aceleré el paso.

Era Eve. Todavía me temblaban las manos y los tímpanos a causa del grito de Zhenia. Estaba demasiado sobresaltado para hablar con ella, aun así descolgué el teléfono.

—Hola Eve.

Primero se quedó callada. Luego preguntó:

—¿Con quién hablo?

—Con Jorge. ¿A quién estás llamando?

—A Jorge.

—Pues eso.

—Pero él tiene una voz mucho más dulce que la de usted, perdone que le diga. Jorge es un chico joven. Todavía le faltan unos años para cumplir los treinta.

Los gemidos se reanudaron en la punta opuesta del departamento. Me aclaré la garganta.

—Me acabo de despertar. Soy yo.

Eve tenía puesta música clásica de fondo. La imaginé sentada en la butaca de su salón con el respaldo inclinado hacia atrás. Su rostro luciría anaranjado por los primeros rayos de luz que atravesaban sus ventanas. La mera imagen de su cara me tranquilizó.

—Tendrá que demostrármelo... —me retó, escéptica—. ¿Cómo nos conocimos Jorge y yo?

—Te ayudé a abrir la puerta de un colmado hace casi dos semanas —respondí recuperando mi propia voz.

La melodía de la pieza sonaba con tanta nitidez como si la interlocutora hubiera colocado el auricular enfrente del altavoz. Gracias a las flautas, el piano y los violines, conseguí ignorar los gritos de socorro que atravesaban las paredes de la habitación contigua.

—Sin embargo, da la sensación de que nos conocemos desde hace décadas, ¿no te lo parece? —comentó, sin dudar más de mí—. Tengo buenas noticias, Jorge. He encontrado lo que ayer no pude encontrar contigo... —Hizo una pausa. Me dio un vuelco el corazón—. Se trata de dos invitaciones para la reapertura del Public Theater.

El Public Theater es un gran teatro en Lafayette Street que había permanecido cerrado por renovaciones desde que me mudé a la ciudad. Eve me explicó a continuación que, antes de que sus piernas se estropearan, acudía allí entre dos y cuatro veces al mes. Era el mejor teatro en el Downtown y uno de los más emprendedores de Manhattan. Muchas de las obras que se estrenaban en el Public Theater acababan siendo éxitos internacionales. Citó *Hair* y otros cinco títulos entre los más destacados que, antes de llenar las salas de Broadway, habían realizado sus primeras funciones sobre los escenarios de esa institución. El personal que trabajaba en el centro conocía el trabajo de Eve y siempre se había mostrado encantado de invitarla a los estrenos.

—Por eso se habrán acordado de mí para esta ocasión… —concluyó, habiendo hecho uso de una dialéctica exquisita y sin titubeos. Ninguna palabra se le trababa—. Es nuestra oportunidad para proponer al director artístico que nos produzca la obra. Ese hombre me admiraba mucho. Mucho. No sabes cuánto.

La gala se llevaría a cabo al día siguiente.

—¿¡¡Mañana!!?

Removí el interior de mi maleta en busca de una camiseta limpia. Todavía nos quedaba todo el segundo acto por transcribir. Nos llevaría diez horas, por lo menos. Ahora entendía las prisas con las que, el día anterior, insistió en que nos pusiéramos manos a la obra. No teníamos ni un minuto que perder.

Todavía no me había planteado qué crédito me correspondía en la creación de su texto (yo solo lo había pasado al ordenador, no había aportado nada nuevo) ni de qué manera concreta me beneficiaría conseguir que produjeran su obra en el Public Theater (dijo que podía resultar tan beneficioso para ella como para mí). Mientras metía mi cabeza por el cuello de la camiseta, prometí a Eve que estaría en su casa en menos de media hora. En esos momentos lo único que importaba era terminar la transcripción a tiempo. Desde que le abrí la puerta del colmado tuve la corazonada de que esa mujer, tarde o temprano, también me abriría una puerta a mí. Presentía que estaba a punto de suceder.

Di un portazo muy fuerte con intención de que Mila y Zhenia me escucharan partir de su domicilio.

Corrí desde la estación de metro hasta su portal. Perdí el ascensor y preferí utilizar las escaleras, subiendo los peldaños de dos en dos. Avancé deprisa por el pasillo de la planta cuarta. Eve escuchó mis pisadas. Me abrió la puerta antes de que llegara a apretar el timbre. Ni siquiera nos dijimos hola, fue más bien un breve sonido gutural de reconocimiento. Nos situamos en su habitación e, inmediatamente, seguimos desde donde lo habíamos dejado el día anterior.

TAIBELA: Todos los inquilinos se han ido. El edificio se ha quedado vacío. ¡Es desolador! ¿Qué pensarían papá y mamá de nosotras si lo vieran así?
FAYGELA: Pensarían que ya estamos muertas. Recoge tus cosas, Tai. No debemos tardar en marcharnos nosotras también. En pocos minutos todo estará lleno de humo.

Eve transitaba por las páginas a un ritmo que a su edad no se podía permitir, pero que ese día era el único posible. Respiraba con esfuerzo. Su voz languidecía. Tenía los ojos rojos. Los cerraba entre escenas y se frotaba los párpados con los dedos, pero no se concedía más de unos pocos segundos para hacerlo. Todavía quedaba mucho trabajo por delante y cada vez contábamos con menos tiempo. Debíamos seguir...

TAIBELA: ¿Has terminado ya? Llevas tres cuartos de hora metida en el cuarto de baño.

FAYGELA: Lo siento. Me he quedado embobada mirando la bañera.

TAIBELA: ¿¡Todavía sigues en camisón!?

FAYGELA: ¿Te acuerdas cuando de niña me rompí la pierna en la bañera? Me pasé todo el mes de agosto con escayola. Papá no quería que me sintiera una inútil, por eso cada vez que necesitaba algo, como un vaso de agua por ejemplo, en vez de traérmelo a la cama, me colocaba a horcajadas sobre sus hombros y me llevaba hasta la cocina para que pudiera servírmelo yo sola. ¿No es algo encantador? Me pasé todo el verano en las alturas… sobre sus hombros. Y nunca como entonces me he vuelto a sentir tan segura y ligera. El mundo a mis pies y yo a horcajadas sobre la felicidad. Un estado que sentía natural y duradero…

TAIBELA: Si no cojo un taxi inmediatamente perderé el vuelo, querida. Tenemos que despedirnos. ¿Sabes cómo hacerlo?

FAYGELA: ¿El qué?

TAIBELA: Despedirse de alguien del que nunca te has separado.

Toda la habitación rezumaba asombro. Las cortinas hinchadas de aire que teníamos enfrente bombeaban desacompasadamente. Los crujidos de la mesa eran pulsaciones aceleradas de un mueble que se había creído inútil y ya no lo era. En algunos momentos nos interrumpían los parpadeos indecisos de la bombilla del flexo que pensaba que jamás despertaría de su hibernación. Los libros de las estanterías tampoco daban crédito. Se relacionaban tímidamente con las nuevas palabras que estaban llenando el dormitorio de Eve, porque ya no esperaban visita. Incluso en el retrato de Julia Roberts su boca aparecía más abierta que la primera vez que la vi, como si de sus labios escapara un «*wow*» alucinado. Todo a nuestro alrededor parecía sorprendido de que la dramaturga que habitaba en esa casa hubiese vuelto a la acción. La sonrisa en la foto de una Eve joven entre bastidores brillaba con un orgullo recién recuperado.

FAYGELA: ¿Cómo imaginas tu vida en Las Bahamas?

TAIBELA: No lo sé. Más despejada que aquí, desde luego. Nunca he tenido mucha imaginación. Tú eres la de las ideas. Yo me he limitado a seguirte. Todavía recuerdo cuando le dijiste a papá y mamá que te ibas a vivir a casa de tu novio.

FAYGELA: Ni siquiera recuerdo haber tenido uno…

TAIBELA: Tuve tanto miedo a que me dejaras sola que corrí a rogarle a Josh que nos casáramos y nos fuéramos a vivir juntos.

FAYGELA: ¿Quién es Josh?

TAIBELA: ¿No te acuerdas? Era nuestro portero, *many moons ago*.

FAYGELA: ¿Le pediste matrimonio al viejo? ¡Tenía por lo menos cuarenta años más que nosotras, Tai!

TAIBELA: Era el único hombre que conocía… Aparte de papá. De todos modos da igual. Me dijo que no y tú al final te quedaste en casa. ¿Dónde estás, Faygela?

FAYGELA: Es difícil saberlo. Solo veo humo… ¿Te acuerdas cuando mamá decía aquello de que el cuerpo no puede evitarlo? *The body can't help it! The body can't help it!*

TAIBELA: Lo repetía a todas horas durante sus últimos años.

FAYGELA: Creo que ya he entendido a qué se refería…

TAIBELA: ¿A qué?

FAYGELA: A la muerte. ¿No se te había ocurrido?

TAIBELA: Pues no… Ya te he dicho que tengo poca imaginación. Nunca veo más allá de lo que me rodea… Ahora lo único que veo es vapor. Nada más que vapor. Esto debe de ser como estar medio muerto antes de morir.

FAYGELA: ¿Lo estamos?

Dejó de leer. Levantó las manos del cartapacio y, tras examinarlas con preocupación, me las acercó para enseñármelas. Temblaban más de lo normal. Las envolví con las mías. Sus dedos repiqueteaban entre los míos.

—Estoy tan nerviosa que creo que no voy a ser capaz de seguir.

Eve no estaba leyendo, estaba enfrentándose a una marea salvaje que llevaba años arrastrándola mar adentro. No se trataba únicamente de un esfuerzo físico. Estaba luchando en cuerpo y alma contra sí misma, exprimiendo hasta la última gota de un cerebro que muchos ya habían dado por perdido. Sus ojos azules y mis ojos marrones dialogaron con un lenguaje propio que habían inventado desde el primer día que nos atrevimos a mantenernos la mirada. No fue necesario hablar. Poco a poco sus uñas dejaron de arañar la piel gruesa de las palmas de mis manos. Seguí arropándolas hasta estar seguro de que sus dedos habían recuperado la calma. Llegó un momento en el que nos sonreímos, seguros de estar listos para volver.

FAYGELA: ¿Ya te has ido?
TAIBELA: Sigo aquí.
FAYGELA: No dejes de hablar. Es tan reconfortante saber que todavía estás cerca…

Cada vez quedaban menos páginas de la obra. La palabra fin se aproximaba a nosotros.

FAYGELA: ¿Tai?
TAIBELA: ¿Fay?

No podía aguantar hasta el día siguiente. Tenía que verlo esa misma noche. Había pasado por delante en muchísimas ocasiones, pero nunca le había hecho caso. No era más que un edificio que se encontraba en obras desde mi primer paseo por Lafayette Street. No dejaba de fascinarme cómo un lugar que durante dos años había significado tan poco para mí, se podía convertir de la noche a la mañana en el templo que podía albergar todas mis esperanzas de futuro. Tomé Astor Place. El teatro estaba a una manzana y media de la casa de Eve. Caminé deprisa. Bajo el firmamento encontré la emblemática edificación que volvería a abrir sus puertas en doce horas.

Sentí un escalofrío. Con las sombras de la noche, el Public Theater seguía manteniéndose discreto, casi invisible a pesar de ocupar la manzana entera. La fachada de tres niveles era de color arcilla. Las ventanas, arcos de medio punto apoyados sobre clásicas columnas dóricas. Era un edificio elegante. No podía entender que lo hubiese ignorado por tanto tiempo. Crucé la calle y subí los esbeltos peldaños de la entrada. Al día siguiente los volvería a subir del brazo de Eve. Apostaba a que nuestra unión despertaría la intriga de todos los invitados. Directores, productores, actores y actrices querrían situarse a nuestro lado y averiguar de qué trataban nuestras conversaciones. Avancé hasta detenerme frente a la entrada. Consistía en tres puertas arcadas con robustas columnas de piedra lisa. Se asemejaba a la puerta principal de una catedral. Acaricié la piedra fría. Cerré los ojos e imaginé el eco de las voces de los personajes de *A Houseful of Steam* desde dentro. No me cabía duda de que la obra se iba a estrenar allí, y de que Eve y yo subiríamos y bajaríamos esos peldaños hasta gastarnos las rodillas.

Una hora atrás habíamos puesto el punto final al texto. Cuando eso aconteció, Eve no tardó en levantarse de la silla y recoger una caja metálica de galletas de mantequilla que escondía a los pies de su mesita de noche. Me indicó que me sentara junto a ella. Cuando lo hice, me pidió que me acercara más. Un poco más. Estábamos hombro con hombro, era imposible pegarme más a ella. Todavía insatisfecha, me preguntó si se podía sentar sobre mis piernas, asegurándome de antemano que pesaba muy poco. Se acomodó en mi regazo y me pidió que la rodeara con mis brazos. Aquel último punto al final de su obra la había dejado hambrienta de un contacto físico más estrecho, de una fusión de cuerpos. Cuando la abrigué con mis brazos, Eve volcó el contenido de la caja sobre las sábanas. Eran fotografías de reconocidos actores que consideraba adecuados para reencarnar a sus personajes. Apoyé mi barbilla sobre uno de sus hombros y, de este modo, casi como amantes, casi como un padre y su hija, analizamos los rostros de cada uno de ellos: sus cejas, sus narices, el fondo de sus ojos... Hablábamos susurrando. Estábamos tan juntos que esa era la única manera de hablar.

A Houseful of Steam cada vez se hacía más real. Se acortaba la distancia que la separaba del escenario. Estaba a punto de cobrar vida.

En la acera, a ambos lados de la entrada, descubrí paneles publicitarios que no exponían el cartel de ninguna obra. El teatro estaba listo pero todavía carecía de contenido. La fiesta de reapertura se llevaría a cabo al mediodía del día siguiente. Me había ofrecido, antes de recoger a Eve en su casa, a parar en alguna imprenta para tener con nosotros al menos dos copias encuadernadas. Quizá necesitáramos más. Por lo que Eve había comentado, esperaba reencontrarse con muchos viejos amigos del gremio. Aunque el director artístico del Public Theater fuera nuestro objetivo número uno, no podíamos dejar escapar la oportunidad de que la obra llegara a manos de todos los productores de la ciudad.

Tenía el estómago revuelto. Sufría un tipo de ansiedad que parecía presagiar anticipadamente el éxito.

—Lo primero que nos preguntarán es de qué trata nuestro texto —me había dicho Eve tras encajar la tapa en la caja de galletas—. No pienso responder a esa pregunta de tontos. Que lo lean los que están interesados en sacar sus propias conclusiones. Tú y yo ya hemos hecho suficiente con escribirlo.

Volvía a fallarle la cabeza. Hablaba como si compartiéramos la autoría de la pieza. Adjudicarme indebidamente ese mérito era tan sencillo como permanecer callado y asentir, pero solo un desalmado sería capaz de robar a una anciana veinte años de trabajo en soledad.

—Yo no lo he escrito, Eve... —aclaré.

Me despedí del Public Theater. Era más de medianoche. Había muy poca gente en la calle. Hacía frío pero la sangre de mis venas todavía acelerada me mantenía templado. En Astor Place un saxofonista tocaba una pieza que sonaba a canción de cuna. Los árboles mecían sus ramas al compás. De camino a la estación de metro la somnolienta ciudad me resultó acogedora. Mágica. Un sueño hecho realidad.

—¿Y qué? —replicó Eve—. Estamos juntos en esto. Es nuestro pacto, ¿de acuerdo?

Le peiné el flequillo con mis dedos y dije:

—De acuerdo.

Mientras giraba la llave en la cerradura temí encontrar a mis compañeros de piso revisando la filmación de por la mañana. Una escena así sería suficiente para que mi exaltación se hiciera añicos.

La luz estaba encendida. Hacía bochorno, debían de haber puesto la calefacción.

—¡Alabado sea el Señor! ¿Se puede saber dónde estabas? —vino él en mi búsqueda, sobreactuando—. ¡Nos tenías preocupados!

Me daba cierto reparo mirarles a los ojos después de lo ocurrido. Ellos, por el contrario, no daban muestras de rubor alguno. Zhenia me ofreció asiento y me dijo que más me valía que tuviera hambre porque había cocinado su famosa machanka. Había un plato en la nevera reservado para mí.

—La verdad es que tengo un poco de hambre —confesé.

—Lo calentaré ahora mismo.

Yo no me había olvidado de que, a primera hora del día, me había echado del cuarto de Mila con un grito fiero. Con su cortesía de ahora pretendía enmascarar su severidad de antes. Cuando se metió en la cocina, Mila me sonrió desde el otro extremo de la mesa. Fue una mueca desgastada y sin atavíos, una simple señal de reconocimiento. La pena había desaparecido de su rostro junto a cualquier otra emoción humana. Volvía a ser una figura ausente amarrada a su taza de café. Le pregunté si tenían planeado hacer algo esa noche. Negó con la cabeza.

—Tenemos que estar en plena forma para el *show* de mañana. Aún no hemos decidido el vestuario. Yo quiero ir de látex pero Zhenia prefiere el cuero.

Eve y yo tampoco habíamos decidido el vestuario. Era arriesgado que ella escogiera por su cuenta el atuendo que luciría en público, considerando su tendencia a las extravagancias y a los zapatos de buceo. Por otra parte... ¿qué me iba a poner yo? Lo único decente que tenía era el uniforme que utilizaba en los *caterings*, el cual debía de apestar a sudor.

El plato humeante que Zhenia cargaba con manoplas perfumó la habitación rápidamente. Empecé a salivar antes de que lo depositara sobre la mesa. Temí que ellos estuvieran escuchando los sonidos que hacían mis tripas.

—La machanka se come con crepes, pero Mila ha acabado con todos.

La aludida sorbió de su taza sin intención de defenderse. Hundí la cuchara en el espeso guiso con salchichas cortadas en rodajas y empapadas en caldo de ternera y crema agria. Tenía tanto apetito que devoré el contenido en cuestión de pocos minutos. Cuando terminé, encontré a los dos bielorrusos mirándome con asombro. Parecía que estuvieran frente a un mendigo famélico.

—Estaba delicioso —comenté, sonrojado—. Muchas gracias.

Mi estómago seguía haciendo ruidos.

—Hay cereales —me ofreció Mila, caritativa.

—También debe de quedar algo de pan... —añadió él, igual de caritativo.

Tenía tanta hambre que su machanka recalentada no había hecho más que destapar el pozo sin fondo en el que se había convertido mi estómago.

—Hay algo que quiero pedirte, Zhenia... —Él asintió repetidas veces con movimientos de cabeza, deseoso de seguir dando—. Mañana tengo que asistir a un evento muy importante en un teatro del East Village. La dramaturga de la que te hablé me va a presentar a productores, actores y otros profesionales del cine y el teatro, gente que podría facilitarme un puesto de trabajo. Quiero darles una buena impresión, pero no me ha dado tiempo de comprarme...

—¿Ropa? —se adelantó, dando en el clavo—. Tengo justo lo que necesitas.

Se dirigió a zancadas hacia su armario. Abrió la puerta y se mantuvo escrutando las prendas que colgaban de las perchas, todas bien planchadas.

—Dame más pistas, Jorge —me pidió mientras sumergía su mano entre las telas—. ¿Es uno de los teatros *underground* que hay en la Calle 4?

—¡Oh, no! Nada que ver. Es un teatro mucho más refinado.

—¿Refinado tipo Calvin Klein o tipo Christian Dior?

No estaba al tanto sobre las connotaciones que implicaba cada marca, así que me limité a dar detalles del acontecimiento de los que no tenía certeza alguna.

—Es una ceremonia muy selecta. Solo se puede acceder con invitación personalizada. Estará lleno de viejas glorias de la escena y artistas emergentes. Ya sabes cómo les gusta emperifollarse a las estrellas del mundo del espectáculo...

—¿¡Como en los Óscar!? —elevó Mila su voz, alteradísima.

Zhenia se giró hacia nosotros para no perderse mi respuesta. Me sorprendió que se tomaran mi anuncio así de en serio. Eran tan impresionables como niños pequeños.

—Sí. Va a ser muy parecido a los Óscar —afirmé—. Lo retransmitirán por la CNN.

Se extendió un silencio gratificante que puso fin a los rugidos de mi estómago. Mila se había quedado boquiabierta. Zhenia había encogido el pecho sin querer, desmontando el armazón musculoso con el que se protegía el corazón. Me miraban con pleno convencimiento de tener en el salón de su casa a una estrella a punto de brillar.

—Entonces estamos hablando de un Louis Vuitton en toda regla, Jorge —sentenció él, acicalando sus palabras con una entonación señorial, casi aristocrática.

Desenterró del interior del armario una chaqueta de esmoquin de terciopelo con solapa en satén azul. Me pidió que me acercara. Sujetaba el gancho de la percha como si sostuviera el asa de una jaula llena de los más hermosos pájaros hallados sobre la faz de la Tierra. Me puse de pie, hipnotizado. La tela velluda brillaba como si cada pelo fuera una ola expuesta al sol. Zhenia me acercó la prenda, no para que me la probase, todavía no, sino para que la acariciara en una primera toma de contacto. La rocé con las yemas de mis dedos. Aquello representaba mucho más de lo que era como mero objeto funcional. Representaba poder, prestigio, éxito, seguridad... Movió en círculos su dedo índice, dándome a entender que me diera la vuelta. Pasó las mangas de la chaqueta por mis brazos, ajustó sobre mi cuerpo los hombros y estiró de los faldones que me cubrían el trasero.

—Déjanos verte —dijo, tomándome de la cintura para que me diera la vuelta.

Se detuvo al lado de Mila para estudiar mi aspecto desde la distancia. Ambos me observaban con una ligera sonrisa colgada en las comisuras de sus bocas. Era imposible descodificar sus expresiones. Me preocupaba que la chaqueta me viniera grande y que, por muy Louis Vuitton que fuera, me hiciera parecer estúpido. Mila murmuró algo a la oreja de su compañero.

—¿Qué? —dije a la defensiva, exigiéndole que hablara en voz alta.

Zhenia asintió, mostrándose de acuerdo con la crítica de la otra. Él nunca me había mirado de ese modo; osado, mantenido, penetrante. Sus ojos negros me descubrían por primera vez, rasgo a rasgo, recorriéndome con meticulosa precisión. Me abrasaba cada parte del cuerpo que él observaba.

—Lus'ka dice que pareces un príncipe.

Había pasado de mendigo a príncipe en diez minutos, y la noche me concedía el honor que me había ganado; acostarme a su lado. Mila se fue a su habitación sin preguntarme si quería dormir con ella. Él seguía mirándome con un deseo no disimulado. Su cara era una invitación a que me abalanzara hacia sus brazos. Me di la vuelta y me fui al cuarto de baño con la excusa de cepillarme los dientes. Allí me humedecí la nuca y la cara. Traté de tranquilizarme. No oía más que los golpes de la sangre zumbándome en los oídos. Había deseado acostarme con Zhenia desde incluso antes de verlo en persona, pero ahora no quería salir del cuarto de baño. Me metí en la ducha.

Al cabo de veinte minutos, él estaba acostado en el centro de la cama, ocupaba la mayor parte del colchón. Sabía que no estaba dormido, lo fingía. Apagué la luz y me acosté de medio lado, dándole la espalda, pegado al borde para no rozarle. Me mantuve rígido, los ojos clavados en la pared, conteniendo la respiración. De pronto, sus fuertes brazos me rodearon y me arrastraron hacia él con tanta facilidad como si yo fuera un fardo ligero. Me sentía pequeño e incómodo entre sus músculos. Su respiración era igual de cálida que la temperatura del dormitorio, como si Zhenia tuviera otro calefactor en la garganta.

—Quiero que me confieses algo, Jorge... —Se me erizó el vello de la nuca cuando habló—. ¿Aparezco en la obra que estás escribiendo?

Su pregunta acababa de poner fin a la duda que me había estado carcomiendo desde el primer bol de cereales que me preparó. Lo que a Zhenia parecía interesarle de mí era que lo convirtiera en personaje de ficción, por eso me estaba permitiendo seguir en su casa. La demostración diaria de su amabilidad correspondía al deseo de que lo inmortalizara como héroe de una historia. Yo no representaba más que el transmisor de la imagen que Zhenia quería vender al mundo de sí mismo.

—Sí.

Noté su pene desperezándose hasta darle un cabezazo a mi glúteo. Zhenia no llevaba calzoncillos.

—¿De qué va? —quiso saber, cada vez más duro.

—De un joven bielorruso que deja su país y su familia para mudarse a Nueva York.

Me arropó con más fuerza entre las escamas de su piel. Sus labios húmedos rodaron por mi cuello hasta tragarse mi oreja.

—Qué bielorruso más emprendedor —se elogió a sí mismo.

Me acariciaba con sus enormes manos frías para animarme a seguir hablando de él.

—Es un personaje guapo, fuerte, carismático… Da la impresión de que nunca duda, tiene respuestas para todo. De cara al exterior parece que no necesita a nadie, se vale consigo mismo y esa independencia puede resultar muy atractiva para los demás. Incluso adictiva… Además, tiene talento como pintor.

Una de sus piernas había caído sobre mí con el peso de un perro muerto. La descripción de él como personaje le había puesto muy cachondo. Trataba de deshacerse de mi ropa interior, pero yo no le facilitaba la tarea.

—La única razón por la que ha iniciado el viaje es para realizarse como pintor —continué—. Sueña con llegar a exponer su obra en una de las galerías de arte de Chelsea. En el fondo, sabe que lo único que le hará feliz es que sus pinturas obtengan reconocimiento en la Gran Manzana. Ha asumido un gran riesgo al mudarse a Nueva York porque admite que es demasiado orgulloso para sobrellevar una derrota personal. O triunfa o nada.

Trató de clavar la punta de su pene en mi culo, pero yo contraje el ano para impedir su entrada.

—¿Y qué es lo que pasa? —su voz estaba preñada de soberbia e intriga.

Tragué saliva antes de derrotarlo con el final.

—Nada. Se rinde en cuanto pone el pie en Manhattan.

Día 14

Putana estaba histérica, como si su olfato detectara la proximidad de una catástrofe de la que pretendía advertirnos. No fue solo la perra la que me despertó. Mila y Zhenia también ladraban en su idioma desde primera hora de la mañana. Por lo que fui capaz de interpretar a partir de la comunicación no verbal, ella se sentía gorda dentro del arnés de cuero que él le había seleccionado para la fiesta de esa noche. Lo llevaba puesto. Realmente parecía un rollo de carne atado con hilo de cocina. Era la primera vez que veía a Zhenia fumar. Le distinguí ceñudo e inquieto tras una nube de humo que le perseguía como si fuera su sombra. También llevaba puesto el arnés de cuero. El encono desmesurado con el que rebatía las protestas de Mila me hizo temer que en realidad su furia se dirigiera a mí. A pesar de que todavía no me había mirado a la cara ni una sola vez desde nuestra última conversación, tenía claro que me echaría de su casa en cualquier momento.

Eso ya no me preocupaba demasiado. Confiaba en el Public Theater como el próximo hogar que me abriría las puertas.

Al colocarme la chaqueta de esmoquin encima de una camisa blanca, lo que vi en el espejo me produjo una impresión muy diferente a la de la noche anterior. A pesar de que el terciopelo creaba un efecto singular, me invadió la sensación de estar disfrazado de pirata, y no de príncipe como me habían hecho creer. Me peiné el flequillo y froté mi cara con ambas manos, pero la imagen era la misma. No podía acudir al evento con esas pintas. Sería el hazmerreír de todos. Me separé del espejo sintiéndome tan ridículo con esa chaqueta como lo estaba Mila con el arnés.

Recorrí el cuarto sin que mi presencia distendiera la acalorada discusión.

—Deseadme suerte, chicos —me oí decirles, sin que se me pasara por la cabeza desearles suerte a ellos dos.

Durante el recorrido en metro apenas levanté la mirada del suelo. Temía ser la atracción de los que me rodeaban en el vagón. Salí en Union Square. Era un día húmedo y sin brisa. El sol se desparramaba sobre el asfalto como si fuera agosto. Los Hare Krishna envueltos en túnicas de diferentes colores me ayudaron a sentir que no era el único disfrazado en la zona. Muchos transeúntes llevaban sus suéteres atados a la cintura y se abanicaban con las manos. Deseé quitarme la chaqueta, pero no lo hice para evitar que se arrugara. Al fin y al cabo era un Louis Vuitton.

Antes de dirigirme a la Calle 8 para recoger a Eve, entré en el Staples que quedaba en la misma plaza. El aire acondicionado del interior se precipitó a recibirme en cuanto atravesé las puertas correderas de entrada al comercio. Tras secarme el sudor de la cara, encargué imprimir y encuadernar dos copias de la obra.

Tan pronto la máquina impresora empezó a escupir folios, mis labios se fruncieron repitiendo una de las intervenciones de Faygela. Yo no la elegí, esa parte del diálogo viajó por iniciativa propia hasta mí. Fui capaz de rememorar la cita palabra por palabra, como si mi vista alcanzara a leer el texto en las páginas que se apilaban a más de cuatro metros de mí.

—Es una bendición no haber tenido hijos, Tai. Esperas toda tu vida a que crezcan lo suficiente como para tener una conversación decente con ellos, y cuando llega el momento de que empiecen a ver las cosas con claridad, o bien ya estás gagá o *bye-bye*.

Ese era mi caso, reconocí. Desde que me había mudado a América dos años atrás, las conversaciones telefónicas con mi madre se habían ido contaminando. Nueva York había deshecho la poca claridad mental que en el pasado creía poseer. Era injusto que ella pagara por esto, tragándose cada una de las patrañas que me inventaba para eludir el hecho de que estaba perdido. Darme cuenta de que me estaba cargando la confianza que en otra época compartimos, me alarmó. No dudé en llamarla, henchido de arrepentimiento.

—¿Por qué dejasteis de escribir? —se me ocurrió preguntarle.

La pregunta, que nunca antes me había atrevido a formular, me surgió por primera vez a los catorce años, cuando adquirí la altura suficiente para alcanzar el estante más alto del armario de mi habitación y hallé sobre este cuatro cuadernos viejos con los que había convivido toda mi vida sin saberlo. No dudé en inspeccionar su contenido. Mi sorpresa no pudo ser mayor al descubrirlos repletos de poemas en los que reconocí la caligrafía redonda de mi madre y la inclinada de mi padre. Yo siempre había percibido cierta falta de comunicación entre ellos y, de la noche a la mañana, aquellas cuartillas rompieron por completo mis esquemas mentales. A lo largo de las poesías, ambos se desnudaban por completo y conseguían describir con profundidad sus anhelos y desengaños respecto a su convivencia, el amor y la vida misma.

Mi madre permanecía en silencio. No la apresuré.

—Tu padre escribía muy bien... —comentó sin que sus palabras arrastraran nostalgia alguna.

—Tú también. ¿Por qué lo dejasteis?

Volvió a dilatar su silencio, a estirarlo de las esquinas hasta hacerlo elástico.

—No te puedes permitir vivir de sueños toda tu vida —respondió, al fin, con un tono sincero.

¿Era yo un soñador por empeñarme en seguir escribiendo en un cuaderno? ¿Acabaría por verme obligado a amputar ese anhelo pegado a mí? Me imaginé al cabo de los años pronunciando la frase de mi madre... y el panorama yermo que se me presentó ante los ojos me angustió.

—¿Por qué no? —indagué.

Esta vez no se lo pensó dos veces al contestar:

—Porque el cuerpo no lo aguanta.

Se me puso la piel de gallina al escuchar a Taibela en la voz de mi madre. Se acababan de entrecruzar dos universos paralelos. Reconocí la frase al instante.

—*The body can't help it...*

Miré a distancia los dos montones de folios, convencido de que la historia recién impresa tenía vida propia. El dependiente me entregó los textos encuadernados. Observé el título en la primera página y admití que estaba íntimamente ligado a esa obra. Mi propia madre hablaba igual que una de las protagonistas. *A Houseful of Steam* había turbado mi vida.

De pronto me sentía mucho más cómodo dentro de la chaqueta de pirata con la que estaba a punto de acudir a la inauguración del Public Theater.

—Tengo que colgar, mamá. Te llamaré pronto con buenas noticias —anticipé, deseando llegar a casa de Eve.

—Yo también te quiero, hijo.

Su voz sonó distraída y apagada. Un murmullo dentro de una botella de cristal que las olas del océano no paraban de alejar de mí.

—Estás espectacular... —susurró mientras me contemplaba de arriba abajo.

Eve iba con un vestido holgado que se había ceñido por la cintura con un lazo y que le cubría los zapatos (menos mal, porque eran los de buceo). Tenía los labios pintados de rojo, olía a perfume y conservaba algún que otro rizo en su cabellera. No llevaba pendientes ni collares, pero ese día su rostro resplandecía sin necesidad de joyas.

—Tú también lo estás —le dije.

Rebotó sobre sus pies y me hizo un gesto con la mano para que aguardara donde estaba. Desde el umbral del apartamento la vi desplazarse por el salón hasta que regresó con algo escondido en las manos. Me dio la espalda para mirarse en el espejo del recibidor y se colocó una diadema que parecía de Primera Comunión, una corona de pálidas rosas de plástico con perlas falsas. Al verse con el ornamento se le quedó grabada en la expresión una sonrisa presumida. Di unos pasos hasta detenerme detrás de ella, de modo que yo también formara parte del reflejo enmarcado en su pared. Coloqué mis manos sobre sus estrechos hombros y los dos observamos el resultado.

Éramos una pareja de lo más original, con nuestros trajes anacrónicos y nuestra abismal diferencia de edad. El reflejo era digno de quedar retratado en un lienzo.

Eve colocó sus manos sobre las mías.

—¿Hace cuánto que nos conocemos? —me preguntó con ojos entornados.

—Una eternidad —no tardé en responder, devolviéndole una sonrisa cómplice.

Giró su cuello para mirarme a los ojos. Se mantuvo en ese gesto torcido, arrollándome con una mirada inmensamente agradecida. Su gratitud me venía grande. No la entendía. Tuve que obligarla a volver en sí. Debíamos ponernos en marcha.

Abrió el armario. Me dijo que en la radio anunciaban lluvias. Las cortinas polvorientas del salón estaban atravesadas por la misma luz ígnea que me había quemado la nuca durante el camino, aun así ella seleccionó un chaquetón de cuerpo entero con forro interior de pelo de borreguito. No me creía que hubiera sintonizado el canal del tiempo en ninguno de los cinco aparatos de radio que tenía en su habitación. Se trataría de una emisora imaginaria dentro de su cabeza. Al echarse el abrigo encima me di cuenta de que la funda estaba agujereada por diferentes partes de la espalda. Se lo comenté pero no le importó. Cubierta por esa prenda harapienta, Eve perdía toda elegancia.

—Hazme caso, no va a llover —insistí una vez más, señalando la ventana—. ¿No lo ves?

Ella siguió abotonándose entera.

—Nunca confíes en el ahora. El ahora es susceptible de cambio. Tu cabeza debe estar anticipándose al después. ¿No has traído la capucha que te presté?

En cuanto salimos a la calle, Eve se llevó las manos a la cara para defenderse de una bofetada de calor. Le recordé con cierto regocijo que ya se lo había advertido, pero no por ello hizo amago de desprenderse de la chaqueta. Nos dirigimos hacia el este del Village a un ritmo todavía más lento que el habitual. A mi compañera le costaba respirar y a mí también. Mi chaqueta de esmoquin no era idónea para ese día, pero tampoco quería quitármela.

—¿Por qué siento que acabo de salir de la ducha? —me preguntó cuando nos detuvimos a la sombra de un árbol.

—Debes de estar toda sudada. Yo también lo estoy.

Tras cruzar Broadway percibí unos sonidos distorsionados. Si no fuera porque el cielo estaba despejado, hubiera pensado que Eve tenía razón y que se trataba de los primeros truenos de la tormenta. Le pregunté si también escuchaba algo, pero no escuchó ni mi pregunta. Miraba sus piernas como un animal maltratado. Conforme avanzábamos, el olor a carne a la parrilla y maíz tostado se hizo evidente. Había mucho movimiento en torno a la esquina que estábamos a punto de girar. Al torcer en Lafayette nos detuvimos a la vez, impresionados.

El panorama no tenía nada que ver con el de la noche anterior.

Toda la manzana estaba cortada al tráfico. Había un escenario montado en medio de la calle con cinco miembros de una banda de *rock and roll* afinando sus guitarras eléctricas. Frente a la entrada del edificio vendían burritos, tacos, pizzas, noodles, pretzels y hamburguesas con patatas fritas a tres dólares la unidad. En la fachada del teatro se extendía un inmenso cartel rojo con letras blancas: *IT'S COOLER. IT'S NEWER. IT'S BACK!*. Grupos de turistas con las manos abarrotadas de comida, estudiantes curiosos y jóvenes en chándal que venían del gimnasio de enfrente, entraban y salían del teatro con la dicha de estar de recreo. También había una cola de personas que cruzaba el bloque en diagonal. Eve estrujó mis dedos dentro de su mano hasta hacerme daño.

—¿Todos ellos tienen invitación? —balbuceó, secándose el sudor de las cejas.

—Imposible —me pareció imposible. Absolutamente imposible.

Tuve la urgencia de comprobar que las dos copias del texto siguieran dentro de la bolsa que cargaba.

—¿Para qué es esta cola? —le pregunté al último individuo que aguardaba en la fila.

—Regalan gorras, camisetas y mochilas —contestó justo después de dar un mordisco al enorme burrito que sujetaba con las dos manos.

—¡Y sorteamos entradas gratuitas para las obras que están en el programa! —añadió la eufórica animadora que repartía formularios.

Llevaba una visera y una camiseta con el lema *It's cooler. It's newer. It's back!.* Tuvo intención de entregarnos uno de esos formularios para participar en el sorteo, pero no nos interesaban. Eve soltó mi mano para apresurarse a introducirla dentro del bolsillo de su chaqueta. El pulso le temblaba tanto que la animadora la sujetó del brazo y le preguntó si necesitaba un vaso de agua o una silla. Aquella muchacha fue la mar de paciente. No dejó de acariciar el brazo de Eve ni después de que le colocara las entradas frente a su cara.

—Mi nombre es Eve Sternberg, dramaturga de Broadway, y estas son las invitaciones que me habéis enviado a casa.

Las cartulinas eran del mismo material barato que los menús de comida a domicilio de los restaurantes chinos. En la parte superior se anunciaba: *Block Party and Open House*. La muchacha me lanzó en secreto una mirada abochornada pero piadosa, dando por seguro que yo tenía una noción nítida de la realidad: eso no eran invitaciones personales... eran *flyers* repartidos por todos los buzones de la ciudad. Nos facilitó la dirección de la puerta de acceso al teatro con una sonrisa sombreada por su visera.

Mi amiga recuperó la esperanza cuando yo ya la había perdido. Ahora caminaba más rápido que yo, estirándome del brazo hacia la puerta. Su viejo abrigo escupía plumas blancas que se quedaban adheridas a la suciedad del asfalto. Me di cuenta de que la calzada estaba invadida por esos mismos *flyers* que mi compañera sujetaba entre sus dedos temblorosos. Mi desilusión, aunque súbita y definitiva, todavía no dolía, puesto que estaba más preocupado por amortiguar la de Eve, que la sufriría en cualquier momento.

Entramos en la recepción donde convergían las diferentes salas del teatro. A pesar de que estaba el aire acondicionado en funcionamiento, allí dentro hacía un bochorno todavía más sofocante. Olas de gente en movimiento se apelmazaban sin pudor. Las voces hacían eco entre los techos combados, creando una resonancia enloquecedora. Mi acompañante miraba hacia todos los lados, intentaba reconocer el espacio que antaño una Eve de piernas fuertes había atravesado con asiduidad. No tardamos en recibir un empujón. A nuestra derecha había una exhibición de fotografías que presentaba los cambios que se habían realizado en el edificio desde su construcción en 1854. En el centro de la recepción se levantaba un puesto de refrescos, palomitas y dulces. La vendedora repartía cucuruchos de palomitas gratis.

—Vamos a hablar con ella —propuso Eve.

La muchedumbre que rodeaba el puesto hubiera sido un obstáculo si no fuera por los recursos de mi amiga. Se abrió camino exagerando su edad. Tosía y se apretaba el cuello con las manos como si no pudiera respirar. Yo la seguía, algo cohibido por su iniciativa. Cuando llegamos a la barra, Eve no esperó su turno. Hizo una serie de aspavientos dramáticos hasta conseguir que la ajetreada joven dejara lo que estaba haciendo para acercarse rápidamente a nosotros.

—¿Se encuentra bien? Dios mío, ¿qué le ocurre?

—Mi nombre es Eve Sternberg. Soy dramaturga de Broadway.

—Tome un cucurucho de palomitas.

En vez de agarrar el cucurucho, Eve atrapó su muñeca al vuelo, provocando que algunas palomitas cayeran al suelo.

—¿Tú quién eres? —le preguntó, cerrando uno de sus ojos para enfocar la vista del otro—. Antes de las reformas venía mucho y no me suenas.

Acercó tanto la cara que logró aterrorizar a la pobre chica. El recipiente de cristal de la máquina de palomitas emitió un pitido de aviso al llenarse hasta el tope y la vendedora lo aprovechó para librar su muñeca de las garras de Eve. Siguió trabajando. Repartía el maíz inflado entre conos de cartón que los tragaldabas que nos rodeaban le quitaban literalmente de las manos. Eve me pidió que le diera el texto. Saqué una de las copias de la bolsa y se la entregué. En un momento en que la chica pasó por delante de nosotros ignorándonos con descaro, Eve la golpeó con el texto.

—¡Señora! —se quejó la joven, incrédula. Se frotaba la cadera recién atizada.

—Hemos escrito algo que te va a gustar, te lo juro —dijo Eve con desesperación, invitándola a agarrar el cuaderno.

Le quité la copia de las manos. Cada una me había costado veinte dólares (aparte de los veinte años que le había llevado a ella escribirla). Me negaba a que se la quedara una repartidora de cucuruchos de palomitas que ni siquiera mostraba un poco de interés.

—Estamos buscando al director artístico —intervine.

—¡Él me adoraba! —exclamó mi amiga, desabrochándose de golpe el cuello de la chaqueta.

Más de la mitad de las rosas pálidas de su cabeza se columpiaban peligrosamente, a punto de soltarse de la diadema.

—Disculpen —replicó la joven, muy molesta—. Estoy trabajando.

Se alejó y esta vez no regresaría a nosotros. Eve y yo juntamos nuestras manos y nos volvimos a abrir paso entre la concurrencia que rodeaba el puesto de venta.

—¿Cómo es el hombre al que estamos buscando? —quise saber, mirando en derredor.

—Un encanto —respondió con una sonrisa cerrada—. Siempre sospeché que estaba un poco enamorado de mí. Una vez me confesó que yo era la primera persona que conocía sin ninguna maldad en su interior. ¿Tú piensas lo mismo, Jorge?

—Me refiero físicamente.

Frunció el ceño y negó con la cabeza, como si mi pregunta fuera un sinsentido.

—Debe de ser viejísimo.

Después de recorrer el espacio en círculos, inspeccionar la nueva cafetería ubicada en el entresuelo y echar un vistazo dentro de los lavabos masculinos, se me ocurrió que seguramente el director artístico llevaría décadas bajo dos metros de tierra.

—Hablemos con esa chica —señalé a la vendedora de entradas que, tras el cristal de la ventanilla, parecía muerta de aburrimiento.

Estaba llena de pecas y apenas tenía cejas. Su cabello pelirrojo estaba recogido en una trenza que le caía sobre uno de los hombros. Al sonreírnos, sus ojos desaparecieron tras sus pestañas. Tenía los mofletes rollizos y del color de un atardecer. Un encanto. Eve se acercó a la ventanilla hasta que la punta torcida de su nariz tocó el cristal.

—¿Te gusta el teatro? —le preguntó muy lentamente y gesticulando con exageración, como si hablara con una niña tonta.

—Sí. Mucho —respondió con una vocecita infantil—. Quiero ser actriz.

—Yo soy dramaturga. Dramaturga de Broadway, debo decir.

Dejó de tocarse la trenza para cubrirse la boca con la mano.

—¿De verdad?

—Escribir es lo único que sé hacer. Y por lo visto lo sé hacer muy bien —me miró para que lo ratificara. Lo ratifiqué—. Ya de pequeña me gustaba contar historias. Durante algunos años pensé que lo mío era la interpretación. Pero un buen día me di cuenta de que no sería capaz de interpretar, por ejemplo, a una mujer salvaje que vive en el Amazonas. ¿Tú sabrías? Yo no. Un actor debe saber renunciar a uno mismo, y yo estoy atada a mí por todos y cada uno de mis sentidos... Así que decidí dedicarme a la escritura.

La chica lanzaba miradas fugaces a la cola que se estaba formando detrás de nosotros, pero no se decidía a interrumpir a Eve. Probablemente le habían educado para respetar a los ancianos por encima de todo ser vivo. Noté que sus mejillas se sonrojaban y la frente le brillaba. Se retorcía las manos y disimulaba sus nervios con constantes sonrisas que hacían que sus ojos ora desaparecieran de su cara, ora saltaran hacia el frente como ranas.

—Lo malo de la mayoría de los escritores es que somos unos inútiles. No sé ni prepararme una tortilla, y eso que es lo único que se me antoja por las mañanas... Pero este de aquí al lado... —dijo, señalándome con el pulgar—. ¡Oh! ¡Es un cocinero excelente! Tendrías que verle cortar zanahorias. Sabe hacer todo lo que le pidas... Pollo, pescado, espaguetis, verduras... ¿Qué es eso que hiciste el otro día?

—Cuscús —contesté.

—Mmmmmm. Sabe a gloria —comentó, chupándose las yemas de los dedos.

La pelirroja aspiraba con la boca abierta. Parecía que dentro de su cabina de cristal se estuviera agotando el oxígeno. Sus pecas habían desaparecido de tan colorada que tenía la cara. No dejaba de atisbar al gentío cada vez más numeroso. Tras nuestras espaldas, todos estaban empezando a impacientarse. Alguien alzó la voz: «¡La función está a punto de empezar, joder!». La joven me dedicó un par de miradas suplicantes.

—Pareces una muñeca y te comportas como un ángel divino —lisonjeó Eve a la chica—. Seguro que eres una actriz estupenda... ¿Tienes una *business card*?

—¡Sí! —exclamó, incorporándose del asiento de un salto—. ¡En mi bolso!

Las quejas de la gente aumentaron en cuanto vieron partir a la vendedora. No daban crédito a su falta de profesionalidad. A mí también me sorprendió que abandonara su puesto para hacerse con una tarjeta de visita.

Eve se giró hacia mí, aplaudiendo sin hacer ruido.

—Ella será el puente que nos permitirá acceder al director artístico, ¿no lo habías pensado?

—La gente de la cola se está enfadando —le susurré a la oreja.

—Les haremos un descuento especial cuando vengan a ver nuestra obra —resolvió, guiñándome el ojo.

La vendedora de entradas vino acompañada por un hombre alto, ancho y siniestramente atractivo. Ella se desvió hacia la puerta de la taquilla y él continuó directo hacia nosotros. Tenía facciones de boxeador. Su mandíbula parecía inquebrantable y sus ojos estaban hundidos en profundos pozos de oscuridad. Iba vestido con elegancia, traje de chaqueta, camisa negra y zapatos de cuero. Nos apartó de la cola empujándonos por la espalda con cada una de sus manazas de hombretón.

—Están alterando el orden —nos amonestó.

—¿De dónde es ese acento? —preguntó Eve con intención de iniciar una conversación. Había interpretado el traje de chaqueta como señal de autoridad en la institución y se lo quería camelar—. ¿Luisiana? ¿Tennessee? He estado en ambos lugares y he de decir que la comida es exquisita —volvió a chuparse los dedos, todavía húmedos de cuando se los chupó con motivo de mi cuscús.

El hombre la ignoró por completo y me habló a mí.

—Si no controlas a tu abuela, tendréis que abandonar el recinto inmediatamente.

A pesar de que Eve estaba a mi lado, él había hablado sin tenerla en cuenta, como si estuviera sorda como una tapia. Escuché el sonido de los dientes de mi amiga entrechocar con tanta fuerza que temí que hubiera dañado la dentadura postiza diseñada por el doctor Jacobs.

—¿Abuela? —lo dijo tan alto que muchos a nuestro alrededor se giraron hacia nosotros, intrigados por su exclamación—. ¡¿Le parezco a usted su abuela!? —Noté que la gente nos estudiaba, y no eran pocos los que se reían, ya fuera por las plumas que salían de su espalda, por mi chaqueta de esmoquin o por la indignación con la que Eve preguntaba al hombre de seguridad si tenía pinta de ser mi abuela—. Pues perdone que corrija su error... pero Jorge y yo estamos juntos desde hace una eternidad.

Los curiosos que seguían la escena con risa fácil quedaron circunspectos al escuchar aquello, como si el asunto estuviera tomando connotaciones que no se podían considerar broma. El hombre con fisonomía de hierro se mostró expresivo por primera vez. Levantó una ceja y nos miró a cada uno igual que si nos estuviéramos confesando culpables de un delito. Sobre todo me miró a mí de ese modo, dejando constancia de que mi infracción era más grave que la de ella.

—Díselo tú, Jorge —me pidió Eve, girada hacia mí.

Me pareció reconocer en su expresión signos de la misma enajenación mental que la había abducido en otras ocasiones. ¿Se le había vuelto a ir la cabeza? En cualquier caso, en cuanto oyesen mi acento extranjero me tomarían por un Zhenia: inmigrante sin escrúpulos que trata de aprovecharse de una vieja demente. No estaba dispuesto a asumir ese rol equívoco. Eve me dirigió una mueca apremiante. No entendía por qué tardaba tanto tiempo en corroborar lo que ya habíamos confirmado en la intimidad... que llevábamos una eternidad juntos.

—Nos conocemos desde hace un par de semanas. La ayudé a abrir la puerta de un colmado.

Sus ojos azules se llenaron rápidamente de gotas que se quedaron quietas, pegadas al iris como resina.

—Pues haga el favor de llevársela a casa.

El tono de compadreo que utilizó el hombre de seguridad para decirme aquello me hizo consciente de mi traición a Eve. Me había pasado al bando contrario. Ahora la única persona conflictiva que alteraba el orden en el Public Theater era la anciana que decía sinsentidos en voz alta.

La gente se dispersó en cuanto el asunto quedó aclarado. Inmediatamente busqué la mano de mi anonadada compañera. No me la estrechó, apenas recogió sus dedos entre los míos. Le propuse abandonar el recinto. Ella se dejó guiar, tan desorientada como si nunca hubiera estado allí. La bolsa que contenía las dos copias de su obra me pesaba toneladas. Eve y yo, diminutos, caminábamos como un par de recién conocidos por delante de un enorme panel rojo que, cubierto de letras blancas, parecía gritarnos: *IT'S COOLER! IT'S NEWER! IT'S BACK!.*

Una gélida ráfaga de viento nos azotó nada más bajar el primer escalón hacia la calle. Miré el cielo y lo descubrí invadido por nubes grises y pesadas. Graznidos de inquietas gaviotas que revoloteaban sobre nuestras cabezas alertaban de un inmediato temporal. Los transeúntes que poco antes invadían la manzana, ahora se alejaban del teatro con celeridad, despejando un pavimento lleno de residuos que la lluvia no tardaría en barrer.

Mi amiga, ajena al cambio de temperatura gracias a su chaquetón, atisbó de pronto a un hombre que caminaba sosteniendo a una niña sobre sus hombros. La pequeña sonreía feliz a un entorno para ella virginal, todavía no experimentado, desde unas cumbres que ni el viandante más alto podría alcanzar. Era la única persona a salvo del suelo y las pisadas.

—¡Esa era yo! —gritó Eve con una sonrisa idéntica a la de la niña—. ¡No había día en el que mi padre no me subiera a sus hombros!

A las cinco de la tarde la ciudad estaba a oscuras por culpa del temporal. Las nubes se habían hinchado tanto que parecían montañas. La noche cayó bruscamente, sin crepúsculo. Llevaba un rato merodeando alrededor de las calles circundantes a mi casa. Me urgía mantenerme ocupado durante esa noche que empezaba a una hora tan temprana. Repasé sin éxito los rótulos luminosos de los bares y hoteles. Luego empecé a inspeccionar las inscripciones más discretas, las que listaban con nombres y apellidos a los residentes de cada piso. Una cinta de fuego iluminó el cielo y, en el mismo instante, escuché el retumbar de un trueno, señal de que la tormenta se hallaba cerca. Al cabo de cuarenta y cinco minutos más encontré una pequeña placa a la entrada del edificio número 109 de la Calle 56 que indicaba que el Dimitri's Duplex estaba en la sexta planta.

Los escalones del interior del edificio estaban forrados por goma oscura antideslizante, como si hubieran sido diseñados para días de tormenta. Nadie subía y nadie bajaba. Solo estaba yo: un ser desilusionado enfrente de una escalera que conducía a una desilusión aún mayor.

La puerta del Dimitri's Duplex estaba abierta. Una gruesa cortina negra ocultaba el interior. La descorrí.

—¿Me permite la chaqueta? —se ofreció el encargado del guardarropa.

—No. Me la dejaré puesta.

Por muy mojada que estuviera, necesitaba esa prenda para seguir convencido de ser alguien diferente a mí.

—Bienvenido —dijo, señalándome el camino.

La música sonaba a un volumen mucho más bajo de lo que cabe esperar en un local de copas, igual que la luz, prendida con demasiada intensidad. Exceptuando la barra, el resto parecía el decorado de un domicilio particular, con butacas de cuero blanco y un canapé de tres plazas en torno a la chimenea. De las paredes colgaba un solo cuadro: una familia de perros dálmatas retratados frontalmente, los unos pegados a los otros con los hocicos mojados de babas. Había doce personas en total y un piano desocupado. Todos aquellos hombres emperifollados me clavaron la mirada. Algunos sonrieron y otros resguardaron sus expresiones bajo los pliegues de sus pieles caídas.

Deseé largarme, pero no me lo permití. Me estaba secuestrando a mí mismo y me obligaría a llegar hasta el final.

Me acerqué a la barra. El camarero vino a atenderme.

—¿Qué le pongo?

Repasé el menú de cócteles. El más barato costaba veintidós dólares.

—Nada.

El hombre más próximo a mí se dio por aludido. Me costó fingir que no percibía la fragancia corrosiva de su colonia. Era un anciano menudo de rostro consumido tras unas gruesas gafas de miope. Lucía poco pelo en la cabeza y varios anillos de oro en ambas manos.

—¿Cómo te llamas, joven? —me preguntó con voz quebrada.

—Manuel Bergman.

—¿Quieres un Old Fashioned? ¿Un martini?

—No.

Al cruzar la sala tan iluminada como un quirófano, los otros se balancearon sobre sus pies, pendientes de la dirección que tomaba. ¿Qué estoy haciendo aquí?, me pregunté a mí mismo. Había una escalera metálica que conducía a la planta alta del dúplex. La subí, esperando encontrar allí arriba la razón de mi visita.

Al llegar al último peldaño de la escalera me topé con un cubículo sin ventanas ni muebles. El repiqueteo de los hielos contra el cristal de las copas se entremezclaba con la música. Un ventilador de techo removía el aire cargado de perfumes caros y *popper*. A diferencia del otro espacio, este era oscuro y sus ocupantes estaban tan cerca los unos de los otros que se rozaban sin remedio. Había alrededor de veinte viejos y seis jóvenes. Todos los chaperos se hallaban aquí arriba. Era el coto de caza. A poca distancia de mí había uno manoseándole el paquete a un hombre al que le salían pelos largos de las orejas. En el centro de la sala cinco viejos hacían corro en torno a un muchacho sin pantalones ni camiseta. Le pedían que moviera un solo pectoral y él lo movía, primero uno, luego el otro, y a continuación los glúteos. También me pareció ver a alguien con joroba, pero no estoy seguro. La sala estaba muy oscura.

Un canal para las aguas sucias de la ciudad.

¿Qué estoy haciendo aquí?, me pregunté de nuevo. Luego di un paso al frente, y otro, y otro más. Estaba decidido, de todos modos, a hacerme un sitio.

En cuanto me abrí camino entre los cuerpos me convertí en mercancía disponible. Los viejos me analizaban, hambrientos. Algunos me tocaban, cerciorándose del buen estado del material. Caminaba sin rumbo, en todas las direcciones. Bebí tragos de copas que unos y otros me ofrecieron. Dejé de ver las paredes en esa sala diminuta y hermética que sin paredes se expandía hasta ser descomunal. Aquello era otro mundo. El submundo, quizás. Las manos resecas que me sobaban eran menos molestas que al principio. Recogí sonrisas amarillentas. Me encontré, de pronto, desenvolviéndome con soltura en el juego de la seducción canina y babosa. Me resultó fácil dejar de pensar en ellos como seres humanos y en mí como alguien especial. Un simple salto al vacío bastó. Cuando uno se adapta a las tinieblas, hasta el suelo desaparece bajo los pies y entonces quedas flotando en la oscuridad. Me planteé mi precio. Ahora mi único empeño consistía en hacerles creer el disparate de que yo tenía algún valor.

Un joven se paró a un palmo de distancia. Era de mi estatura. Tenía la mirada despistada, las uñas mordidas, le salían remolinos de pelo desordenados de la cabeza, rondaba los veintipocos años. ¿Qué estaba haciendo él aquí?

Nos mirábamos como en un espejo. En pausa. Asustados. Encallados en una tierra inhóspita y sin retorno. Ninguno de los dos daba el primer paso porque, entre nosotros, cazador y presa eran la misma persona.

De pronto, en mi desolación una esperanza que no había llegado a abandonarme del todo se abrió paso. En la sala de arriba del Dimitri's Duplex acababa de aparecer una ventana por la que entraba algo de luz. Avancé hacia la claridad, dispuesto a proponerle que abandonáramos juntos el local.

—¿Tienes casa? —pregunté yo.

—Sí —contestó él—. ¿Tienes dinero? —preguntó él.

—Sí —contesté yo.

—Sígueme —ordenó.

El encargado del guardarropa nos lanzó una mirada antipática, como si al escapar del dúplex juntos estuviéramos infringiendo la norma más básica del reglamento.

Bajó las escaleras del edificio delante de mí. Tampoco me esperó al salir a la calle. Se giró debajo de la luz mortecina de una farola, me hizo un gesto para que le siguiera y continuó la marcha. Recorríamos la Calle 56 en dirección al este. Ya apenas llovía, pero los nubarrones se habían quedado petrificados en el mismo lugar del cielo.

No había mucho tráfico, un silencio inusual para esa zona. Los pocos transeúntes con los que me cruzaba en la acera se ocultaban bajo la tela extendida por el varillaje de sus paraguas.

Cuando lo alcancé en Lexington Avenue, el joven estaba sacando un manojo de llaves del bolsillo trasero de su pantalón. Quise que habláramos, que me dijera su nombre, pero ignoró mi pregunta. Miraba hacia el frente como si todavía caminara delante de mí. Me condujo hacia un portal. Nos quedamos un momento en silencio. No abría la puerta.

—¿Quieres follarme o que te folle? —preguntó.

No sabía qué decir. Me daba miedo equivocarme.

—Me da igual —contesté.

Me fijé en que blandía la llave igual que si fuera una navaja.

—¿Cuánto dinero tienes? —preguntó, acelerado.

Saqué la cartera del bolsillo interior de mi chaqueta. En el billetero había un billete de cinco dólares y el recibo de las impresiones en Staples. Se lo enseñé.

—En casa tengo más...

Di un paso hacia atrás en cuanto vi cómo se le tensaban los músculos de la cara. Frunció los labios y las aletas de su nariz se expandieron. Le mutó el rostro hasta no tener nada que ver con el mío. Entonces me vi obligado a renunciar a mi última posibilidad de compañía. Cerró el puño derecho con las puntas dentadas de las llaves asomándose entre los dedos. Pretendí huir, pero no pude, él fue más rápido. Vino a mí. Me atrapó del todo. Nos fundimos y después me dejó tendido en la acera mojada. Me había atizado un puñetazo en la barbilla y tres más en las costillas. Las llaves puntiagudas me desgarraron la piel. Todo sucedió rápido. No grité, de modo que nadie se acercó a ayudarme aunque hubiera sangre. El cuerpo me quemaba por dentro más de lo que me dolía por fuera.

Desde mi posición tendida de cadáver vi escapar a un joven que esa noche también dormiría solo.

Día 15

La chaqueta de Zhenia estaba colgada del pomo del armario. Seca, como si no se hubiera tragado una tormenta. El sol entraba en la habitación de Mila sin dejar ni un recoveco a oscuras. Todo era luz. Traté de incorporarme en la cama pero, cuando lo hice, fuertes punzadas me golpearon por dentro. No podía respirar. Caí de vuelta sobre el colchón, retorciéndome. Quise pensar que el dolor no significaba necesariamente que la pesadilla nocturna hubiese sido real. Sin embargo, en el momento en que encontré gotas de sangre en la funda de la almohada supe que lo había sido.

Entré en el cuarto de baño y me detuve frente al espejo. Tenía un moratón que se expandía por mi barbilla como si la hubiera sumergido en un bote de tinta púrpura. Me quedé quieto, contemplando mi aspecto de hombre defraudado. El espejo me mostraba la persona en la que estaba cerca de convertirme.

Me limpié las heridas del costado con gasas y alcohol.

Fui hacia la habitación de Zhenia sin saber si mis compañeros de piso estarían allí. No les había escuchado entrar en casa. Podía ser que hubieran trasnochado con los banqueros. Recorrí el pasillo arrastrando los pies. Mis articulaciones hacían más ruido que mis pisadas. Me pregunté cómo serían los cuadros de Zhenia anteriores a esos que colgaban de las paredes. ¿Pintaría paisajes, retratos o composiciones abstractas? Antes de que decidiera llenar veinte lienzos con una misma tachadura, seguro que tuvo una visión más clara del mundo. Esos cuadros me producían la misma impresión que había experimentado al ver mis heridas. Eran un punto de inflexión definitivo. La despedida. Me hubiera gustado conocer al bielorruso antes de que Nueva York acabara con él.

Estaban postrados en la cama como dos cuerpos sin vida. Comprobé que el silencio, cuando es absoluto, se hace más intolerable que el ruido y hasta provoca jaqueca. Las cortinas de lamas verticales cubrían el gran ventanal, sin embargo, se colaban escuálidas líneas de luz que cruzaban la habitación de punta a punta. Zhenia llevaba puesto un antifaz y Mila tenía la cara hundida en las sábanas. El corazón se me aceleró ante esa imagen inerte. Pensé en dos víctimas de un accidente. El descanso de los bielorrusos tenía algo que ver con la muerte. Quizá por eso Zhenia se irritaba tanto cuando Mila dormía durante días enteros. Al suspirar, volví a padecer las secuelas de la noche anterior. Abracé mi estómago, a la espera de que el dolor mitigara. De repente me percaté de que yo tampoco me había escabullido de ese accidente imaginario. Simplemente había salido con vida y ellos no.

Di media vuelta y me dirigí de regreso a la otra habitación. Quizá volver a la cama era lo mejor que podía hacer… Al menos los sueños eran algo que luego no solía recordar.

Llevaba semanas de casa en casa mientras buscaba la mía. Los olores de cada uno de esos hogares se entremezclaban. Sentía que habían pasado meses desde que habité en el piso de Greenpoint, pero bastaba con cerrar los ojos para impregnarme de su olor a café recién hecho. Todo habían sido buenos momentos en mi primer apartamento, siempre y cuando olvidara la angustia de no poder ser yo mismo por completo. El amor se lo tragó todo y a mí no me dejó ni una mínima ambición personal. El piso de Bed-Stuy olía a desinfectante porque su propietaria era una mujer con dos obsesiones, y una de ellas era la limpieza. El piso de la Calle 8, por el contrario, olía a polvo, porque su propietaria no tenía tiempo para pasar el trapo. Sveta confiaba en que el amor la haría feliz, mientras que Eve escribía porque era lo que le estaba salvando de la desgracia. El piso de la Quinta Avenida no olía a nada en particular, en todo caso a perro aseado. Mila y Zhenia se habían desprendido de sus anhelos. El resultado de lo que eran carecía de importancia.

¿Por qué yo seguía sin un lugar propio?

Fabio había regresado a Brasil. Sveta se había trasladado a Turquía, o a Bielorrusia. Mila y Zhenia parecían conformes donde estaban.

¿Por qué yo era incapaz de encontrar mi lugar?

Tan pronto entré en la habitación la idea de tumbarme en la cama dejó de resultarme tentadora. Si volvía a dormirme corría el riesgo de que las sábanas se me pegaran a la piel a modo de mortaja. Todavía estaba en ese periodo crítico tras un golpe en el que los médicos recomiendan no cerrar los ojos, permanecer despierto, aferrarse a la vida. En lugar de dormir, me arrodillé frente a mi equipaje, desenterré el cuaderno y escribí.

Ángela nunca se casó, ni siquiera se le pasó por la cabeza. Tuvo romances, eso sí, y hasta estuvo a punto de enloquecer por amor alguna vez. Pero contraer matrimonio, comprometerse a un «sí, quiero» y no volver a dormir sola, son cosas que nunca le interesaron en particular. Incluso lo de tener hijos le sonaba a despropósito (¡qué clase de madre alimentaría a sus bebés con comida enlatada!). Así pues, Ángela se ha hecho mayor a solas, viviendo a su ritmo y sin tener que dar explicaciones a nadie. Algunos de sus vecinos la consideran una vieja excéntrica. Otros la miran con deferencia, incluso envidian su libertad. Pero lo más importante es que ella misma no se arrepiente de nada. Considera que su soledad ha sido la causante de que su carrera como dramaturga prosperara más de lo que nunca hubiera imaginado. Hoy en día, ya no le queda ningún miembro de su familia con vida. Tiene ochenta y tantos años y su médico le acaba de prohibir el azúcar y cruzar los pasos de peatones sola. La han atropellado demasiadas veces como para seguir tentando a la suerte.

—Le prometo que no volveré a comer rosquillas de chocolate... ¿Pero me puede explicar usted cómo voy a ir al cine sin cruzar la calle? —le preguntó Ángela a su doctor, negándose en rotundo a renunciar a su película semanal.

—Tendrá que pedir la mano al primer viandante con el que se cruce.

Aquello le sonó gracioso. Muy gracioso. Después de vivir toda su vida como mujer soltera, ahora y en adelante debería dedicarse a pedir la mano a un hombre distinto cada semana (porque, puestos a elegir, prefería cruzar los pasos de peatones de la mano de un hombre. Respecto a ello nunca había tenido dudas).

Siempre iba al cine los lunes. Nunca durante el día, le deprimía meterse en una sala oscura cuando en la calle había luz. Para ella, un cine era como una taberna, lugar cerrado en el que pagas por ausentarte de la realidad. Su sesión preferida era la de las siete y media de la tarde. De ese modo, podía cenar algo rápido antes de salir de casa y de regreso todavía no era noche cerrada.

El primer lunes después de aquella visita a su médico, aban-
donó su casa quince minutos antes de lo habitual. Era difícil pre-
decir cuánto tiempo le iba a llevar que un desconocido aceptara
su petición. Ángela bien sabía que Nueva York es una ciudad
difícil, poblada de gentes con prisas, y no quería correr el riesgo
de perderse el principio de la película. En el caso (el peor de los
casos) de que la ignoraran y no fuera capaz de llegar a la otra
acera, obligaría a su médico a buscar otro remedio para comba-
tir su tendencia a ser atropellada.

Llegó a la esquina de la Calle 8 con University Place, a dos
manzanas del Cinema Village. Se detuvo frente al paso de
cebra y miró a su alrededor. Al instante se percató de que todos
los transeúntes solitarios iban pertrechados de un artilugio de
pantalla amplia con el que parecían compartir una relación más
que estrecha. Fue discreta en sus primeros intentos de llamar la
atención de aquellos hombres que intimaban con sus teléfonos
móviles. Se colocaba frente a ellos, les sonreía, les saludaba con
la mano o les ponía el pie para que tropezaran, pero ninguno
reparó en ella. Cuando se dio cuenta de que faltaban cuatro
minutos para que empezara la película, decidió no andarse por
las ramas. Le tocó directamente el hombro a un universitario
con auriculares y, sin más preámbulos, Ángela le pidió la mano.

Ese lunes la anciana perdió la concentración repetidas veces
durante la proyección de la película. El joven que la había ayu-
dado a cruzar la calle no se había quitado los auriculares en su
presencia y tampoco había hablado con ella, pero la tomó de la
mano con tanta suavidad y firmeza que lo siguió percibiendo en
los huesecillos de sus dedos hasta llegar a los créditos finales. ¿De
qué color eran sus ojos? Ángela no se había fijado en su aspecto.
Ni siquiera recordaba si era chino o negro, pero cuando esa
noche se metió en la cama, en lugar de reflexionar sobre la histo-

ria por la que había pagado doce dólares, reprodujo con todo lujo de detalles la dulce presión a la que su mano derecha se había sometido. De este modo, Ángela concilió el sueño.

Durante el transcurso de la semana se centró en su rutina. Su mano derecha volvió a estar ocupada durante casi todo el día por un bolígrafo. Se dedicaba a corregir escritos pasados. Se hacía con obras que ya habían sido representadas muchos años atrás y trataba de mejorarlas, de eliminar una palabra por allí y añadir otra por allá. Su pretensión no era presentarlas a productoras teatrales. Simplemente quería pulir los textos que había desarrollado durante el transcurso de su vida, ya que ellos eran su legado, la familia que permanecería en la tierra una vez que la autora se fuera. Hacía mucho tiempo que no se planteaba escribir una obra nueva. De vez en cuando anotaba una idea o un diálogo breve que se le ocurría, pero le faltaban fuerzas para afrontar los trastornos que supone escribir una obra desde el inicio hasta el final.

El segundo lunes después de aquella visita a su médico, Ángela no tuvo apetito para cenar antes de abandonar su casa. No obstante, invirtió el doble de tiempo que el usual en seleccionar vestimenta. En su fuero interno no admitía que su coqueta indecisión guardara relación alguna con el desconocido con el que estaba a punto de cogerse de la mano. Se puso un vestido largo y se pintó los labios.

Al cerrar la puerta de su casa, se dio cuenta de que no había consultado la cartelera en el periódico. Qué cosa más rara, se dijo. Era un descuido muy poco habitual en ella, ir al cine sin leer la sinopsis de la película. El portero del edificio le dijo que estaba espectacular. Eso le hizo mucha ilusión. Cuando se detuvo frente al paso de cebra, la anchura de la calle le pareció menor que la semana anterior, como si una de las franjas blan-

cas se hubiera deslizado calle abajo. Ángela agarró la mano al hombre que esperaba a su lado y le preguntó:

—¿*Le importaría que cruzáramos muy despacio?*

Esta vez no quiso perderse detalle. Moreno. Alto, le sacaba cuatro cabezas. Bien afeitado. De unos cuarenta y pocos años. La luz cambió de color y dieron el primer paso sobre la alfombra negra y blanca.

Ángela sabía que no había tiempo que perder.

—¿*Le gusta el teatro?* —*le preguntó al desconocido.*

—*Sí* —*replicó sin convicción*—. *Aunque no recuerdo la última vez que fui.*

—*Yo soy dramaturga. Dramaturga de Broadway, debo decir.*

Le contó que una de sus obras se representó en los teatros de veinte países distintos y en casi todas las ciudades la mantuvieron en cartel muchos años. Ciudad de México, Johannesburgo, Londres, Madrid, París, Buenos Aires... Se tradujo a todos los idiomas. Estuvo en el teatro principal de Moscú casi seis años. Pensaban seguir representándola tres años más, pero la actriz principal murió en un incendio. Algunos decían que ella misma prendió fuego a su domicilio, tratándose de un suicidio. Era la mejor actriz de Rusia pero bebía demasiado.

El hombre, más impresionado por la verborrea de la anciana que por la historia en sí, se sintió incapaz de abandonarla cuando llegaron a la acera.

—¿*A dónde va?* —*le preguntó.*

—*Al Cinema Village* —*respondió ella, señalando la Calle 12.*

—*La acompañaré hasta allí* —*se ofreció sin soltarle la mano.*

Fue el paseo más delicioso que jamás hubo dado. Ya ni siquiera sentía la necesidad de hablar. Miraba la mano entrelazada a su propia mano y pensaba que era la cosa más hermosa que jamás había visto. Cada uno de los dedos de él eran perfectos, desde el fornido dedo índice hasta el enclenque meñique, con sus pelitos negros y sus arruguitas de caracol. Incluso el pulgar era una pieza digna de llevar colgada al cuello con cadena de oro.

—¿Le ha comido la lengua el gato? —le preguntó él, chistoso.

Ángela salió de su ensimismamiento, sonrojándose. El hombre se detuvo frente a la entrada de los cines.

—Disfrute de la película —se despidió con una agradable sonrisa.

La película le resultó inaguantable. Un bodrio. Consideró salir de la sala en varias ocasiones, pero el hombre ya estaría lejos. Al final se quedó la hora y media sentada en la butaca. Maldecía a los actores y al canalla del director porque la habían separado de las manos más bonitas del mundo entero.

Durante la semana siguiente no fue capaz de concentrarse en sus tareas. Se sentaba en su escritorio frente a uno de sus textos y, antes de llegar a la mitad de la primera página, su mente ya divagaba, rememorando esos cinco dedos tan acogedores. Dibujó manos de hombre en los márgenes de todas las páginas, pero ninguna lograba captar la belleza que ella había apreciado al natural. No se perdonaba haber dejado partir al del último lunes. Debería haberle invitado a ir al cine con ella. U olvidarse de la estúpida película y seguir paseando juntos. Era consciente de que ya nunca lo recuperaría.

Nunca: esa palabra le angustiaba.

La semana transcurrió lenta. Si no trabajaba, Ángela no tenía nada que hacer, y como no podía trabajar, no hizo absolutamente nada.

Cuando llegó el siguiente lunes no esperó a que el sol se pusiera para salir de casa. A eso de las tres de la tarde ya se había colocado el conjunto que había seleccionado por la mañana. Camisa blanca de manga corta y falda plisada hasta las rodillas.

No se puso medias. Aunque tenía manchas en la piel, sus piernas no estaban nada mal para una mujer de su edad. Además, nunca le había crecido pelo y se sentía afortunada por ello. Combinó la elegancia de sus prendas con la comodidad de unos zapatos de buceo. Justo antes de salir de casa, se acordó del ornamento final: una corona llena de flores y perlas.

—¿Le importaría? —preguntó nada más salir del edificio, entregándole la mano a un viandante cualquiera.

—¡En absoluto!

Era un hombre encantador, quizá demasiado encantador, probablemente homosexual (lo primero que le dijo fue que las perlas de su diadema brillaban como luces navideñas). A diferencia de los otros, el de este lunes mostró mucho interés por las historias que Ángela le contaba. Le preguntó por los títulos de sus obras, de qué trataba cada una de ellas, en qué teatros se habían representado y qué actores habían intervenido. Recorrieron, cogidos de la mano y sin parar de hablar, las tres manzanas que separaban su portal del Cinema Village. Cuando llegaron al destino, Ángela no mencionó que su plan inicial era ir al cine. De hecho, ese lunes no le apetecía nada. ¡Al cuerno! Prefería seguir formando parte de la realidad; haciendo lo que estaba haciendo. En compañía.

—¿Le importaría llevarme de vuelta a casa?

—¡En absoluto!

El hombre no tenía prisa por separarse de ella.

Durante el camino de vuelta, Ángela cubrió con sus dos manos la mano de su acompañante, como si fuera un pajarillo caído del nido. Él la alababa por los éxitos cosechados. Por lo visto, también había querido ser dramaturgo en el pasado, pero acabó por rendirse porque nunca encontraba tiempo para escribir. Sus romances le distraían. Le parecía imposible compaginar la pasión con la que un escritor se entrega a la vida, con el aislamiento que con-

lleva la profesión. No era la primera vez que se sentía adulada. No obstante, las palabras de este hombre la hicieron sonreír como si alguien jugueteara con una pluma en sus orejas.

Al llegar al portal, Ángela no le soltó la mano. Subió los cuatro peldaños de la entrada y continuó caminando hacia el interior del edificio.

—Ha sido un placer hablar con usted —dijo el hombre a modo de despedida.

Se detuvo antes de entrar, dispuesto a abandonarla. Esta vez Ángela no lo iba a permitir. Estiró de él con todas sus fuerzas, pero no fueron suficientes para moverle de lugar. Pensó en pedir ayuda al portero para que, entre los dos, subieran al desconocido a su casa, pero lo más probable es que no accediera a participar en un secuestro. El hombre se zafó de su mano y se dio la vuelta. Bajó los escalones. Uno. Dos. Tres. Cuatro. Estaba abandonándola.

A Ángela se le saltaron las lágrimas al verlo partir desde el portal del edificio. La idea de estar sola una semana entera hasta el próximo lunes se le hacía insufrible.

Durante las siguientes tres horas me sentí cómodo dentro de la habitación de Mila. Mejor dicho, no me enteré de que estaba en la habitación de Mila y eso me resultó cómodo. A mi alrededor no existía nada, solo esas palabras que manipulaba al antojo de una historia que había salido de mí con inesperada soltura. Repasé cada párrafo con el ojo avizor de un cazador que sabe con exactitud lo que busca entre la maleza. Seguí releyendo hasta que mi teléfono móvil sonó. Me levanté de la cama con cuidado, protegiendo mis costillas en cada movimiento.

Llamaba un número local desconocido.

—¿Jorge? —preguntó una voz de mujer.

—¿Sí?

—¿Jorge qué más?

Su voz no me resultaba familiar. No pensaba darle más información.

—¿Quién llama?

—¿Conoce usted a Eve Sternberg?

Un escalofrío recorrió mi espina dorsal.

—Sí —respondí, atisbando mi cuaderno abierto sobre el colchón.

—¿Es familiar de ella?

—Somos amigos.

—Llamo desde el Lenox Hill Hospital. La señora Sternberg está con nosotros. Su teléfono es el único que nos ha podido proporcionar.

Sentí un pinchazo en las costillas que casi me tumba, como si acabara de volver a recibir el golpe de la noche anterior.

—¿Qué le ha pasado? —pregunté con la respiración entrecortada.

—Ha tenido un accidente.

—¿La han atropellado?

El paso de cebra que había sido escenario de mi escrito se reprodujo una vez más en mi cabeza. Había manchas de sangre sobre las franjas blancas. Un accidente.

—No —contestó—. Ha sucedido en su apartamento. Tendrá que pasar unos días con nosotros. Ha sufrido un traumatismo craneoencefálico. Se encuentra sedada. Las primeras horas son cruciales en el pronóstico.

En cuanto colgué, me vestí para salir. A pesar de que me había mencionado que no le quedaba familia ni amigos con vida, me impresionó que mi número de teléfono fuera el único que había proporcionado a las enfermeras. Que no existiera otra persona a la que Eve pudiese acudir en situación de peligro era una responsabilidad que me entumecía los nervios, pero a la que estaba dispuesto a corresponder.

Preparé mi neceser, por si me tocaba pasar la noche en el hospital. También metí en mi mochila ropa interior de repuesto, dos camisetas, un pijama, el dinero en metálico del que disponía, mi pasaporte y el cuaderno. Atravesé el pasillo casi corriendo. Cuando pasé por delante de la puerta del cuarto de Zhenia, lo encontré a él solo. El otro cadáver había desaparecido. Me alegré de que el fiambre de Mila fuera más resolutivo que su cuerpo en vida, y que por fin se hubiera dado a la fuga.

Justo en ese momento escuché un chorrito de pis a través de la puerta entreabierta del cuarto de baño que quedaba a mi espalda. Aunque no tenía tiempo que perder, decidí que era importante esperar a que el chorrito menguara.

Salió haciendo eses. Llevaba la bata abierta y nada debajo.

—Me marcho —le anuncié.

—Muy bien —musitó con ojos cerrados—. Yo voy a dormir un rato más.

Saqué las llaves de mi bolsillo y se las entregué.

—Muchísimas gracias por todo.

Abrió los ojos para mirar el metal frío que le había colocado en la palma de la mano. Tan pronto reconoció las llaves de su casa, se desperezó con la urgencia de quien sabe que debería actuar antes de que sea demasiado tarde. Mila detectó mi herida y yo reaccioné tapándome la barbilla de inmediato.

—No pensarás irte sin antes tomar un café, ¿verdad, sinvergüenza?

Era el personaje más cristalino con el que me había cruzado en Nueva York. Recordé la vez que, después de correr con Zhenia en el Central Park, me dijo que Mila tenía la apariencia de una campesina típica de Bielorrusia. En mi opinión, no era solo la apariencia, era el espíritu. La imaginaba perfectamente plantando legumbres y dando pienso a las gallinas que, una vez a la semana, hundiría en aceite hirviendo para cocinar. Una aldeana sencilla y corriente que se acostaría cada noche mirando las estrellas, pensando con distancia y sin angustia en sus años en Nueva York, cuando las estrellas eran de pegatina.

—Lo siento, Mila. Tengo prisa.

Me quería decir algo pero no lo hacía, al menos es lo que me hizo presentir su gesto. Miraba hacia adentro. Estaba más pendiente del remolino de pensamientos que tenía lugar en su interior. Deseé que me comunicara su mensaje (¿de despedida?, ¿de socorro?), que no esperara como esperó con Sveta hasta que ya fuese demasiado tarde.

Putana apareció a nuestros pies cuando estábamos en el vestíbulo. Mila la alzó y la acunó entre sus brazos, censurando de este modo el abrazo final.

Le di un beso en la mejilla sin decir adiós, como si nos fuéramos a ver en un par de días.

—Ya sabes dónde encontrarnos cuando nos necesites —dijo, y estoy seguro de que se refería a Putana y ella, no a Zhenia y ella.

De camino a los ascensores tuve el deseo de volver atrás e invitarla a que me siguiera. Sin embargo, ¿a dónde la pensaba llevar? No se puede seguir a quien no tiene adónde ir.

Deseaba que el destino tuviera reservado un giro positivo y rotundo en la vida de esa mujer de campo que se había dejado avasallar por los demonios de la ciudad.

Las puertas correderas de vidrio produjeron un sonido pesado al deslizarse ante mí. La recepción estaba entre dos pasillos desiertos, cada uno de ellos cruzado por más puertas correderas que se abrían y cerraban solas, como si pasearan fantasmas por el hospital. Frente a mí había un hombre con delantal que mantenía el brazo en alto, cubriendo una de sus muñecas con trapos de cocina manchados de sangre. La recepcionista, una mujer huesuda y de ojos saltones, mecanografiaba los datos de su seguro médico antes de permitirle ser atendido. Cuando fue mi turno, la que estaba tras el mostrador me miró el moratón en la barbilla en lugar de a los ojos e inmediatamente me preguntó si tenía seguro. Le aclaré que venía a visitar a una paciente. Deletreé su apellido para que buscase sus datos en el ordenador. Quiso saber si era su nieto.

—Soy su mejor amigo.

Desde detrás de la pantalla del ordenador, me miró de hito en hito con una expresión entre curiosa y burlona, como si mi visita no fuera más que una broma.

—De hecho, Eve y yo estamos juntos desde hace una eternidad —quise puntualizar.

Puso cara de estar curada de espanto y luego me hizo firmar un pase de visita.

Durante el recorrido se apoderó de mí una alegría improcedente en el lugar en el que me encontraba. No podía evitar sentirme afortunado por tener a alguien a quien visitar en esta ciudad tremenda.

Escuché voces a través de la puerta entreabierta. Atisbé el interior de la habitación. Una enfermera, envuelta en un níveo uniforme holgado, estaba sentada al lado de la cama donde la paciente se encontraba recostada. Le colocaba alrededor del brazo un manguito para tomarle la tensión arterial.

Desde el umbral de la puerta no alcanzaba a ver el rostro completo de mi amiga, en parte tapado por el cuerpo de quien la examinaba, sin embargo fue suficiente para que percibiera su aspecto contusionado y débil. El enorme camisón que le habían puesto cubría su cuerpo, más encogido aún si cabía que de costumbre. El cuello de la prenda estaba abierto, dejando al desnudo unas clavículas que amenazaban con atravesarle la piel. Su cabello, ya sin ningún rizo que hubiera podido sobrevivir, volvía a pegársele al cráneo con ese color amarillento de los filtros de los cigarros consumidos.

Mientras la enfermera insuflaba aire al manguito, Eve volvió la cara hacia ella.

—¿Cómo te llamas? —preguntó con voz derrengada.

—Eniko.

—¿Eniko, has dicho? ¿Tus padres te pusieron eso? — La otra, atenta al estetoscopio, afirmó en silencio—. ¿De dónde eres, Eniko?

—De Hungría. —Eve debió de dar un respingo porque, justo después de contestar, la enfermera detuvo su examen—. ¿Le aprieta mucho el manguito?

—Conozco Hungría... —musitó entre dientes, arrastrando las palabras.

La enfermera extendió con cuidado el brazo de la anciana sobre el embozo de la sábana y prosiguió su tarea.

—¿Qué sabe de mi país? —preguntó con una medio sonrisa en la cara conforme liberaba la presión del manguito.

—Muchos judíos fueron asesinados allí —contestó Eve, taxativa.

Un silencio perturbador se extendió entre la examinadora y la examinada. Pude sentir la incomodidad de la húngara en mi propia piel. Se había quedado de piedra.

—Terrible... —susurró al fin, sonrojándose.

Anotó los resultados del análisis en el bloc que llevaba con ella y procedió a quitarle el manguito del brazo.

—Nunca te juntes con un hombre húngaro —le aconsejó la encamada.

—¿Perdone? —preguntó mientras guardaba las piezas del estetoscopio en el bolsillo de su bata.

—He trabajado con directores de teatro húngaros. Son tan machistas...¡Todos! Hazme caso. Aunque estoy segura de que tu padre es un hombre decente, aléjate de los demás.

Eve estaba, definitivamente, de un humor extraño. Parlanchina y sin pelos en la lengua, como era habitual, pero de su conversación borbotaba una irascibilidad difícil de disculpar. Parecía que el golpe en la cabeza le hubiera afectado de un modo especial. La húngara se incorporó de la silla de un brinco. Colocó el bloc de notas bajo su brazo y se sacudió las manos contra los pantalones de su uniforme con cierta violencia.

—Mi marido no es machista, ni mucho menos... Y mi hijo es un santo, la pobre criatura... Descanse un rato, señora Sternberg, tiene la presión por las nubes.

La enfermera salió tan cabreada que me esquivó en el marco de la puerta sin percatarse de mi presencia. Avancé hacia el interior de la habitación con miedo a que Eve acometiera contra mí también. Me detuve frente a su cama al contemplar su rostro por completo. A un lado de la frente tenía un moratón del mismo color que el mío. La mancha se extendía desde donde le nacía el cabello hasta el párpado del ojo derecho. Tan pronto me vio, liberó un hondo suspiro aprisionado en su pecho y extendió los brazos para que la abrazase. Me uní a ella. Todo su cuerpo temblaba.

—Pensé que el miedo me mataría.

—¿Miedo a qué?

—A que nunca vinieras —sollozó en mi hombro.

—He venido en cuanto me han llamado.

Sus ojos estaban anegados en lágrimas que resbalaban por su cara con parsimonia, como si ellas también tuvieran su edad y estuvieran cansadas. En aquel frío lugar, separada de su hogar, Eve daba el perfil preciso de una anciana abandonada. Comprendí su miedo a no tener visitas. Su angustia a estar rodeada de extraños en una habitación de hospital. Me senté a su lado, en la cama, sin soltarle la mano. Cuando Eve reparó en mi herida, la estudió con semblante meditabundo.

Parecía ser que, tras la experiencia en el Public Theater, los dos nos habíamos derrumbado en solitario. Lo último que esperábamos era reencontrarnos con las mismas lesiones.

—Ahora sí que somos idénticos... —musitó, todavía concentrada en mi cardenal—. Prométeme que no te echarás novio hasta que me muera.

Reí con ganas. Me hice con una esquina de las sábanas y sequé las lágrimas atrapadas en sus arrugas. No le prometí nada.

—¿Qué te ha pasado? —pregunté.

Eve besó el dorso de mi mano repetidas veces antes de contestar.

Su accidente aconteció de la siguiente manera:

La noche anterior se metió en la cama más pronto de lo habitual, al poco de regresar del teatro. Estaba exhausta. Para sorpresa de ella misma, se quedó dormida al instante. Hacía años que no tenía esa suerte. No obstante, al rato unos calambres ininterrumpidos en las piernas la despertaron. Las molestias eran tan fuertes que sintió deseos de gritar. Pensó que si ponía las piernas en alto el dolor remitiría. Animada ante tal posibilidad, primero se colocó a un lado de la cama y, luego, lanzó la mitad de su cuerpo al suelo como quien lanza un ancla al mar. Mantuvo las piernas apoyadas en la cama. Enseguida se dio cuenta de que había sido un error. En todo caso, el dolor se hizo más agudo. Lo peor era que, estando su cuerpo como estaba, no era capaz de volver a subirse a la cama. Trató de conciliar el sueño allí mismo, medio tendida sobre el pavimento, pero fue imposible. A las tres de la madrugada Eve decidió hacer uso de las pocas fuerzas que le quedaban. Se giró hasta colocar su estómago boca abajo y se arrastró hacia la puerta de su habitación, utilizando solo los brazos. Tardó alrededor de cuarenta minutos en llegar al cuarto de baño. Una vez allí, sus brazos ya no tenían fuerzas para trepar la pila del lavabo, de modo que descansó otra media hora sobre las frías baldosas. Cuando pensó que se había repuesto llevó a cabo su plan. Se abrazó a la gruesa base de porcelana y empezó a subir. Al intentar apoyarse sobre los pies, sus piernas flaquearon y se desplomó, dándose un golpe en la cabeza contra la esquina del lavabo que le causó el moratón que ahora le cubría parte de la frente y un párpado. En ese momento perdió los nervios. Temía no ser capaz de incorporarse del polvoriento suelo nunca más. Se arrastró a lo largo de todo el salón. Cuando llegó a la puerta de entrada, la luz del exterior empezaba a iluminar su casa. Gritó socorro hasta las ocho de la mañana. Entonces, un vecino llamó a los bomberos y estos entraron a rescatarla por la ventana.

La manera en la que me narró lo sucedido fue tan intensa y vívida como cuando me leía sus textos teatrales. Trasladaba su mente al escenario que describía y, a partir de entonces, toda ella era gestos y distintos registros de voz. Al explicarme cada uno de sus recorridos de la noche anterior sobre su estómago, Eve daba brazadas en el aire desde su cama, bufando y con la expresión de una mujer que traga polvo. Cuando llegó al momento de la historia en el que pedía auxilio a pleno pulmón, se puso literalmente a gritar socorro en la habitación. Tuve que reprimir sus alaridos para evitar que acudiera el servicio de seguridad del hospital y me sacara de allí a patadas.

—Es una historia horrible —comenté, impresionado sobre todo por su soberbia interpretación.

Asintió muy lentamente con la cabeza.

—¿Pero sabes lo bueno de todo esto? —me preguntó con ánimo renacido—. Me he dado cuenta de que soy más fuerte de lo que creía.

Coloqué mi mano libre sobre la mano de Eve enlazada a mi otra mano. Ella, sin pensárselo un momento, me imitó y depositó su mano libre sobre el amontonamiento de todas nuestras manos.

—¿Y a ti? —volvió sus ojos hacia el moratón en mi barbilla—. ¿Qué te ha pasado?

No se me había ocurrido que la marca en mi cara evidenciara que a mí también me había pasado algo. No estaba preparado para hablar de ello. Desvié hacia las sábanas mi mirada avergonzada. Lo mío no había sido un accidente, sino un secreto.

—Hay cosas de ti que no sé porque no me las has contado —dijo Eve, aceptando de este modo mi ausencia de respuesta—. Sin embargo, hay otras que sí que sé, aunque no me las hayas contado.

La miré a los ojos con cierto temor a lo que pudiese saber.

—¿Qué cosas?

Eve frunció la expresión de un modo afable, como si condujera un navío y la brisa marina le diera de frente. Al ritmo de una respiración sosegada penetró en mi interior con sus ojos azules.

—Sé que lo vas escribiendo todo en tu cabeza. Lo que observas, lo que te ocurre y lo que somos. Lo he notado en tu manera de mirar… Debes de tener el revés de los párpados a rebosar de imágenes. Seguro que hasta yo misma acabaré siendo un personaje de uno de tus guiones.

Tragué saliva para suavizar el nudo que oprimía mi garganta.

—¿Eso te molestaría? —pregunté, conmovido.

—¿Cómo me va a molestar? —me respondió—. Ese es tu tesoro.

Lloré en susurros casi imperceptibles, recogido en mí mismo, para mí. La tristeza se unía a una alegría igual de inexplicable que nacía en la boca de mi estómago. Eve me concedió todo el tiempo que necesitaba para vaciarme del miedo a no saber convertirme en la persona que estaba seguro de ser.

—¿Qué sientes? —preguntó cuando ya no quedaba agua dentro de mis ojos.

Cerré los párpados y, antes de contestar, reflexioné entre las imágenes allí retenidas.

—Que se acerca un final… —respondí, todavía con los ojos cerrados.

Eve liberó una mano de la montaña de nuestras manos y la llevó a mi cara. Fue aplastando con la yema de su dedo índice las lágrimas que todavía rodaban por mis mejillas, como si fueran hormigas.

—Cuando un escritor siente que se acerca el final significa que le ha llegado el momento de que se ponga a escribir el principio.

Salí del hospital pasada la medianoche. En cuanto Eve concilió el sueño cogí mi mochila y la dejé sola. A la mañana siguiente la volvería a visitar, pero ahora necesitaba irme. Antes de pisar la acera ya había decidido que pasaría la noche en el Chelsea International Hostel. Recorrí la Séptima Avenida en dirección hacia el norte con las manos resguardadas en los bolsillos del pantalón. El aire arrastraba los últimos resquicios del temporal de la noche anterior, pero sin amenazar con resurgir de nuevo, simplemente recordándonos que era la primera noche después de una noche de truenos y relámpagos. Las hojas de los árboles temblaban y las nubes se desplegaban como una bola de algodón despedazada. Las pocas estrellas que daban la cara parecían débiles y perecederas.

Conocía aquel hostal. Dos años atrás me hospedé allí, durante mi primer mes en la ciudad. Aunque mi experiencia entre esos muros de ladrillo rojo no había sido nada parecido a un cuento de hadas, ahora no se me ocurría un lugar mejor al que acudir. Mi historia no había empezado en casa de Fabio. Mi historia había empezado allí. Estaba impaciente por pisar el pavimento que pisé al principio del principio, cuando todavía no había nada más que un sueño sin obstáculos. Los acontecimientos se habían desplegado desde entonces como un velo opaco sobre mis ojos.

Esa misma noche pretendía liberarme.

La verja del hostal estaba cerrada con candado. A uno de sus lados había un botón con un adhesivo donde aparecía una media luna dibujada a mano junto a la inscripción: «Timbre de noche». Lo presioné. Pasaron minutos sin que nadie viniera a abrirme. Caminaba de una esquina a la otra de la cancela, frotándome las manos. Apreté de nuevo el timbre sin obtener resultado. Probé a dar golpes contra la estructura metálica que protegía la puerta. Eso fue más efectivo. Una tos seca se aproximaba desde el interior.

—Si no haces más ruido nadie te va a escuchar —me sermoneó el encargado mientras metía la llave en el ojo de la cerradura.

Enderecé la espalda, impresionado ante sus palabras. Las ideas se arremolinaban como un torbellino en mi cerebro y, como consecuencia de ello, mis sentidos se dedicaban a convertir en relevante lo irrelevante. «Si no haces más ruido nadie te va a escuchar» se convirtió en un aviso del que me sigo acordando a día de hoy. Caminé por detrás del hombre sabio hasta la recepción. Sobre el mostrador dormía un gato siamés.

Pagué cincuenta dólares por una habitación individual con baño compartido, además de un depósito de diez dólares que recuperaría al devolver las llaves. El hombre me

338

dio toallas, sábanas y un tique que debería presentar en el comedor para desayunar a la mañana siguiente.

—Disfruta de la Gran Manzana, joven —me dijo.

Sonreí, asumiendo sin rechistar el rol que me concedía. Sentí un cierto alivio en no corregirle, en guardar en secreto mis dos años en Nueva York. Nadie en ese hostal sospechaba que yo no era un recién llegado. Yo ya había estado allí dos años atrás, expectante ante mi sueño americano, en la ciudad fetiche para realizarlo. Ahora volvía a estar de nuevo aquí, cerrando un círculo de lucha y esfuerzo, cargado de experiencias desbordantes de soledad.

Tenía una historia. Estaba de vuelta para escribir el final.

¿Era Nueva York o nuestra entelequia sobre ella la culpable de tanta frustración? ¿O éramos nosotros con nuestra fragilidad los que aparcábamos las aspiraciones más íntimas para evitar la batalla más profunda: ser aquello que has soñado ser?

La escalera de madera crujía con cada uno de mis pasos. Oía bisbiseos por detrás de las puertas que pasaba de largo, como si todos los huéspedes en ese hostal compartieran habitación. Aunque había tenido que pagar más por ello, estaba satisfecho de concederme el lujo de tener mi propio cuarto, al menos por una noche. Ni siquiera me disgustó un poco encontrarme con el cuchitril que era. Desde la estrecha cama se podía alcanzar tanto el pomo de la puerta como, en la punta opuesta, la manilla de la ventana. No había armario, tan solo una caja fuerte del tamaño de una caja de zapatos. Clavado a la pared colgaba un espejo con manchas de dentífrico. Todo aquello me pareció, de alguna manera, encantador.

Me deshice de mi ligerísimo equipaje y me tumbé sobre el colchón.

Me notaba poseedor de una lucidez desacostumbrada que solo podía responder a la novedad de, por primera vez, no haber elegido cobijarme en una casa ajena. Al apagar la luz sentí que ese espacio provisional era más mío que mis propios pensamientos. Me sentía expandido a lo largo y ancho del dormitorio. Mi cerebro estaba en todas partes, avanzaba imparable como un tsunami. No cerré los ojos en ningún momento de la noche. Una historia diferente se estaba proyectando contra cada una de las cuatro paredes que me rodeaban, y ahora me hallaba en un lugar seguro desde donde escribirlas de principio a fin.

Este
libro
ha sido
compuesto
en tipografía
Crimson sobre
papel de 80 gr.
ahuesado e impreso
en octubre de 2017

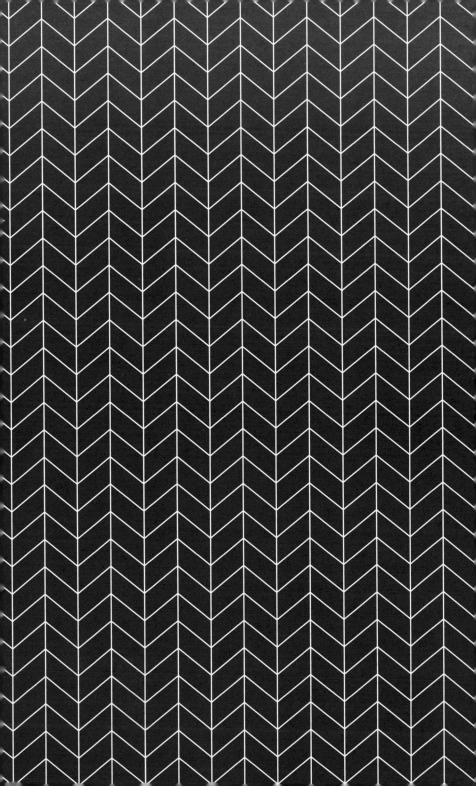